# 나랑 해요, 도련님

1

1

# 나랑 해요, 도련님

린혜 장편소설

D&C
BOOKS

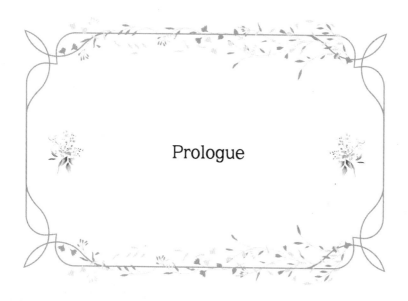

Prologue

Prologue

뜨겁고 축축한 입술 너머로 위스키 향기가 짙게 번졌다.

가물거리는 눈꺼풀을 들어 올리자 어두운 시야에 조명 불빛이 번쩍하고 들어왔다. 현관을 지나쳐 침대로 향하는 동안, 두 사람의 다리가 정신없이 얽혔다.

커다랗고 단단한 손바닥이 꼬리뼈 부근을 쓸어내리자 오싹한 기운이 등줄기를 스쳤다.

"아……."

"입술 벌려 봐요."

틈을 주지 않고 속삭이는 연우의 숨결이 뜨거웠다.

검지로 세희의 아랫입술을 꾹 누르자 안쪽으로 선홍빛 혀가 보였다. 바르르 떨리는 속눈썹에 열기를 이기지 못하고 맺힌 눈물이 이슬처럼 반짝였다.

"키스 처음 해요?"

적나라한 내용의 질문에 세희의 얼굴이 발갛게 물들었다. 남자가 제 속마음을 날것 그대로 들여다본 느낌이었다.

　대답이 없는 세희의 반응마저도 즐거웠는지, 연우는 작게 웃으며 코끝을 비볐다. 맞닿은 살갗이 뜨겁게 문대졌다.

　"지금 딱 그런 표정이길래."

　"처음…… 아니에요."

　괜히 오기가 생겼다. 이런 상황이 처음인 것처럼 보이고 싶지 않았다.

　혹시라도 상대가 이 하룻밤에 큰 의미를 둔다면, 그것도 곤란해질 테니까.

　"그래요?"

　그러나 마음과는 다르게 세희의 목소리는 떨리고 있었다. 그 떨림을 알아차린 연우가 허리를 끌어당기자 자그마한 오기는 금세 사라지고 말았다.

　"처음이라고 말해 주면, 나 더 잘해 줄 자신 있는데."

　낮게 소곤거리는 연우의 음성이 귓가에 울려 퍼졌다.

　연우는 그녀의 표정을 하나도 놓치지 않겠다는 듯 뚫어져라 응시했다. 세희의 피부에 돋은 푸른 핏줄의 모양새조차 그의 구미를 당기게 했다.

　입술로 내리누르고 살며시 깨문다면, 세희는 어떤 목소리로 울까.

　"왜……."

　숨이 차 오르락내리락하는 가슴을 손바닥으로 꾹 누른 채, 세희가 중얼거렸다.

"나도 처음이니까."

세희를 내려다보던 연우의 눈가가 반달처럼 휘어졌다. 잔 잔한 웃음이 깔린 입가에는 세희가 남긴 오렌지빛 립스틱 자국이 선명했다.

"거짓말."

"못 믿겠어요?"

장난기 가득한 목소리로 속삭이며 연우가 고개 숙였다. 쪽, 쪽. 조르듯 이어지는 키스에 세희가 더듬더듬 입을 뗐다.

"처음 하는 사람이 어떻게, 읏, 이런 식으로, 잘해요."

"나 잘하는 거예요? 그럼 다행이네."

앗 하는 사이, 세희의 몸이 침대로 크게 기울어졌다. 출렁 이는 매트리스 위로 그녀를 눕힌 연우가 성큼 올라왔다.

긴장으로 굳어질 틈도 없이, 세희의 손바닥이 연우의 가 슴팍에 닿았다. 그가 직접 끌어당긴 손이었다.

"내 심장 엄청 빨리 뛰지 않아요? 이거 다 처음이라서 그 런 건데."

확인해 보라며 눈짓하는 그를 보며 세희가 마른침을 삼켰 다. 정말로 손바닥 너머로 요란하게 쿵쿵거리는 심장 박동 이 느껴졌다.

짙게 명암이 진 연우의 얼굴이 점점 가까워졌다. 달그락, 벨트 버클 푸는 소리도 이어졌다.

"이래도 거짓말 같아요?"

"으응……."

"대답해 봐."

허벅지 가까이 묵직하게 닿아 오는 열기에 세희가 눈을 감았다. 하얀 이불 위로 검게 흐드러진 머리카락에서는 달콤한 향기가 풍겼다.

"당신 목소리로 직접 듣고 싶은데. 나랑 키스하는 거, 어떤지."

연우는 세희의 목에 코를 박고서, 게걸스레 향기를 탐하고픈 욕망을 꾹꾹 눌러 참았다.

그 대신 가늘게 떠는 허리를 쓰다듬어 주면서 볼에 입을 맞췄다. 열기로 뜨끈뜨끈하게 달아오른 세희의 살결이 기분 좋았다.

"좋아요?"

"몰라, 으읏."

"어서."

대답을 조르며 연거푸 입 맞추는 남자의 목소리가 자꾸만 귓속을 파고들었다. 세희는 달뜬 숨을 내뱉으며 허리를 들썩였다.

"훗……"

스타킹을 벗기는 느낌에 오스스 소름이 돋았다.

세희가 낯선 남자와 하룻밤을 보낸 CH 호텔의 꼭대기에는 유명한 레스토랑이 하나 있었다.

오늘 그곳에서 세희는 진혁의 부모님을 만나기로 했다.

원래대로였다면, 그녀가 홀로 참석해야 했을 자리였다.

"후⋯⋯."

세희는 한숨을 내쉬며 엘리베이터 거울 속 연우의 모습을
바라보았다.

'부탁이 있는데⋯⋯.'

'뭔데요?'

'나랑 상견례 자리 좀 같이 가 줄 수 있어요?'

다소 황당한 부탁을 건넸는데도, 그는 흔쾌히 고개를 끄
덕였다. 오히려 어떤 식으로 대응할지 구체적으로 방향을
묻기도 했다.

'그 사람한테 뭐라고 말해 줄까요.'

'저랑 우연히 하룻밤을 보냈다고요. 그런데도 이 여자랑
결혼할 수 있겠냐고, 한마디만 해 주세요.'

그 덕분에 진혁을 떨쳐 낼 준비가 완벽해졌다.

'아무리 나한테 매달려도⋯⋯ 이제 소용없어, 진혁 씨.'

세희는 도무지 말이 통하지 않았던 진혁을 떠올렸다.

그는 벽과 같았다. 결혼을 취소하겠다는 말도, 상견례 자
리를 거절하겠다는 말도 소용이 없었다.

진혁은 무작정 기다리겠다는 말로 그녀를 붙잡으려 들었
다. 처음 보는, 애틋하게 간절한 얼굴로.

막무가내로 밀어붙이는 그의 행동에 세희도 다른 방법을
찾을 수밖에 없었다.

'이렇게까지 하는데, 정이 안 떨어질 수가 없겠지.'

새로운 남자가 생겼다는 거짓말이야말로 완벽한 방어법

이 될 터였다.

굳이 연우까지 끌어들인 이유를 곰곰이 되짚던 세희의 얼굴이 죄책감으로 어두워졌다.

"미안해요. 갑자기 이런 부탁을 해서."

한껏 가라앉은 세희의 목소리에 한참 핸드폰을 들여다보던 연우가 시선을 옮겼다.

"뭐가요?"

"이상한 부탁이잖아요. 갑자기 애인 행세를 해 달라니……."

조심스러운 세희와 달리, 연우는 단지 어깨만 으쓱할 뿐이었다. 그의 얼굴을 반이나 가린 선글라스도 위아래로 살며시 흔들렸다.

"이 정도야 괜찮은데요. 크게 어려운 일도 아니고."

오히려 생글생글 잘도 웃으며 세희의 가방을 들어 주었다. 그 모습이 꼭 애교를 부리는 여우 같아서, 세희는 저도 모르게 피식 웃고 말았다.

고작 하룻밤 보낸 것치고 친근하게 구는 남자의 태도가 낯설고 귀여웠다.

"그냥 제 뒤에 서 있기만 하세요. 나머지는 제가 다 알아서 할 테니까."

"와, 멋있다."

"뭐가 멋있어요?"

"어른스러운 점이?"

그러고 보니, 연우는 몇 살일까.

세희는 뒤늦게 그의 나이를 알지 못한다는 걸 깨달았다.

다만 말하는 태도나 행동을 보았을 때는 연하가 확실했다.

"농담하지 마세요."

"농담 아니고 진짠데. 매력적이에요, 그쪽."

그래, 이렇게 감추지도 못한 속마음을 쉽게 보여 주는 점이 그랬다.

자신도 어쩌면 진혁의 앞에서 이런 모습을 보인 적이 많지 않았을까.

머쓱한 미소로 돌아서는 세희의 귓가에 연우의 빈정거림이 닿았다.

"그러니까 그 남자도 미련을 못 버리고 계속 이렇게 매달리는 거겠죠."

차진혁의 태도를 비난하는 말투였다.

세희는 부끄러움에 붉어진 얼굴로 그를 돌아보며 물었다.

"혹시 나한테 온 문자 봤어요?"

"보기 싫어도 보이던데요. 제 키가 워낙 커서."

연우는 검지로 세희의 손에 들린 핸드폰을 툭 건드렸다. 동시에 딩동, 소리와 함께 엘리베이터 문이 열렸다. 어느덧 꼭대기 층이었다.

"가 볼까요. 혹 좀 제대로 떼 보러."

농담조로 속삭인 그가 씩 웃으며 걸음을 내디뎠다. 세희는 잠시 머뭇거렸지만, 이윽고 선택의 여지가 없음을 깨닫고 그를 따라갔다.

기다란 복도를 지나 모퉁이를 돌자마자 어디선가 캐럴이 들려왔다. 캐럴이 들리는 방향으로 세희가 고개를 돌린 순간.

"세희야."

레스토랑의 문가에서 초조한 얼굴로 서 있던 남자가 그녀의 이름을 불렀다. 깔끔하고 멋진 슈트 차림의 차진혁을 발견한 세희가 당황하여 멈춰 섰다.

'진짜…… 온 거야?'

믿을 수 없었다. 정말 이해할 수 없는 일투성이였다.

"정말로 온 거예요?"

"그래. 기다렸어."

진혁은 마치 그녀가 올 줄 알고 있었다는 듯 안도의 미소를 지었다. 그 모습에 세희의 심장이 쿵 내려앉았다. 진혁이 이토록 질긴 성미였는지, 그녀는 미처 알지 못했다.

"내가 이 약속 취소해 달라고 했잖아요."

"취소할 생각 없다고 말했지."

시간이 돌아가기 이전의 차진혁은 절대로 이런 남자가 아니었다. 상견례 자리조차 일이 바빠서 참석하지 못했던 남자였는데.

"진혁 씨."

"부모님도 오셨어. 내가 다 얘기했어."

그랬던 남자가 지금은 그녀보다도 먼저 도착해서 손을 내밀었다. 함께 들어가자고, 걱정하지 말라고 다독이면서.

그 변화가 낯설고 꺼림칙한 탓에 세희는 더욱 진혁의 손을 잡을 수 없었다.

"걱정하는 일 없을 거야. 들어가자."

"내가 걱정하는 일이 뭔데요."

날카로운 질문에 진혁이 굳은 얼굴로 입을 다물었다. 밤하늘처럼 새카만 세희의 눈빛에 원망이 가득 담겨 있었다.

"고아로 살아온 인생의 등급을 평가받는 일이요? 아니면 멀쩡한 남자 꼬셔서 인생 펴 보려고, 아등바등하려는 꼴 다 보인다고. 그런 이야기를 얼굴 보고 직접 듣는 일이요?"

전부 이전의 문세희가 겪었던 일이었다. 바보처럼, 그런 질문을 들으면서도 제대로 된 반박 하나 없이 웃기만 했다.

그 말도 안 되는 짓을 감당할 정도로 차진혁을 사랑했으니까. 그랬던 때가 있었으니까.

"문세희."

"진혁 씨가 뭘 안다고, 당신 싫다는 사람 붙잡고 이러냐고요."

가시 돋친 말을 한마디씩 내뱉을 때마다 진혁의 얼굴이 일그러졌다.

대체 무슨 말을 해야, 눈앞에서 돌아서는 그녀를 붙잡을 수 있을까.

"나 너 못 보내."

진혁은 궁지에 몰린 기분에 휩싸여 무작정 세희의 앞을 가로막았다.

더 걸어가지 못한 세희가 고개 들어 그를 쏘아보았다. 날카로운 시선에 이전의 애정 따위는 조금도 묻어 있지 않았다.

"이대로 못 보낸다고, 문세희."

진혁은 그 사실을 도무지 받아들일 수가 없었다.

"진혁 씨, 그만해요. 나는……."

이대로 안 되겠다 싶었는지, 세희가 더 강하게 반박하려는 찰나.

"그래, 세희 씨가 싫다잖아."

단단한 남자의 팔뚝이 세희의 어깨를 감았다. 순식간에 그 품에 갇혀 오도 가도 못 하게 된 그녀가 당황하여 시선을 돌렸다.

"싫다는 여자한테 꾸역꾸역 매달리는 꼴, 그다지 보기 좋지 않은데."

부드럽게 미소 지은 연우가 진혁을 물끄러미 응시했다.

"잠깐만요. 제가 마저 이야기를……."

당황한 세희가 다급히 그 사이로 끼어들었다. 그 순간 세희의 말허리를 끊은 건, 진혁의 차가운 한마디였다.

"차연우?"

진혁의 시선은 그녀가 아니라 연우를 향하고 있었다. 그 사실을 깨달은 연우도 느긋하게 입술을 뗐다.

"오랜만이네, 형."

처음 보는 게 아니라는 듯한 눈빛, 무엇보다도 저 호칭.

세희는 무언가 일이 잘못 돌아가는 걸 느끼고 눈을 크게 떴다.

'형이라니, 이게 무슨 소리지?'

당황한 얼굴로 두 사람을 번갈아 바라보는데, 레스토랑 안쪽에서 요란한 발소리가 들렸다. 뒤를 돌아보자 놀라서 달려 나오는 시모의 모습이 보였다.

'어머님이잖아!'

세희가 반사적으로 온몸을 딱딱하게 굳혔다.

고압적이고 예민했던 시모를 몇 년이나 상대하다 보니, 이제는 몸이 먼저 반응하고 있었다.

"차연우, 네가 여기를 어떻게······."

하지만 세희의 걱정과 달리, 경악한 시모의 시선도 연우에게만 꽂힌 채였다.

세희는 천천히 고개 돌려 연우와 눈을 맞추었다. 얼어붙은 분위기와 동떨어진 연우의 미소가 꽃처럼 화사했다.

'분명······ 서연우라고 했는데?'

남자가 밝혔던 이름과 진혁이 부른 이름이 달랐다.

"오랜만에 뵙습니다, 황남윤 회장님."

무겁게 가라앉은 공기를 읽었으면서도 연우는 나른한 미소만 지었다. 그러더니 세희를 당겨 끌어안고서 보란 듯 진혁을 응시했다.

"이쪽은 제 애인이니까 신경 쓰지 마시고······."

또박또박 내뱉은 목소리에 적의가 가득 실려 있었다. 그런 연우를 노려보는 진혁의 눈빛에서도 분노가 엿보였다.

"형수님 될 여자나 얼른 소개해 주시죠."

떠보는 연우의 물음을 들으며 세희는 조용히 떠올렸다.

일이 왜 이렇게 되었는지, 그 첫 시작을.

# 1. 돌아온 겨울

## 1. 돌아온 겨울

세희는 머릿속으로 한 남자의 얼굴을 떠올렸다.

한때는 상사였고, 남편이었으며, 며칠 전 잃어버린 아이의 아빠였던 남자의 얼굴이었다.

"……."

아침부터 아랫배에 찬기가 돌아 담요를 덮었는데도 여전히 추웠다. 언제나 추운 계절이었지만, 세희에게 올겨울은 유달리 길고 시리게 느껴졌다.

"사모님, 점심 드실 시간입니다."

근처로 다가온 가정부가 따듯한 차를 내밀며 미소 지었다. 차마 뒤돌아 그 미소를 보지 못한 채, 세희는 천천히 고개를 저었다.

"도저히 못 먹겠어요."

창문에는 하얗게 질린 자신의 얼굴이 거울처럼 비쳤다.

세희는 벌써 며칠째, 지금처럼 피곤한 표정으로 창밖만 바라보고 있었다.

"이럴 때일수록 건강을 잘 챙겨야죠. 계속 식사 거르시면, 정말 큰일 납니다."

나지막이 한숨을 내쉬던 가정부가 다정하게 조언했다.

하지만 세희는 그 말뜻을 이해하지 못했다. 이럴 때라니, 그건 대체 어떤 때를 말하는 걸까.

"산모에게는 누구보다도 많은 영양분이 필요하거든요."

"제가 산모라고 불려도 되나요?"

담담히 되묻자마자 세희는 가슴 깊이 후회했다. 가정부의 침묵이 길어질수록 죄책감이 또다시 고개를 들었다.

동정 어린 눈빛도 이제는 두려워서 차마 고개를 돌릴 수 없었다. 누군가의 얼굴을 마주 보는 게 이토록 힘든 날이 올 거라는 걸, 결혼 전에는 알지 못했다.

"아이도 없는데, 산모라고 불릴 자격이 있을까요."

"어휴, 사모님."

"참 신기하죠. 겨우 삼 개월을 막 채웠는데……."

세희는 버석하게 마른 입술을 움직여 담담하게 생각을 읊었다.

"아이라고 부를 만큼 큰 상태도 아니었어요. 당연히 태동이 느껴진 적도 없었죠. 그런데도…… 이렇게까지 배 속이 허전하다는 게 믿기지 않아요."

"……."

"그냥 심장 소리도 듣지 말 걸 그랬나 봐요."

그랬다면, 생명을 잃었다는 자각이 이토록 뼈아프게 다가오지는 않았으리라.

세희는 아랫입술을 지그시 깨물고 두 눈을 감았다. 뜨거워지는 눈시울을 남에게 들키고 싶지 않았다.

"사장님께서도…… 걱정 많이 하실 거예요. 어서 몸부터 회복해야죠."

하지만 가정부의 조언을 듣자 저절로 눈이 떠졌다. 세희는 울렁이는 속을 참아 내며 가정부의 얼굴을 올려다보았다.

"그이가 제 걱정을 할 거라고요?"

"네, 그럼요."

핏발이 서 있는 여자의 눈에 가정부가 움찔하며 물러났다.

"설마요."

세희의 입꼬리에는 차가운 비웃음이 걸려 있었다. 일 년 가까이 모신 사모님이었지만, 여태껏 보지 못한 표정이었다.

그동안 세희는 이 집에서 살며 언제나 온화하고 따스한 미소만 지었다. 곤란할 때조차 싫은 소리 한번 한 적이 없고, 늘 웃고 있었다.

"걱정한다는 사람이 제 아이 가진 여자 얼굴을…… 한번 보러 오지도 않나요?"

그래서 가정부는 세희가 이토록 누군가를 원망할 수도 있다는 걸, 오늘 처음 깨달았다.

"그건 걱정이 아니에요. 방치라고 하는 거죠. 우리 아이가 죽은 것도 지금 모르고 있을 텐데."

"사모님, 그런 말씀 마세요."

"짐승도 자기 새끼 밴 짝은 챙기는 법이라는데……."

끝내 슬픔을 이기지 못한 세희의 눈가가 발갛게 물들었다.

망설이던 가정부가 조심스레 손을 뻗었다. 가늘게 떨리는 그녀의 어깨나마 두드려 주기 위함이었다.

"제 남편 두고 못 하는 소리가 없구나. 못난 것."

그 순간, 날카로운 목소리가 대못처럼 세희의 가슴에 꽂혔다.

"여, 여사님!"

놀란 가정부의 외침에 세희가 느리게 시선을 올렸다. 문가에서 우아하게 걸어오는 시모의 모습이 보였다.

"……어머님."

"나는 너처럼 못난 며느리 둔 적 없다."

핏기 없는 세희의 얼굴만큼이나 하얀 정장 차림의 시모가 불만 가득한 눈길을 던졌다.

"당장 내쫓겨도 모자랄 마당에, 내 아들이 부탁해서 참아 주고 있는 걸 모르고."

가운데서 안절부절못하며 서성이는 가정부의 발소리가 요란했다.

세희는 가만히 시선을 떨군 채 폭력과도 같은 시모의 잔소리를 묵묵히 들었다.

"어디서 반푼이 같은 게 들어와서 애 하나 제대로 못 낳아?"

"……."

"그동안 우리가 부족하게 해 준 게 뭐냐. 이 좋은 집에서, 분수에 맞지 않게 부잣집 마나님 대접을 받았으면! 아이라도 제대로 낳았어야지! 그거 하나 제대로 못 하고 이 난리를 피워?"

아이를 가지기 전에도, 가진 후에도 늘 똑같은 대우였다. 시모의 태도는 그녀가 아이를 잃고 나서도 변하지 않았다.

"여사님, 진정하세요."

"문제없는 내 아들 욕이나 하고 있는데, 어떻게 진정을 해!"

답답하다는 듯 가슴을 두드리는 시모의 모습에 세희의 어깨가 더욱 아래로 처졌다.

"한창 해외 진출로 바쁜 애가 고작 이 문제로 여기까지 와야겠니? 네가 직접 말해 봐라."

"어머님, 하지만…… 진혁 씨 아이잖아요. 그이도 알아야 하는 거잖아요."

"이미 죽은 아이 소식을 전해 봤자 뭐가 좋다는 거야!"

용기 내어 뱉은 말에도 날카로운 질책만이 돌아왔다.

"어차피 애는 또 가질 수 있다. 그러니 청승 떨지 말고 빨리 털어 내."

어떤 말보다도 잔인한 한마디가 연약한 세희의 마음을 사정없이 찔렀다.

❋    ❋    ❋

―상대방이 전화를 받을 수 없어 음성 사서함으로 연결됩니다. 삐 소리 이후……

벌써 열 번째 전화였다. 핸드폰 너머로는 똑같은 안내 문

구만 잔잔하게 흘러나왔다.

정처 없이 길을 헤매던 세희는 천천히 걸음을 멈추고 핸드폰 든 손을 아래로 떨구었다.

'새삼스럽지도 않아. 늘 이랬으니까.'

남편은 앞으로도 전화를 받지 않을 것이다. 그는 무척 바쁘고, 가정보다는 일이 더 중요한 남자였으니까.

따스한 가을날 아이 심장 소리를 처음 들었던 순간조차 남편은 곁에 없었다.

'나랑 결혼해.'

세희가 그와 연애한 기간은 겨우 일 년 남짓이었다. 갑작스러운 청혼이 당혹스러울 법도 하건만, 기쁨이 먼저 앞설 정도로 그를 사랑했다.

'왜요?'

'결혼하고 싶은 여자는, 네가 처음이었어.'

당연히 프러포즈를 받을 때도 무척 기뻤다. 상견례 자리마저 삭막했으나 세희는 막연히 평화로운 결혼 생활을 꿈꿨다.

물론 달콤하고 행복한 신혼 생활까지 바란 건 아니었다. 차진혁은 냉정하고 무심하기로 유명했고, 그 성격은 연애에서도 마찬가지였으니까.

"하지만, 우리 아이는……."

자신은 다소 불행한 삶을 살아도 괜찮았다. 그 대신, 적어도 아이만큼은 반드시 행복하게 키울 생각이었다.

태어나자마자 고아가 되어 친척 집을 전전하며 외로운 생활을 견뎠던 세희에게 아이는 무엇보다도 축복 같은 보물이었다.

그런 보물을 하루아침에 너무나도 허무하게 잃어버렸다. 심지어 혼자서.

'아가, 미안해.'

가슴속에서 치미는 슬픔을 참을 길이 없었다. 요즘은 매일 이런 식이었다.

부를 틈도 없던 아랫배를 손바닥으로 누른 채, 세희는 벽에 기대어 흐느꼈다. 더는 이 반쪽짜리 결혼 생활을 유지할 자신이 없었다.

아이는 이 삭막한 생활 속에서 그녀에게 유일한 희망이었다. 시부모의 경멸과 무시, 남편의 무관심, 껍데기뿐인 결혼 생활에서 하나뿐인 희망.

'다시 예전으로 돌아갈 수만 있다면……'

막연한 소망을 품고서 세희가 횡단보도로 걸음을 내디뎠다. 건너편에서 신호등의 파란불이 위태롭게 깜빡거렸다.

시간을 되돌릴 수만 있다면, 절대로 차진혁과 결혼하지 않으리라.

"어? 아가씨!"

불로 뛰어드는 나방처럼, 비틀거리며 걸어가는 세희의 모습에 행인이 소리쳤다.

하지만 세희의 귀에는 태어나지 못한 아이의 울음이 환청처럼 맴돌 뿐이었다.

"아가씨! 멈춰요!"

행인이 찢어질 듯한 비명을 내질렀다.

'당신이 불행하기를 바라.'

제 죽음이 남편의 앞날에 조금이나마 방해가 되기를.

또한, 남편의 가족에게는 더할 나위 없는 불행이 찾아오기를.

다음 생에는 꼭…… 아이를 행복한 가정에서 만날 수 있기를.

'아가야, 엄마가 만나러 갈게. 빨리 갈게.'

세희는 몇 가지 소망을 가슴 깊이 품고서 옆을 돌아보았다. 그녀를 향해 전속력으로 달려오는 트럭을 마주하면서 천천히 눈을 감았다.

육중한 충격이 다가오는 그 순간, 상상 속 아기의 울음이 재차 귓속에 메아리쳤다.

✻　　✻　　✻

"……리님, 대리님!"

허억, 누군가 어깨를 흔드는 힘에 세희가 긴 숨을 내뱉었다.

식은땀으로 흥건하게 젖어 창백하게 질린 낯이 꼭 귀신이라도 본 모양새였다.

"왜, 왜 그러세요? 무서운 꿈이라도 꾸셨어요?"

세희를 잠에서 깨운 직원이 그 모습에 놀라 한 발자국 물러났다.

"지…… 지혜 씨?"

갑자기 나타난 사무실 풍경에 세희가 멍하니 눈을 끔뻑거렸다.

주변을 살펴보고서야 피오레 코스메틱의 마케팅 부서 사무실이라는 걸 알 수 있었다. 결혼 전, 그녀가 마지막으로 직장 생활을 했던 바로 그 장소였다.

"끙끙 앓으셔서 우시는 줄 알고 깜짝 놀랐잖아요. 악몽 꾸셨나 보다. 하긴, 곧 퇴사하시니까 기분이 이상할 것 같긴 해요."

퇴사. 두 음절의 단어를 듣고서야 세희는 무언가 이상하다는 것을 깨달았다. 진작 끝마친 퇴사 이야기를 갑자기 듣게 되었으니 놀랄 수밖에 없었다.

'이게 무슨 일이지? 분명, 트럭에 치여서……'

세희는 멍하니 손으로 뺨을 더듬거리다가 뒤늦게 테이블의 달력을 확인했다. 1월이라고 적힌 글자와 함께, 창밖에서는 펑펑 쏟아지는 눈발이 보였다.

"대리님?"

지혜의 부름에 세희가 무의식적으로 배를 더듬었다. 그러자 납작한 배가 느껴졌다.

말도 안 돼, 그녀는 속으로 생각하면서 제 추측을 확인하고자 질문을 내뱉었다.

"지혜 씨, 우리 신제품 기획…… 샘플 대량 발주 언제 끝났었죠?"

"아, 그건 지난주 금요일에 끝났어요. 달력에도 적어 두지 않으셨어요?"

지혜가 그녀의 달력을 눈짓하며 물었다.

"오늘따라 정신이 없어서 헷갈렸네. 고마워요."

세희는 제 목소리가 떨리지 않는지 주의하면서 웃었다. 고개를 갸웃거리던 지혜가 이내 배시시 웃으면서 대답을 들려주었다.

"퇴사 준비로 정신이 없으시죠? 저라도 그럴 것 같아요."

세희는 지혜의 말에 대충 고개를 끄덕이면서 반짝 눈을 빛냈다.

납작한 배, 아직 열리지 않은 결혼식, 퇴직하지 않고서 사무실에 앉아 있는 자신.

'설마 내가…… 과거로 돌아온 건가?'

말도 안 되는 추측이었지만, 이 상황을 설명할 해답은 그것뿐이었다.

"대리님?"

굳은 세희의 모습이 이상했는지, 지혜가 연신 말을 붙였다.

하지만 세희의 귀에는 하나도 닿지 못했다. 죽기 직전 느꼈던 절망이 걷힌 자리에 한 줄기 희망이 들어서고 있었으니까.

"저 잠깐…… 자리 좀 비울게요."

정말로 과거로 돌아온 거라면, 더 망설이고 싶지 않았다.

"어디 가세요, 대리님!"

지혜의 부름을 외면한 세희가 재빨리 자리를 박차고 복도로 달려갔다.

엘리베이터를 타고 꼭대기 층의 부사장실로 향하는 동안, 심장은 터질 듯 쿵쾅거렸다.

'하늘이 준 기회야. 이걸 놓치면 안 돼.'

혼란스러움을 갈무리한 그녀의 걸음이 점점 더 빨라졌다.

거듭 다짐하면서 마침내 부사장실 앞에서 문고리를 붙잡은 찰나. 세희가 문고리를 돌리기도 전에 먼저 문이 벌컥 열렸다.

"……문세희?"

이제 막 나가려던 모양이었는지, 급한 표정의 차진혁이 그 앞에 서 있었다.

하얗게 질린 남자의 표정이 어딘가 이상했으나 세희는 신경 쓰지 않았다.

"진혁 씨, 할 말이 있어서 왔어요."

"세희……."

목소리를 가늘게 쥐어짜 낸 진혁의 눈빛이 세차게 흔들렸다. 그는 잠시 손바닥으로 입을 막았다가, 천천히 떼어 내며 고개를 끄덕였다.

"마침 너한테 할 말이 있었어. 잠깐 얘기 좀 하지. 들어와."

생각보다 흔쾌히 수락하는 모습에 또 한 번 위화감이 들었다.

세희가 알고 있는 차진혁이라면, 일이 우선이니 나중에 이야기하자고 했을 테니까.

"아뇨, 여기서 해요. 아주 간단한 말이에요."

세희는 불안한 마음에 부사장실로 들어가길 거부하고 고개를 들었다. 똑바로 올려다보는 그녀의 눈빛에 결연함이 가득 들어차 있었다.

"나 당신이랑 결혼, 안 할래요."

짧은 신음이 대화 사이의 정적을 메꾸었다.

"……뭐?"

"당신하고 결혼 못 하겠다고 했어요."

믿지 못하겠다는 듯 흔들리는 진혁의 눈을 똑바로 바라보며 세희가 거듭 선언했다.

"그러니까 내일 상견례는 못 가요. 그렇게 아세요."

파혼하겠다는 의지를 도무지 꺾을 길이 보이지 않는 눈동자였다.

진혁은 다급하게 세희의 손을 붙잡았다. 꽉 잡힌 손목에 점차 힘이 들어갔다.

"기다려, 세희야."

"사표는 그대로 처리해 주시고요."

앞으로 차진혁의 얼굴 따위 영영 보고 싶지 않았다. 그러니까 회사는 이대로 나가는 게 옳았다.

"제 짐은 오늘부터 정리해서, 마저 퇴사 준비하겠습니다."

세희가 깍듯하게 보고를 올리며 손을 빼냈다. 그녀의 차분한 긴 머리가 진혁의 눈앞에서 닫히는 커튼처럼 흔들렸다.

"문세희!"

예의 바르게 허리 숙여 인사하는 모습에 진혁이 창백한 낯으로 소리쳤다. 하룻밤 사이에 태도가 바뀐 여자의 모습이 익숙지 않았다.

게다가 상대는 문세희였다. 몇 년이나 반짝이는 눈으로 그를 바라보며 사랑한다고 속삭였던 문세희.

"갑자기 무슨 소리야. 어제는……."

"마음이 변했어요."

누가 예상이나 했을까? 문세희가 그토록 사랑하던 차진혁에게 이런 말을 하게 될 줄.

그녀 본인조차 상상해 본 적 없던 일이었다.

"제가 당신을 사랑하는 줄 알았는데, 아니었어요."

선을 긋는 대답이었다. 일그러진 얼굴을 숨기지도 못한 진혁이 매섭게 그녀를 다그쳤다.

"그럼 나 말고 누구를 사랑한다는 거야."

당연히 세희가 자신만 사랑할 거라는, 뻔뻔한 생각이 담긴 말이었다.

세희는 아예 그를 쳐다보지도 않고 무의미한 대화를 이어 갔다.

"있어요. 다른 남자."

"다른 남자 누구. 내일 직접 상견례 자리에 데려와 봐."

세희는 귀를 의심했다. 그럴 수밖에 없었다. 진혁이라면 특별한 미련도 없이 자신을 놓아주리라고 믿었다. 왜냐하면, 그는 자신을 그렇게까지 사랑하지 않을 테니까.

"뭐라고요? 그게 무슨……."

"그런 게 아니면 못 믿어."

하지만 남자는 그녀의 예상처럼 쉽게 물러나지 않았다.

'차진혁이 이렇게 무모한 사람이었다고?'

어안이 벙벙한 얼굴로 서 있는 세희를 보면서, 진혁은 굳은 얼굴로 속삭였다.

"내일 보지."

그제야 그가 세희의 손목을 느리게 풀어 주었다.

* * *

원래대로였다면, 내일은 상견례가 있는 날이었다. 진혁이 예약한 레스토랑을 홀로 찾아가 시모를 맞이했던 그날.

모친의 반대를 최대한 빨리 꺾어야 한다면서, 성급하게 진행되었던 상견례였다.

금방 도착한다던 진혁이 오지 않아서, 홀로 어색하게 시모를 상대해야 했던 그때의 기억이 생생했다.

'일 끝나면 갈 테니까, 당신이 먼저 어머니 좀 상대하고 있어.'

그 부탁만 믿고 기다렸으나 진혁은 끝까지 오지 않았다. 그날마저도 일이 더 중요했던 남자였다. 차진혁은 원래 그런 사람이었다.

'그래. 부모는 뭐 하는 사람이라고?'

'두 분 모두 제가 어릴 때 돌아가셔서…….'

결국, 세희는 시모의 질문 세례를 무참히 받아 내며 그 시간을 견뎌야 했다. 고아라는 사실을 밝히자마자 쏟아지던 경멸의 눈빛을 아직도 잊기 힘들었다.

세희는 먼 과거처럼 느껴지는 일을 회상하다가 눈을 감았다.

"대리님!"

힘차게 울리는 경적에 세희가 옆을 돌아보았다. 조수석의 창문을 내린 지혜가 핸들을 붙잡은 채, 웃으며 손을 흔들었다.

"많이 기다리셨어요? 어휴, 차가 너무 막혀서 혼났어요."

"별로 안 기다렸어요."

세희가 싱긋 웃으며 달려가 조수석에 올라탔다. 곧장 히터를 튼 지혜가 그녀를 흘깃거리다가 감탄사를 뱉어 냈다.

"엄청 예쁜 옷으로 갈아입으셨네요? 대리님 이런 스타일로 입으신 거 처음 봐요."

"그래요?"

어색한 마음에 세희가 말려 올라간 치맛자락을 조금 내렸다.

그녀는 퇴근하기 직전, 지혜의 제안을 충동적으로 수락하여 오늘 열리는 한 파티에 가게 되었다.

'네? 부사장님하고 헤어지셨다고요?'

'그렇게 됐어요.'

'그럼 퇴사도 안 하시는 거예요?'

'그건 그대로 진행할 거예요. 미안해요.'

결혼을 취소했지만, 더는 회사에서 껄끄럽게 차진혁을 마주치고 싶지 않았다.

두 사람이 연인이라는 사실도 알음알음 퍼지던 상황이었고, 같은 팀 직원들은 둘이 결혼할 예정이라는 점도 알고 있었다.

괜히 이야기를 더 끌다가 불편한 분위기를 자아내고 싶지 않았다. 가깝게 지내던 지혜에게만 조심스레 사실을 밝히자, 뜻밖의 반응이 돌아왔다.

'대리님, 퇴근하고 혹시…… 파티 안 가실래요?'

'네? 파티요?'

'이럴 때 혼자 있으면 더 우울하잖아요. 같이 가요. 네?'

평소의 세희였다면 절대로 받아들이지 않았을 제안이었으나 오늘은 달랐다. 지혜의 말대로 혼자 집으로 돌아간다면, 정말로 내내 우울할 것 같았으니까.

결국, 세희는 집에서 말끔히 옷을 갈아입고서 데리러 온 지혜의 차에 탑승했다.

"그런데 우리, 무슨 파티에 가는 거예요?"

"지난주 저희 헤어라인 신제품으로 찍은 광고 기억하시죠? 그때 관계자한테 받은 초대장이 있는데…… 모델이랑 관계자 소수만 참석 가능한 파티예요."

"아아, 기억나요."

그제야 생각이 난 세희가 나지막이 맞장구를 쳤다.

브랜드 마케팅 1팀에서 전적으로 맡아 진행했던 프로젝트. 우아한 이미지를 내세운 상품답게 광고도 고급 호텔에서 진행했었다.

"그 호텔에서 열리는 파티예요."

"광고 찍은 호텔에서요?"

CH 호텔은 차강 그룹의 여사님이자 차진혁의 친모인 황남윤 회장이 직접 관리하는 곳이었다. 공교롭게도 내일 상견례가 있는 장소이기도 했다.

'라운지에서 파티가 열리나 보네. 상견례는 레스토랑이니까…… 설마 어머님을 마주치지는 않겠지.'

세희는 약간의 걱정을 가슴에 품고서 조수석 창문을 보았다. 평소처럼 단정하고 수수한 차림이 아니라, 화려하게 꾸민 모습이 창문에 비쳤다. 스스로 보기에도 약간 어색한 풍경이었다.

"가서 재미있게 놀아요."

콧노래를 흥얼거리는 지혜의 말에 세희는 고개를 끄덕였다.

그래, 이제 차진혁의 일 따위 조금도 신경 쓸 필요 없었다.

*'다른 남자 누구. 내일 직접 상견례 자리에 데려와 봐.'*

진혁의 말이 마음에 걸리긴 했지만, 특별히 신경 쓰고 싶지 않았다.

겨우 되돌아온 삶을 허투루 보내고 싶지 않았으니까.

CH 호텔 라운지 파티장에는 생각보다 많은 사람이 자리를 채우고 있었다.

초대장을 받아야만 올 수 있는 자리였지만, 파트너 동반이 가능하기 때문이었을까.

세희는 와글와글 몰린 사람들 틈에서 어색하게 서성였다.

"대리님, 여기요."

친한 관계자와 인사를 나누고 돌아온 지혜가 들뜬 얼굴로 무언가를 건넸다.

목을 축이라며 가져온 샴페인이었다. 세희는 그것을 반갑게 받아 들었다. 긴장감으로 이어지는 갈증 탓에 쭉 목 아래가 답답했다.

"지혜 씨, 여기 사람이 정말 많네요."

조심스레 건넨 소감에 지혜가 기다렸다는 듯 이야기를 시작했다.

"그렇죠? 아는 분 이야기 듣고 왔는데…… 오늘 유명한 연예인도 참석한대요!"

"연예인이요?"

"모델 연우 아세요? 방송도 타서 정말 인기 많은 모델인데."

지혜는 부랴부랴 핸드폰을 꺼내더니, 기사 하나를 찾아 보여 주었다.

[루비노 모델 서연우, 거침없는 런웨이 행보…… C 브랜드 코트 '찰떡 소화']

큼지막한 제목 아래, 한 남자가 카멜 코트를 입고 긴 다리를 뽐내며 걷고 있었다.

전신사진이라 얼굴은 자세히 보이지 않았는데도 굉장히 준수한 외모인 티가 났다.

"처음 봐요."

하지만 평소 연예계에 큰 관심이 없던 세희였다.

그녀가 고개를 갸웃하며 젓는 순간, 천장의 스피커로 신나는 음악이 울려 퍼졌다.

지혜가 일단 놀자면서 세희와 함께 테이블로 향했다. 테이블에는 꽤 독한 술과 과일, 과자 등의 안주가 마련되어 있었다.

두 사람은 오랜만에 왁자지껄한 사람들 틈에서 이야기를 나누며 술을 마셨다.

그렇게 몇 시간이 지났을까.

"으음, 대리님……."

"지혜 씨, 다 왔어요."

어느새 깜깜해진 밤하늘을 올려다보며 세희가 한숨을 내쉬었다.

이미 거나하게 취한 지혜를 먼저 차에 태우고, 대리 기사한테 차 키도 넘겨주었다.

'신나게 놀고 술 마신 것까지는 좋았는데.'

설마 지혜가 이렇게까지 취할 줄이야.

세희는 이마의 땀을 닦아 내고 다시 호텔 안으로 들어갔다. 라운지로 향하는 복도에는 주황색 조명이 노을처럼 깔렸다.

"후……."

지혜를 먼저 귀가시키고 홀로 남아 안심한 탓일까.

뒤늦게 세희도 술기운이 오르는 걸 느끼며 뜨끈뜨끈한 뺨을 손등으로 문질렀다.

자신은 파티에 조금만 더 머물다가 돌아갈 생각이었다. 그래야만 지금도 요란하게 울리는 핸드폰을 완전히 무시할 수 있을 것 같았다.

[부재중 전화 12건.]

확인하지 않은 전화 기록을 알리는 알람이 깜빡거렸다. 진혁은 아까부터 지치지도 않고 그녀에게 전화를 거는 중이었다.

'이상하네. 이렇게 끈질긴 사람이 아니었는데.'

자신의 연락 하나에 이토록 매달리던 남자도 아니었다.

"아!"

핸드폰 화면만 내려다보면서 비틀비틀 걷던 탓일까.

실수로 러그에 발끝이 걸렸는지, 몸이 크게 흔들리며 균형을 잃었다.

세희가 질끈 두 눈을 감으며 벽 쪽으로 쓰러진 순간.

"괜찮아요?"

단단한 가슴팍이 벽 대신 그녀를 지탱해 주며 부축했다. 깜짝 놀라 눈을 뜬 세희의 귓가로 낮은 목소리가 부드럽게 감겼다.

"당신……."

가장 먼저 보인 건, 어깨에 닿은 남자의 커다란 손바닥이었다.

세희는 멍하니 고개를 들었다. 술기운으로 흐릿해진 시야에도 불구하고 남자의 얼굴이 선명하게 들어섰다.

주황색 조명 아래서도 화사하고 하얗게 빛나는 얼굴이었다. 눈처럼 깨끗한 피부에 조각 같은 이목구비가 반듯하게 드러났다.

"왜 여기 있어요?"

어쩐지 세희를 아는 듯한 남자의 질문이 이어졌다. 마주 본 그의 눈동자가 옅은 담갈색으로 예쁘게 일렁였다.

당황한 세희가 빤히 쳐다보자 남자가 미련 없이 어깨를 놓아주었다. 치근덕대려는 게 아니라 정말로 도와준 모양이었다.

"저를 아세요……?"

경계심 섞인 세희의 질문에 남자가 씩 웃었다.

"미안해요. 제가 잠시 헷갈렸네요. 어디서 만난 적이 있는 것 같아서."

순순한 사과를 들으니 뭐라고 답할 말이 없었다. 머쓱해진 마음에 세희가 옆으로 물러났지만, 그는 비켜 주지 않았다.

"많이 취한 것 같은데, 라운지로 들어가려고요?"

오히려 계속 말을 걸기도 했는데, 몸을 가누기 힘들어 자꾸만 벽에 기대려는 세희가 신경 쓰인다는 눈치였다.

"왜요?"

"지금 분위기가 좀 그래서. 엄청 시끄러울 텐데."

"괜찮아요."

술기운이 얼굴로 올라오는지 슬슬 열이 올랐다.

세희는 가볍게 손으로 부채질하면서 조금도 비켜서지 않는 남자의 얼굴을 자세히 뜯어 살폈다.

아까부터 어디서 본 얼굴 같다는 생각이 멈추지 않았다. 대체 언제 본 걸까. 수차례 머릿속 기억을 뒤진 끝에야 한 가지 대화가 떠올랐다.

'그렇죠? 아는 분 이야기 듣고 왔는데…… 오늘 유명한 연예인도 참석한대요!'

'연예인이요?'

'모델 연우 아세요? 방송도 타서 정말 인기 많은 모델인데.'

바로 오늘 지혜와 나눈 대화였다. 세희는 두 눈을 크게 뜨고서 아, 소리를 냈다.

눈앞의 남자가 지혜의 핸드폰 속 기사에 찍힌 그 사람이었다.

"혹시…… 모델 연우?"

조심스럽게 건넨 질문에 별안간 연우의 얼굴이 환하게 밝아졌다.

"저 누군지 알아요?"

심지어 반가운 목소리로 되묻기까지 했다. 당황한 세희가 재빨리 손을 떨어트리며 물러났다. 머릿속으로만 생각한다는 게 그만, 입 밖으로 튀어나온 탓이었다.

"죄, 죄송해요. 이름을 막 불러서."

허겁지겁 사과를 꺼내는 세희의 목소리가 살짝 떨렸다. 그러거나 말거나, 정작 연우는 다른 곳에만 관심이 쏠린 모양이었다.

"더 얘기해 봐요. 저 아세요?"

오히려 대화를 계속 이어 가려고 노력하는 모습까지 보였다. 슬그머니 눈치를 살피던 세희가 지혜와 나눴던 대화를 떠올리며 대답했다.

"모델이라는 얘기만 들었어요. 제 회사 동료가 그쪽 팬이라서……."

원하던 대답에 연우의 눈가가 반달처럼 휘어졌다. 아까보다 더 화사한 미소였다.

"와, 그렇구나."

웃는 얼굴이 마치 백열등 전구로 한꺼번에 불이 들어온 것처럼 밝았다.

세희는 오래도록 그 미소에서 시선을 떼지 못했고, 그사이 연우도 벽에 기대어 섰다. 아예 자리를 뜨지 않고 제자리서 대화를 나누려는 눈치였다.

'아까 반대쪽에서 걸어오지 않았나?'

당연히 그가 밖으로 나갈 줄 알았기에 의문이 들 수밖에 없었다. 빤히 쳐다보는 눈길에 연우가 생글생글 웃는 얼굴로 소곤거렸다.

"왜 그렇게 뚫어져라 봐요? 내 얼굴에 뭐 묻었나?"

"연우 씨는…… 나가던 도중 아니었나요?"

예리한 질문이었다. 연우는 흥미 가득한 눈길로 세희의 눈을 응시했다. 그녀는 순진한 겉모습과 달리 제법 날카로운 관찰력을 지닌 듯했다.

"그러려고 했는데, 아무래도 그쪽이 걱정돼서. 좀 지켜보다가 가려고 했죠."

"네?"

"많이 취한 것 같으니까."

생각지도 못한 호의였고, 흑심이 있다고 의심하기엔 순수한 눈빛이었다.

세희는 부끄러운 마음에 손등으로 제 뺨을 꾹꾹 눌렀다.

'그렇게나 티가 날 정도로 취해 보이나?'

자제하면서 마시자고 노력했건만, 어색한 분위기에 자꾸만 목이 타니까 어쩔 수 없었다. 그마저도 지혜가 없었다면 이보다 더 깊이 취했으리라.

"괜찮은데……."

"얼굴이 엄청 붉은걸요. 얼마나 마셨어요?"

"샴페인만, 조금요."

지혜가 가져온 술이 워낙 맛있어서 독한지도 모르고 받아 마셨다. 덕분에 이것저것 조금씩 마시다가 자연스럽게 취해 버렸다.

그래도 세희는 지혜보다 조금 더 술이 센 편이라 다행이었다. 아직 제정신으로 대화하고 있었으니까.

"지금 들어가면 더 마시게 될 텐데. 괜찮겠어요?"

연우는 슈트 단추 하나를 느긋하게 풀고는, 검지로 파티장 쪽을 가리켰다.

확실히 그의 말대로 아까보다 더 많은 사람이 모여들었는지 큰 웃음이 복도로 퍼지곤 했다.

"괜찮아요."

"정말?"

"네, 오늘은…… 이런 곳이 필요했어요. 시끄럽고 정신없는 장소."

솔직한 대답을 흘린 세희가 어색한 미소를 지어 보였다. 자신을 걱정해 주는 건 고마웠지만, 호의만으로 외로움까지 달랠 수 없었다.

어떻게든 오늘 밤을 빠르게 보내 버리는 게 세희의 목적이었으니까.

'차진혁이 포기해 주길 바라면서, 기다리는 수밖에 없어.'

그렇지 않으면, 울리는 핸드폰을 끝내 무시하지 못할 것만 같았다.

세희는 습관처럼 배를 더듬으려다가 멈칫하며 입술을 꾹 깨물었다.

'마음도 종이처럼 쉽게 구겨서 버릴 수 있다면 얼마나 좋을까……'

술을 마신 탓일까. 미래에서 막 과거로 돌아왔던 순간보다 지금이 더욱 현실감이 없었다. 마치 꿈을 꾸고 있는 것처럼 묘한 기분이었다.

"아니면 뭐, 다른 이유라도 있나?"

이어지는 침묵을 다른 의미로 받아들였는지, 연우가 날카로운 질문을 던졌다.

제 마음의 약한 곳을 단번에 찾아낸 질문 앞에서 세희의 낯이 창백해졌다.

굳어진 세희의 반응에 더욱 확신을 가진 연우가 부드럽게 말을 이었다.

"제가 모델이라 그런지, 사람들 표정을 기가 막히게 잘 읽거든요. 아무래도 평가받는 직업이다 보니까."

그녀와 달리 연우에게는 지금 분명한 목적이 있었다.

"그래서 딱 보자마자 알았죠."

복도에서 마주친 세희를 본 순간부터 그의 머릿속에서 이상한 기시감이 들었고, 지금도 뿌리치지 못했다.

오래전에 세희를 마주친 적이 있다는 느낌. 연우는 이 느낌의 원인을 알고 싶었다.

"뭘 알았는데요?"

세희는 벽에 기댄 채 멍하니 바닥만 내려다보았다. 축 처진 그녀의 어깨에 어두운 그림자가 깔렸다.

벽에서 등을 떨어트린 연우가 그녀의 앞으로 다가가 마주섰다.

"그쪽, 뭔가 안 좋은 일 있는 것 같다고."

도톰한 아랫입술을 지그시 깨문 세희가 오랫동안 침묵했다. 이번에도 동의나 마찬가지인 침묵이었다.

동시에 하얗게 짓눌린 입술에 연우의 검지가 맞닿았다. 세희는 그의 손길을 따라 천천히 턱을 올렸다.

"나 계속 그쪽, 그쪽. 이렇게 부르기 싫은데……."

시선을 올린 탓일까. 반쯤 고개를 기울인 연우의 입술이 시야에 박혔다. 발간 입술은 언뜻 보기에 남자의 것이 맞나 싶을 만큼 색정적이었다.

짙게 도는 생기로 결점 없는 피부가 도자기처럼 느껴지기도 했다. 정성스레 구워서 흠집 하나 없는, 새하얀 도자기.

"이름 알려 줘. 당신만 내 이름 알면, 조금 치사하잖아."

유혹하는 뜻이 여실한 말투에 세희가 잠시 대답을 망설였다. 그녀의 머릿속에는 온갖 생각이 뭉게구름처럼 피어오르고 있었다.

이 남자, 여자를 많이 만나 본 건 아닐까? 그렇지 않고서야 이렇게 능수능란하게 대화를 이어 갈 수 있나?

"문세희…… 예요. 내 이름."

수차례 반복되는 의심 속에서도, 그녀는 마치 귀신에 홀린 것처럼 입을 뗐다.

"예쁜 이름이네요. 저는 서연우. 성은 몰랐죠?"

이름을 확인한 연우가 빙긋 미소 지었다.

"네."

'활동명이랑 본명이랑 똑같구나.'

세희가 고개를 끄덕끄덕하는 사이, 연우는 자연스럽게 본론을 꺼냈다.

"광고 뒤풀이 파티라고 해서 왔는데, 분위기가 좀 지루하더라고요."

속삭이는 연우의 얼굴이 한층 더 가까워졌다. 코끝으로 좋은 향기가 맴돌았다.

아무도 없는 복도 너머, 방 안쪽에서는 음악을 틀었는지 시끄러운 드럼 소리가 들렸다.

세희는 제 심장 박동을 따라 둥둥 울리는 소음을 느꼈다.

"나랑 둘이서 술 마시는 건 어때요?"

그 말에 심장의 두근거림이 드럼 소리보다도 크게 몸을 두드렸다.

세희는 얼굴의 열기를 가라앉히려고 노력하면서, 차분하게 생각을 정리했다.

계속 울리는 진혁의 전화를 무시하면서 밤을 보낼 방법이 하나 있었다.

평소의 그녀라면 절대 떠올리지 못할 일이었지만, 눈앞의 근사한 미남을 보니 점점 더 충동이 거세졌다.

차진혁에 관한 기억을 완전히 버릴 겸, 하룻밤의 일탈 정도야 괜찮지 않을까.

"나, 술 약해요."

머릿속으로 계산을 마친 그녀가 조심스레 팔을 들었다. 놀란 연우의 눈이 조금 커지는 게 보였다.

단단하고 너른 남자의 어깨에 살며시 손목을 걸친 채, 그녀가 고개를 기울였다. 고갯짓을 따라 흘러내린 머리칼이 아슬아슬하게 가슴 위로 미끄러졌다.

"그러니까 술은 더 필요 없고……."

연우의 시선이 그녀의 입술을 집요하게 훑었다. 벌써 입을 맞춘 것처럼, 뜨겁고 정신없이 탐닉하는 눈길이었다.

"다른 건, 어때요?"

그 시선이 썩 괜찮았다. 도박에 판돈을 건 것처럼 위태로운 긴장감이 일었다.

"……나쁘지 않지."

기꺼이 제안에 응하는 연우의 입꼬리도 부드럽게 말려 올라갔다.

간밤의 기억이 아직 남은 탓일까.

'*다리 좀 들어 봐요.*'

세차게 부딪치는 살갗의 소리. 곳곳을 지분거리며 스치는 소리.

낯부끄럽고 적나라한 소리가 커다란 침대 위에서 끊임없이 이어졌다.

세희는 저도 모르게 손톱으로 단단한 피부를 할퀴며 낮게 끙끙거렸다.

'힘은 좀 **빼도 괜찮으니까. 좋아. 그렇게……**.'

꿈결에서 들리는 목소리가 점점 멀어졌다.

"음……."

세희는 그 자취를 쫓다가 드디어 눈꺼풀을 들어 올렸다.

가장 먼저 보인 건 깔끔한 대리석 천장과 둥근 샹들리에 조명이었다. 시선을 살짝 아래로 내리자 침구에 넓게 스며 든 햇볕이 보였다.

"……아."

세희는 곧 자신이 샤워 가운만 입은 채로 잠이 들었다는 걸 깨달았다.

그때쯤 귓가에 쏴아아 쏟아지던 물소리도 천천히 멎었다. 왼쪽 화장실 커튼 너머로 커다란 그림자가 하나 비쳤다.

'맞아, 어젯밤에 나…….'

그건 연우의 그림자였다.

"저 남자랑 잤구나."

나지막이 중얼거린 세희가 힘없이 손바닥으로 이마를 짚 었다. 아직도 열기가 남은 것처럼 후끈거리는 피부가 느껴 졌다.

슬쩍 상체를 들자 샤워 가운 앞섶이 바스락 소리를 내며 크게 벌어졌다.

"……."

그 사이로 드러난 풍경은 그야말로 가관이었다.

하얀 피부 곳곳에 입술로 지분거린 자국이 열꽃처럼 남아 있었다. 집요하게 곳곳을 잘근거리고 세게 짓누르던 기억도 선명했다.

'강아지가 깨물어도 이것보다 덜하겠네.'

세희는 손끝으로 연우가 밤새 남긴 흔적을 하나둘 더듬었다. 그렇게 멍하니 가슴팍을 더듬거리는 와중이었다.

"깼어요?"

갑자기 정수리 위에서 다정한 부름이 들려왔다. 예고 없는 접근에 깜짝 놀란 세희가 고개를 휙 들어 올렸다.

"아…… 연우 씨."

코앞에 샤워 가운을 입은 연우가 싱긋 웃으며 서 있었다. 채 말리지 못한 머리칼에서 뚝뚝 떨어진 물방울이 갈라진 근육 위로 흘러내렸다.

어젯밤에는 취해서 잘 보지 못했는데, 확실히 체격이 좋았다.

"머리는 안 아픈가 봐요. 다행이다. 술 약하다고 해서 걱정했는데."

연우는 손끝으로 젖은 머리칼을 대충 털면서 말을 이었다.

그동안 세희의 시선은 자연스럽게 보기 좋게 갈라진 복근 쪽으로 향했다. 신이 정성스레 조각을 빚는다면 딱 저런 몸이 아닐까, 그런 생각이 들었다.

"다시 보니까 새삼 더 괜찮아요?"

한참을 감탄하며 지켜보는 세희의 시선을 느낀 걸까.

그녀를 내려다보던 연우가 웃음기 섞인 물음을 툭 던졌다.

"가까이서 봐요. 시간도 많은데."

"아니! 아무것도 아니에요."

손사래를 치며 부정하는 세희의 얼굴이 금세 귀까지 빨개졌다.

세희가 푹 고개를 숙여 버리자마자 연우도 성큼 다가오더니 한쪽 무릎을 꿇고 앉았다. 그 탓에 시선을 더 피할 수가 없었다.

"왜 숙여요? 더 봐도 괜찮은데."

"그, 그럴 필요 없……."

"만져도 좋고."

진심이라는 걸 보여 주듯 연우가 곧장 그녀의 손을 잡아끌었다. 엉겁결에 세희의 손은 순식간에 연우의 어깨에 닿아 있었다.

"!"

손끝에 닿은 단단함보다 세희를 놀라게 한 건, 어깨에 남은 흔적이었다.

아마도 전날 자신이 손끝으로 잔뜩 긁어 놓았을 자국. 그 흔적이 연우의 어깨에도 또렷하게 남아 있었다.

"어젯밤 충분히 못 봤잖아. 다시 볼 기회 지금 줄 테니까……."

부드러운 미성이 세희를 유혹하며 귓속을 파고들었다.

"조금만 더 잘까요, 우리?"

세희는 재빨리 연우의 어깨를 밀어내며 거리를 두었다.

"체, 체크아웃 시간도 신경 써야죠."

그에게 세희는 고작 하룻밤을 같이 보낸 여자였다. 그런 자신에게 살갑게 구는 태도를 영 이해할 수가 없었다.

차라리 원래 성격이 가벼운 남자라면 이해가 빠를 텐데, 그도 아닌 듯했다. 지난밤 자신을 대하는 태도에서 조심스러운 손길을 많이 느꼈으니까.

"철두철미하네요."

잔잔한 미소를 띤 연우가 시무룩한 척 어깨를 늘어트렸다.

세희는 그 미소를 애써 외면하면서 제 짐을 찾았다. 특히 이리저리 살펴봐도 핸드폰이 눈에 띄지 않아 당황하던 참이었다.

"제 핸드폰은……."

두리번거리며 물어보는 세희의 모습에 연우가 벌떡 일어나더니 구석으로 달려갔다. 그가 달려간 원탁 위쪽에 충전 중인 핸드폰 두 개가 놓여 있었다.

"안 그래도 충전해 뒀어요. 아침에 찾을 것 같아서."

연우가 그중 하나의 전선을 뽑더니 빠르게 되돌아와 건네주었다.

"확인해 봐요."

칭찬을 바라기라도 하듯 반짝이는 갈색 눈이 순간 정말로 강아지 같았다.

어젯밤, 여우처럼 색정적이고 매혹적이던 남자는 어디로 간 걸까.

세희는 멍하니 그를 바라보다가 정신을 차리고 손을 뻗었다.

"고, 고마워요."

그렇게 연우가 건네준 핸드폰 전원을 켜는 순간.

손바닥을 세차게 울리는 진동에 놀란 세희가 눈을 크게

떴다. 화면에는 무수히 많은 부재중 통화 기록이 찍혀 있었고, 문자도 마찬가지였다.

당황하여 다른 버튼을 누르려다가 실수로 문자를 확인하고 말았다.

[대체 어디 있는 거야. 전화 좀 받아.]

[바쁘면 문자라도 해 줘. 데리러 가고 싶어.]

[기다릴게.]

짧은 메시지 아래로 호텔 레스토랑 위치와 상견례 시간이 적혀 있었다.

역시나 전생과 마찬가지로, 이번에도 같은 호텔의 레스토랑이었다. 바로 지금, 연우와 함께 있는 이 스위트룸의 CH 호텔.

'가지 않겠어.'

굳건한 다짐이 무색하게도 자꾸만 시선이 옮겨졌다. 전화가 걸려오지 않은 건, 진혁이 아마도 근무 중이기 때문일 터였다.

'가지 않으면, 이제 어떻게 되는 거지?'

그렇다면 진혁이 퇴근한 후에는 어떻게 될까. 또다시 계속해서 연락이 오는 걸까.

세희는 터질 듯 답답한 가슴을 손바닥으로 내리눌렀다.

'앞으로도…… 계속 이런 식이면?'

직장을 옮기고, 아예 이사를 가 버려도 진혁이 계속 연락한다면?

생각해 보면, 그는 갑작스러운 이별 통보를 받아들이기

어려울 수도 있었다.

진혁이 기억하는 건 연애하던 시절 맹목적으로 그를 좋아했던 문세희일 테니까.

'무시로 일관하면서 대처하는 건 한계가 있겠어. 다른 방법은 없을까?'

미간을 찌푸리고서 고심하던 세희의 무릎에 차가운 물방울이 닿았다.

흠칫 놀라 시선을 내리니 무릎에 얼굴을 기대며 웃는 연우가 보였다. 영롱한 햇빛이 번진 갈색 머리칼이 꼭 화보에나 나올 법한 모습이었다.

"표정이 굳었는데. 무슨 일 있어요?"

연우의 부드러운 질문을 들은 순간, 세희의 머릿속에서 한 가지 계획이 떠올랐다.

'그래, 직접 상대를 보여 주면…… 포기할지도 몰라.'

하늘에서 구원의 밧줄을 내려 주기라도 한 것처럼, 햇빛 한 줄기가 연우를 비추었다.

세희가 떨리는 손으로 조심스레 연우의 어깨를 툭 건드렸다.

"연우 씨."

갑작스러운 부름에도 연우는 마치 연인처럼 자연스럽게 그녀의 손등에 턱을 얹었다.

"네, 말해요."

부드러운 반응에 세희가 용기를 얻고 입술을 달싹였다.

"저 좀 도와줄 수 있을까요?"

연우만 수락한다면, 아주 좋은 수가 될 터였다.

"이쪽으로 인내해 드리겠습니다."

앞서가는 직원의 뒤를 쫓으며, 세희는 긴 회상을 마치고 이마를 짚었다.

계획대로 스위트룸에서 나와 레스토랑에 도착한 것까지는 좋았다.

차진혁에게 서연우를 애인인 척 소개하고, 자리를 빠져나오면 끝이었다. 그런데…….

'설마 두 사람이 구면이었을 줄이야.'

심지어 형제일 줄은 꿈에도 상상하지 못했다.

애초에 두 사람은 닮은 구석조차 없었고, 성도 달랐다. 게다가 연우는 세희가 결혼 생활을 하는 동안 단 한 번도 얼굴을 보인 적이 없었다.

즉, 세희가 두 사람의 관계를 알아차리지 못한 건 당연한 일이었다.

"세희야, 이쪽……."

차진혁이 옆으로 오라며 손을 뻗으려는 찰나.

"세희 씨, 여기 앉아요."

연우가 먼저 맞은편 의자를 빼 주며 손짓했다. 당황한 세희가 멈칫하며 쳐다보자 능청스러운 미소가 돌아왔다.

"얼른."

"고, 고마워요."

먼저 의자를 빼 준 덕분에 자연스레 차진혁이 아닌, 연우의 옆에 앉을 수 있었다.

어색하게 미소 지은 세희가 의자에 앉자마자 진혁이 사나운 눈길로 연우를 노려보았다.

세희의 맞은편에 앉게 된 자신의 위치가 무척 불만스러운 눈빛이었다.

"흠흠."

가라앉은 분위기가 불편했는지, 진혁의 왼편에 앉은 황남윤이 작게 기침했다.

이번 생에서도 차 회장은 일정이 바빠 참석하지 못한 듯했다.

"오랜만에 뵙습니다, 사모님."

세희의 옆에 앉은 연우가 선글라스를 벗으며 황남윤을 마주 보았다. 프라이빗 룸에 들어왔으니 타인의 시선을 의식하며 호칭을 수정할 필요가 없었다.

"반년 만인가……."

황남윤이 조용히 혀를 차며 대꾸했다.

"점점 네 생모를 닮아 가는구나."

적의 가득한 어조에 이야기를 듣던 세희의 어깨가 움찔 흔들렸다.

연우는 침묵 속에서 기민하게 황남윤의 얼굴을 구석구석 뜯어 살폈다.

예나 지금이나 변함없이 정정한 그녀의 모습을 보자 자연스레 부친의 모습도 떠올랐다. 어머니와 자신을 버린 주제에 뻔뻔하게도 살아가는 차강태 회장의 얼굴이.

"그간 건강하게 잘 지내셨다고 들었는데 다행입니다."

"이게 무슨 상황인지 설명이 필요하구나, 진혁아."

황남윤이 연우의 말을 가볍게 무시하며 차를 한 모금 삼켰다.

그사이, 세희가 곁눈질로 빠르게 연우의 표정을 살폈다. 입가의 미소는 그대로였으나 눈빛에 담긴 건 애정이 아니었다.

어젯밤 세희에게 보여 준 눈빛이 아직도 머릿속에 생생하여 금방 알 수 있었다. 지금 저 눈빛에 담긴 건, 오히려 증오에 가깝다는 걸.

'정말로 도련님이구나. 차진혁의 이복동생.'

결혼할 당시, 결혼식은 물론 그 어떤 가족 모임에서도 얼굴을 비치지 않았던 남자.

알음알음 집안에 소문이 조용히 퍼져서 차진혁에게 이복동생이 존재한다는 사실만 겨우 알고 있었다.

쉬쉬하는 이들이 많았기에, 그의 이름이며 나이조차 몰랐다.

'서연우가 아니라…… 차연우였어.'

그리고 자신은 전생에 도련님이었던 남자와 하룻밤을 보내 버렸다.

대체 이게 무슨 운명의 장난일까.

'어째서 둘이 형제인 거야. 연우 씨가 하필이면 왜…… 진혁 씨 동생인 거냐고!'

세희는 눈을 좁히며 고개를 숙였다. 한없이 울렁이는 속을 견디기 버거웠다.

다시는 차진혁과 얽히기 싫었던 자신을 비웃듯, 신이 장난질을 친 기분이었다. 충격에 빠져서 새하얗게 질린 그녀의 손이 조금씩 차가워졌다.

세희는 부글부글 끓는 울분을 가라앉히고자 조용히 한숨을 내쉬었다.

"차진혁."

대답이 없는 아들의 모습에 황남윤이 나지막하게 대답을 재촉했다.

진혁은 맞은편에 앉은 세희만 물끄러미 응시했다. 모두의 시선도 자연스레 한곳으로 쏠렸다.

"제가 대신 설명해 드리겠습니다. 황 회장님."

시선을 느낀 세희가 입가에 댄 찻잔을 내려놓았다.

딱딱한 호칭을 사용하는 세희의 모습에 진혁의 낯이 일그러졌다. 기계적으로 손목시계를 만지작거리는 진혁의 행동에서 초조함이 묻어났다.

"오늘 자리, 부사장님께서 일방적으로 주도했습니다."

세희는 찻잔에 묻은 립스틱 자국을 검지로 닦아 내며 말을 이었다.

"저는 우연히 근처에 볼일이 있다가 이번 기회에 확실히 말씀드리고자 들렀고요."

또박또박 이어지는 세희의 목소리에 진혁은 귀를 의심할 수밖에 없었다.

미간을 찌푸린 황남윤에 이어서 연우도 조금 놀란 눈빛을 보냈다.

"어차피 제 정보 따위 손쉽게 조사하셨겠죠. 진혁 씨가 따로 알려 드리지 않았을 테니, 제 신상도 이미 파악하셨을 테고요."

대답하지 못하는 황남윤의 반응이 세희의 말이 사실임을 증명했다.

조금 당황했는지 입술만 달싹이는 모친과 다르게, 진혁은 침묵하며 세희만 직시했다.

"그래, 사람을 시켜서 좀 알아보았지."

순순히 인정한 황남윤의 다음 말은 세희가 예상한 그대로였다.

"어릴 적에 조실부모하고 친척 집을 전전하다가 명문대를 졸업했다지. 운 좋게 피오레 코스메틱에 입사하고, 대리직까지 승진……."

톡톡, 테이블을 두드리는 소리가 거슬리게 울려 퍼졌다.

"평범해. 평범하기 그지없어. 어떻게 우리 진혁이 마음에 들었는지 의아할 정도야."

"그만하세요."

모친의 말을 막아선 건, 놀랍게도 차진혁이었다.

세희는 인상을 찌푸리며 그의 행동을 관찰했다.

전생에서 차진혁은 자신이 시모에게 어떤 말을 듣는지 대충 알고 있었다. 알면서도 일이 바쁘다는 핑계로 망가진 고부 관계를 하염없이 방관했다.

"세희한테 이런 말씀 하시라고 만든 자리 아닙니다."

그런데 이번 생에서는 왜 나를 변호해 주는 걸까.

전생과 달라진 진혁의 태도가 입 안에 가시가 돋친 것처럼 불편했다.

"그럼 무슨 자리냐, 이게?"

살짝 당황한 것도 잠시 짜증 섞인 황남윤의 외침이 크게 들려왔다.

"결혼할 여자를 데려온다기에 누군가 했더니, 기가 찰 정도로 평범한……."

"저도 회장님께 말씀드릴 게 있습니다."

언성이 높아지려던 참에 세희가 차분한 목소리로 끼어들었다.

다른 주제로 대화의 방향을 바꾸려던 연우도, 모친을 막아서던 진혁도 모두 입을 다물었다.

"회장님께 제 품평을 부탁드리려고 나온 게 아니라는 점을 먼저 알아주셨으면 하네요."

"뭐…… 뭐야?"

날카로운 지적에 황남윤의 낯이 금방 불그스름하게 물들었다.

시모가 분노를 터트리든 말든, 이제 세희는 아무것도 신경 쓸 필요 없었다.

'어쩌면, 전생의 상황과 변한 게 하나도 없을까.'

찻잔을 만지작거리던 세희가 차가운 비웃음을 흘렸다. 이다음 황남윤이 제게 던졌던 말이 선명하게 떠오른 까닭이었다.

"역시 부모 없이 자라서 말하는 모양새가 형편없구나. 이래서 가정 교육이 중요한 걸, 쯧."

역시 예상과 한 치도 변함없는 비난이 쏟아졌다. 혀 차는 소리마저도 과거와 똑같았다.

"제가 부모 없이 자랐다는 점이 이 결혼과 무슨 상관이 있죠?"

과거와 다른 게 있다면, 더는 세희가 그녀 앞에서 주눅 들 필요가 없다는 점이었다.

"이전에 우연히 황 회장님께서도 혼외 자식으로 자라셨다는 이야기를 들었습니다."

항상 온순한 모습만 보이던 그녀가 다른 태도를 보이자 놀란 걸까.

여유롭게 받아치는 세희의 모습에 차진혁의 눈이 크게 뜨였다.

"부모의 가정 교육을 제대로 받지 않았던 점이 회장님의 인생에서 그토록 큰 걸림돌이 되었던가요?"

독기만 남은 세희의 눈빛이 서슬 퍼렇게 반짝였다.

"너, 그걸…… 어떻게."

테이블 아래로 주먹 쥔 황남윤의 손이 작게 떨리기 시작했다. 새하얗게 질린 그녀의 얼굴은 세희의 말이 사실이라는 걸 알려 주고 있었다.

'사모님께서 혼외 가정이었다고?'

연우마저도 알지 못했던 사실에 놀라 세희를 돌아보았다. 가족이던 연우조차도 그 사실을 모르는 건 당연했다.

황남윤이 혼외 가정에서 살았다는 건, 결혼했을 때 세희가 우연히 알게 된 정보였으니까. 술에 취한 차진혁을 부축해 주다가 아주 우연히.

"저도 누군가의 귀한 딸이었어요. 회장님처럼요."

"……."

"생각해 보세요. 회장님께서 결혼할 당시, 만약 상대측 부모에게 이런 말씀을 들으셨다면……."

고저 없는 세희의 음성이 싸늘하게 내리꽂혔다.

"회장님의 부모님께서는 어떤 생각이 드셨을까요?"

아무도 입을 열지 않는 가운데, 불편한 정적이 흘렀다.

세희는 태연한 표정으로 제 앞에 놓인 물잔을 들었다. 마른 목을 축이자 미미하게 남았던 긴장감마저 씻은 듯 사라졌다.

"대단히 모욕적이었겠죠. 아닌가요?"

덧붙인 질문에도 침묵은 계속되었다. 쉽게 대답을 꺼내지 못하는 황남윤의 눈빛에 고민이 스쳤다.

여기서 과연 어떤 대답을 꺼내야 예비 며느리의 기를 죽일 수 있을까, 그런 고민일 게 뻔했다.

'며느릿감으로 생각하지도 않으면서 괜한 고민을 하시는구나.'

세희는 황남윤의 실속 없는 고민을 비웃는 대신, 차분하게 선수를 쳤다.

"그러니 제 부모님을 생각해서라도 방금 이야기는 제대로 짚고 넘어가길 원했습니다."

"……너!"

"건방지게 말씀드린 건 사과드립니다."

황남윤이 고민을 끝마쳤을 때는, 이미 세희가 발 빠르게 사과를 꺼낸 직후였다.

짧은 사과나마 들어 버렸으니 더 따지고 들기도 민망한 상황이었다.

'아예 대꾸도 못 하고 벌벌 떠는 천치였으면 당장 뭐라고 했을 텐데, 쯧.'

세희를 빤히 지켜보는 황남윤의 눈매가 가늘어졌다.

조용하고 순한 줄로만 알았더니, 말대답하는 걸 보면 그렇지만도 않은 모양이었다.

'틀린 말도 아니었어. 어디서 그런 정보를 얻었을까. 재주도 좋지.'

황남윤은 세희의 모습 너머로 오래전 자신의 모습을 비춰 보며 미간을 찌푸렸다.

혼외 가정에서 태어났다는 이유만으로 얼마나 많은 설움을 겪고 자랐던가.

그녀의 시모 역시, 지금 황남윤이 내뱉은 것과 비슷한 비난을 쏘아 대곤 했다.

시모가 세상을 떠난 이후에나 그 지옥으로부터 해방될 수 있었다. 그런 점에서 어쩌면, 눈앞의 문세희는 눈치가 좋은 편일지도 몰랐다.

이곳이 지옥문이라는 걸 눈치채고, 진작 등을 돌리려 한다는 점에서.

"그래서 어쩌고 싶다는 거지?"

곧바로 본론에 들어가길 원하는 황남윤의 모습에 세희가 득달같이 답했다.

"이 결혼, 없던 일로 했으면 합니다."

"문세희."

맞은편 대각선 자리에서 진혁이 말허리를 끊어 내듯 일갈했다.

"잊었어? 오늘 상견례 자리야."

낮게 가라앉은 진혁의 목소리에 미미한 분노와 간절함이 섞여 있었다. 그 감정을 읽어 낸 세희가 더욱 사납게 눈을 빛냈다.

"잘 알고 말씀드리는 겁니다. 이 결혼, 처음부터 없던 일로 하고 싶어서."

"문세희!"

언성을 높인 진혁의 목에 불그스름한 핏대가 섰다. 평소답지 않게 흥분하는 아들의 모습에 황남윤이 놀라며 미간을 찌푸렸다.

그러거나 말거나 세희는 아랑곳하지 않고 소개하듯 옆자리의 연우를 가리켰다.

"두 분이 어떤 관계인지 몰랐지만, 이 자리에서 확실히 말씀드리죠. 저는 연우 씨와 서로 알아가고 있습니다."

연우가 흔들리는 진혁의 눈빛을 마주하며 오연한 미소를 보냈다.

그 미소가 이 상황을 군말 없이 받아들이라며 압박하는 듯하여, 진혁의 기분이 더욱 가라앉았음은 물론이었다.

"설명이 더 필요하지 않을 테니 그만 일어나겠습니다."

"기다려."

"바쁜 시간 할애해 주셔서 감사합니다, 회장님."

세희가 황남윤을 향해 고개를 숙이며 마지막 인사를 남겼다.

지켜보던 연우가 눈치 빠르게 자리에서 일어나더니 손수 그녀의 의자를 빼 주었다. 덕분에 세희는 핸드백을 챙기자마자 미련도 없이 돌아설 수 있었다.

"나갈 건가요?"

"네, 이만 떠나죠."

세희는 연우의 질문에 답하며 문 앞으로 걸어갔다.

직원은 진혁의 눈치를 보다가 연우의 소리 없는 압박에 못 이겨 문을 열었다.

두 사람이 문턱을 넘어 복도 중간쯤 걸어갔을 때.

"세희야, 기다려!"

뒤쫓아온 진혁이 단숨에 세희의 손목을 붙잡아 돌려세웠다.

화를 내려던 세희가 진혁의 눈빛을 발견하고서 잠시 입을 다물었다. 궁지에 몰린 사람처럼, 여태껏 본 적 없는 절박함이 그의 새카만 눈에 가득 들어차 있었다.

"이렇게 끝내면 안 돼. 둘이서 다시, 제대로 대화를……."

"남의 애인한테 멋대로 손대는 건 그만 좀 하지?"

어떻게든 대화를 이어 가려던 찰나, 억센 손아귀가 진혁의 팔뚝을 움켜쥐었다.

제 팔을 찌그러트릴 듯한 악력에 진혁의 얼굴이 사납게 일그러졌다.

"누가, 남의 애인이야."

"제대로 못 들었어? 세희 씨 입으로 직접 들었잖아. 내가 다시 설명해 줘야 하나?"

두 사람의 눈빛이 허공에서 신경전을 벌였다. 불꽃이라도 튀길 것처럼 뜨거운 눈싸움이었다.

그렇지만 세희가 불편한 듯 아, 짧게 내뱉은 소리에 두 사람 모두 놀라서 손을 놓았다.

"다시 생각해, 문세희."

그 잠깐 사이에 세희를 놓칠세라, 진혁은 초조하게 눈꺼풀을 깜빡이며 앞을 가로막았다. 그답지 않게 평정심을 잃은 표정이 낯설었다.

세희는 그를 경계하면서 자연스레 연우의 곁에 섰다. 그 순간 진혁의 심장이 쿵 하고 바닥에 내려앉았다는 건 꿈에도 모른 채.

"우리…… 일 년 가까이 만났어."

"네, 그랬죠."

"그런데 갑자기 마음이 변했다고? 지금 나더러 그걸 믿으라는 거야?"

일부러 일 년, 이라는 숫자를 강조하듯 속삭이는 진혁의 태도가 노골적이었다.

연우는 어이가 없어 혀를 차면서도 기분이 가라앉는 걸 느꼈다. 가늘어진 연우의 눈매가 느리게 세희의 얼굴로 향했다. 정말이냐고 묻는 듯한 눈빛이었다.

세희는 당황하기는커녕 침착하게 진혁의 말을 받아쳤다.

"사람 마음이라는 게 하루아침에 손바닥 뒤집히듯 바뀌기도 하더라고요."

그와 자신의 아이를 잃기 전까지는 알지 못했다. 애정이 바스러진 자리에 증오가 찌꺼기처럼 남을 수도 있다는 걸.

그 얼마 안 되는 찌꺼기조차 체념의 원동력이 될 수도 있다는 점 역시.

"부사장님 덕분에 깨닫게 된 점이죠. 그러니 번복하지 않겠습니다."

한없이 냉정하게 선을 긋는 태도에 진혁의 얼굴이 어두워졌다. 숨조차 제대로 쉬지 못하는 그를 등진 세희가 천천히 복도를 걸어갔다.

연우는 진혁을 짧게 곁눈질한 다음, 커다란 보폭으로 세희의 뒤를 쫓았다.

"……."

홀로 남은 진혁만이 세희가 떠난 자리를 하염없이 바라보았다.

복도를 빠져나와 마침내 엘리베이터 앞에 도착한 순간.

'됐어.'

하아, 세희는 땅이 꺼져라 깊은 한숨을 내뱉으며 안도했다. 갑자기 변한 자신의 태도를 이상하게 받아들이면 어쩌나 했는데, 다행히 잘 대처한 모양이었다.

황남윤 회장은 심지어 저를 쫓아서 나오지도 않았다.

애초에 이 결혼을 원한 게 진혁뿐이었다는 걸 더 확고하게 깨달은 셈이었다. 적잖이 우스웠다.

'모든 게 계획대로였어. 한 가지만 제외하면……'

등 뒤로 바짝 따라붙은 발소리가 들렸다. 동시에 도착한 엘리베이터 문이 활짝 열렸다.

따라온 남자가 먼저 버튼을 누르면서 여유롭게 엘리베이터에 탑승했다.

'그래, 이 남자만 빼면 말이지.'

눈이 마주친 순간, 싱긋 미소 지은 연우가 어서 타라며 눈짓했다. 입을 열지 않았지만, 호기심 가득한 눈길이 따라붙었다.

'대체 뭐지. 어디서부터 물어보면 좋을지 감도 안 잡혀.'

세희가 못 이기는 척 엘리베이터에 오르자 조용히 문이 닫혔다.

단둘이 놓인 공간에 어색한 정적이 두 사람의 어깨를 짓눌렀다.

버튼을 누르고자 떨리는 손을 든 순간.

"언제 말해 줄 생각이었어요?"

비슷한 속도로 다가온 연우의 손이 부드럽게 깍지를 꼈다. 커다랗고 뜨거운 손바닥이 세희의 손등 전체를 덮으며 가까이 밀착했다.

"그쪽이 내 형수 될 뻔한 여자였다는 거."

붙잡힌 세희의 손이 버튼을 향해 부드럽게 움직였다. 검지 끝에 차가운 금속 버튼이 긁히듯 눌렸다.

버튼에 빨간 불이 들어오자 세희는 불에 닿기라도 한 듯 서둘러 손을 빼냈다.

"저도 몰랐어요. 알았으면…… 연우 씨한테 이런 부탁 못했겠죠. 뻔뻔하게."

진심이었다. 그가 차진혁과 형제일 줄 알았더라면, 아무리 충동적이어도 이런 실수를 하지 않았으리라.

"글쎄요, 딱히 뻔뻔하다고 생각하지 않았는데."

원하는 대로 순순히 손을 놓아주면서도, 연우의 감각은 맹렬하게 그녀의 움직임을 쫓았다.

손바닥에 번진 세희의 체온을 음미하듯 길고 곧은 손가락이 가볍게 움찔거렸다.

"그냥 기막힌 우연이라고 느꼈어요. 아니면, 운명이거나."

운명이라니, 세희는 하마터면 터져 나올 뻔한 헛웃음을 참아 냈다.

그녀는 단 한 번도 운명이라는 걸 믿어 본 적이 없었다. 과거로 돌아오는 기적 같은 일을 겪어도 마찬가지였다.

세상에 운명이 정해져 있다면, 진혁을 사랑하고서 아이까지 잃어버린 자신이 너무나도 비참하지 않은가.

"오늘은 죄송했어요. 연우 씨와 부사장님의 관계는 절대로 발설하지 않을게요."

자꾸만 긴장되는 분위기 속에서 세희가 발 빠르게 말을 꺼냈다.

그녀의 눈빛에 연우와 보낸 하룻밤을 없던 일로 넘기고픈 소망이 엿보였다.

"그러니까 연우 씨도 오늘 일은, 그냥 잊어 주시는 게……."

"왜 결혼 거절했어요?"

노력이 무색하게도, 연우는 전혀 다른 내용의 질문을 던졌다.

순간 말문이 막혀 돌아본 세희의 시야에 진지한 연우의 얼굴이 들어섰다.

그녀가 어째서 진혁의 청혼을 거절했는지 진심으로 의아한 눈치였다.

'하긴, 궁금할 법도 해.'

차진혁이 얼마나 냉혹한 인간인지 모른다면, 그야말로 완벽한 신랑감처럼 보일 테니까.

세희는 질문에 대한 대답 대신, 자조적인 미소를 띠었다.

"그쪽도 이렇게 가벼운 여자가 형수 되는 건 원하지 않잖아요."

연우에게 자신은 그저 하룻밤을 같이 보낸, 심지어 그를 이용한 여자일 뿐이었다.

그런 여자한테 우연이니 운명이니 하는 식으로 말해 주는 건 과분한 처사였다.

이게 운명이라면, 아주 곤란하고 불쾌한 신의 장난이 아닐 수 없었다.

"당연히 그건 싫죠."

세희가 예상한 대답이 연우의 입에서 흘러나왔다.

그거 봐, 그녀가 씁쓸한 마음으로 시선을 마주친 찰나.

"나랑 잠자리까지 가진 여자를."

세희는 코끝을 스치는 향기에 놀라 숨죽였다. 연우의 체향은 꼭 보드라운 거품이 맺힌 비누 같아서, 제 몸을 포근하게 감싸는 착각이 들었다.

"여자 친구라면 모를까, 형수라니…… 안 그래요?"

어느새 손가락이 얽혀 있었다. 델 것처럼 뜨거운 연우의 체온이 아직도 낯설었다.

어떤 말을 꺼내야 할지 몰라 망설이는 세희의 귓가에 딩동, 선명한 기계음이 들렸다.

유난히도 길게 느껴지던 하강이 끝나고 엘리베이터 문이 열린 순간이었다.

"자세한 건 그만 물어볼게요. 대답하기 힘들어 보이니까."

연우가 짓궂은 미소를 보이며 손을 놓아주었다.

더 물어보지 않겠다는 것만으로도 세희의 마음은 한결 가벼워졌다. 그렇지만 어젯밤의 일탈을 완전히 잊어버리겠다는 결심은 여전했다.

"오늘은…… 정말 실례했습니다. 조심해서 가세요."

세희가 기회를 놓치지 않고서 재빠르게 허리를 숙였다.

그녀는 일방적으로 작별을 고한 후, 뒤도 돌아보지 않고 입구로 직행했다.

연우는 그녀를 붙잡지 않았다. 그저 팔짱을 끼고 벽에 기댄 채, 뜻 모를 미소만 머금었다.

"조만간 다시 만나죠, 문세희 씨."

자그맣게 속삭인 다짐 또한, 세희의 귓가에는 닿지 못했다.

# 2. 계단의 그 아이

## 2. 계단의 그 아이

"네? 지금 뭐라고 하셨어요?"

커피 향기 가득한 오전의 인사과 사무실.

세희는 멍하니 인사부장을 바라보았다. 빨대로 빈 커피 잔만 쭉쭉 빨던 인사부장이 한숨과 함께 고개를 푹 숙였다.

"문 대리 퇴사 말이야, 퇴사! 제발 부탁이니까 한 번만 더 생각해 줘."

평소 가까이 지내던 사람인지라 냉정하게 대하기 어려웠지만, 세희는 애써 단호하게 고개를 저었다.

아무리 친해도, 이건 중요한 문제였다. 자신도 더 물러서기 어려운 절벽 끝에 서 있었으니까.

"부장님이 이러셔도 제 생각은 변함이 없어요. 죄송해요."

"아니, 그렇게 서둘러서 정할 필요 없잖아. 응? 어차피 한 달 더 다녀야 하고."

사직 효력이 발생하기 전까지, 세희는 최대한 빨리 인수 인계를 마칠 계획이었다.

그런데 별안간 퇴사를 취소해 달라고 사정하는 인사부장의 모습에 난감할 따름이었다.

그의 말대로 한 달간 유예 기간이 생기긴 했으나 퇴사를 관둘 의지 따위 손톱만큼도 없었으니까.

"당장 인력 충원할 시간도 없는데, 문 대리도 알다시피 신제품 출시가 코앞이고…… 안 그래도 부족한 손, 가만히 보내 버리면 내가 멍청이잖아. 안 그래?"

급기야 자기 비하까지 하며 퇴사를 만류하는 모습이 퍽 측은했다.

아침 일찍부터 인사 팀에 불려 간 이유가 이런 거였다니, 세희는 입술을 잘근 씹었다.

"그러니까 천천히 생각해 보자고."

아예 커피 잔을 치워 버리고 두 손을 꼭 모아 부탁하는 인사부장의 눈빛이 퍽 간절했다.

"조금 더 기다리면 과장 직함도 달 텐데, 여태 근무한 시간 아깝지도 않아?"

과장이라는 단어에 세희의 눈꺼풀이 부자연스럽게 움찔거렸다.

인사부장의 말은 사실이었다. 지금은 승진을 눈앞에 둔 시기였다.

과거에도 진혁의 청혼을 수락하면서 승진 때문에 적잖이 고민했던 기억이 있었다. 그때는 일보다 사랑을 택했지만,

지금은 아니었다.

"아까워도 어쩔 수 없죠. 불편해서 회사를 못 다니겠는걸요. 업무에 지장도 갈 테고."

"문 대리 업무에 지장이 가도 어디 말도 못 알아먹는 신입만 하겠어?"

워낙 업무 능력이 좋아 인턴 시절부터 착실하게 실적을 쌓았던 세희였다.

함께 들어왔던 입사 동기들이 고된 일과 불규칙한 생활에 질려 떠났을 때도 그녀는 꿋꿋하게 버텼다.

얼핏 보면 미련하게까지 느껴지는 성실함과 인내심이 그녀의 무기였다.

"어차피 결혼도 취소되었다면서."

세희의 인턴 시절을 떠올리던 인사부장이 진땀을 흘리며 속삭였다.

"벌써 들으셨어요?"

"소문이 어디 좀 빨라? 다들 그래도 쉬쉬하고 있어. 어쨌든, 결혼 취소했으면 퇴사하지 않아도 괜찮잖아. 사직 이유도 엄밀히 따지자면 결혼 때문이었으니까."

구구절절 옳은 말이라 반박할 틈을 찾기 어려웠다. 초조하게 대답을 기다리는 인사부장의 모습에 세희가 가늘게 눈을 떴다.

"부장님, 혹시……."

부사장님의 압박이 있던 건 아닌가요?

"응? 혹시 뭐?"

"······아니에요, 아무것도."

타당한 의심이지만, 차마 못 물어보겠다.

세희는 지끈거리는 관자놀이를 손가락으로 꾹꾹 눌렀다.

"그럼 그렇게 알고 있을게?"

"아뇨, 퇴사는 그대로 할 거예요."

칼 같은 대답에 인사부장이 실망 가득한 얼굴로 입을 다물었다. 하지만 이어지는 말에 구겨진 얼굴 위로 화색이 번졌다.

"대신 후임자 제대로 정해지면, 그때 나갈게요. 이 정도 조건이면 괜찮으시죠?"

"어휴, 그래! 그 정도 융통성은 있을 줄 알았어. 역시 문대리야."

"그럼, 이만 가 보겠습니다."

"그래, 그래. 오늘 하루도 힘내고!"

답답한 가슴이 뻥 뚫린 사람처럼 활짝 미소 짓는 인사부장의 얼굴에 후련함이 가득했다.

그 모습에 세희는 확신했다. 인사부장을 압박하여 사표 수리를 거절하게 막은 건, 차진혁의 뜻일 거라고.

이렇게까지 제 퇴사를 막아서는 이유가 대체 뭘까? 진혁이 그 정도로 자신을 사랑했나?

이해할 수 없는 차진혁의 행보에 세희의 가슴은 한층 더 답답해졌다.

'됐어, 어차피 한 달은 더 다녀야 하고. 후임자는 금방 구할 테니까.'

기나긴 복도를 걸어가는 세희의 구두 소리가 또각또각 울려 퍼졌다.

그렇게 마케팅 부서 1팀 사무실에 도착한 순간.

"대리님, 어떻게 되셨어요?"

"퇴사 그대로 하시는 거예요?"

조마조마해하며 세희를 기다리던 직원들이 우르르 몰려들었다.

세희의 퇴사 소식에 크게 아쉬워하던 그들의 눈빛에 희망이 간절하게 아른거렸다. 조금이라도 퇴사가 미뤄지거나 아예 취소된다면 더 바랄 게 없다는 눈빛이었다.

"우선 한 달 기간이 있으니까요. 당장 그만두는 건 아니죠."

세희는 멋쩍게 미소 지으며 책상 앞에 앉았다.

"그럼요?"

"후임자 정해지면 퇴사하기로 했어요. 한 달 지나도 후임자 못 구하면, 조금 더 근무하다가 나갈 거예요."

직원들이 입을 다물고서 소리 없는 비명을 삼켰다. 기쁨의 비명이었다.

"정말 잘됐어요, 대리님!"

업무 능력이 좋은 세희가 당장 퇴사한다면, 출시를 앞둔 신제품 마무리에도 지장이 갈 수밖에 없었다.

저들끼리 과연 세희의 빈자리를 잘 채울 수 있을까 고민하던 찰나였기에 너무나도 반가운 소식이었다.

"그런가요?"

"당연하죠! 하마터면 저희 송별회도 못 할 뻔했잖아요."

원래대로 결혼식을 진행했다면, 세희는 한 달간 자택에서 근무를 마무리했을 터였다.

전생에서도 그 탓에 마케팅 팀 사람들과 작별 인사를 나눌 여유조차 없었다.

"이번에 송별회 겸 회식 자리 어떠세요? 팀장님이 대리님 안 계실 때 저희 불러서 제안하셨어요."

"저야 좋죠."

그나마 좋은 소식에 세희가 빙그레 미소 지었다. 직원들은 그녀보다도 더 들뜬 표정으로 활짝 웃었다.

"날짜는 언제가 좋으세요?"

"이번 주 금요일 어때요?"

"그런데 그날 부사장님께서 글로벌 인재 포럼 강연이…… 아."

도란도란 떠들던 직원 중 한 명이 아차 싶은 얼굴로 입을 닫았다.

가시처럼 튀어나온 부사장이라는 단어에 모두가 세희의 눈치를 살폈다.

"아, 저도 금요일이 좋아요."

세희는 불편함을 내색하지 않고서 화제를 바꿔 주었다. 덕분에 사람들도 자연스레 하나둘 대답을 꺼낼 수 있었다.

"그, 그럼 금요일 회식으로 알고 있을게요!"

"팀장님께는 제가 말씀드릴게요!"

누군가의 외침을 마지막으로 사람들이 뿔뿔이 흩어졌다.

세희는 어중간하게 대화가 끊어져서 차라리 다행이라고 생각하며 한숨을 내쉬었다.

마케팅 1팀은 세희의 복귀로 더욱 분주하게 돌아가기 시작했다.

팀장이 가공 제품 발주를 위해 사무실을 떠났으니, 나머지 업무는 고스란히 세희의 몫이었다.

세희는 책상에 산더미처럼 쌓인 기획서와 발주서를 정리하면서 차례대로 지시를 내렸다.

"주하 씨는 완제품 QC(Quality Control) 성적서 받아 오세요. 지혜 씨는 용기 디자인 외주 협력서 작성한 다음 팀장님께 보고하고요. 참, 플라스틱이 아니라 유리로 진행되기로 수정한 거 기억하죠?"

"네, 기억하고 있습니다!"

"좋아요, 그대로 진행 부탁해요."

직원들이 각자의 책상으로 떠난 후, 세희는 뻐근한 어깨를 주무르며 모니터를 보았다.

이메일을 검토하던 그녀의 시선이 문득 검색창 언저리에 닿았다. 잠시 망설이듯 키보드를 톡톡, 두들기던 손가락이 이윽고 자판을 눌렀다.

[모델 연우]

이 남자를 신경 쓰지 않으려고 했으나 계속 생각나는 건 어쩔 수 없었다.

지켜보는 눈이 없는 것을 확인한 다음, 세희는 재빠르게 상단에 뜬 링크를 클릭했다.

깔끔한 UI의 홈페이지가 모니터를 꽉 채웠다. 한가운데 큼직한 영문 로고가 박혀 있었다.

[루비노(Rubino) 모델 에이전시]

화면에 보란 듯이 연우의 화보가 나타났다. 고개를 뒤로 젖힌 채, 가운 차림으로 욕조에서 젖은 머리칼을 쓸어 넘기는 모습이었다.

턱 끝에 맺힌 물방울과 나른한 표정이 함께 보냈던 밤의 풍경을 방불케 했다. 분명 사진인데도 묘한 생동감이 느껴졌다. 아마도 연우의 눈빛 때문이리라.

"키는 백팔십육. 나이는 스물여덟……."

성숙한 분위기와 달리 소년미가 느껴진다 싶었는데, 그녀보다 고작 두 살 어린 나이였다.

세희는 눈매를 좁히며 유심히 화보 아래 나열된 경력을 살펴보았다. 스무 살 때 모델로 데뷔한 이후, 뉴욕으로 떠나 섭렵한 해외 패션쇼 기록이 가득했다.

포트폴리오를 클릭하자 첫 화면에 나왔던 것만큼이나 강렬한 화보가 주르륵 튀어나왔다.

'스물다섯에 한국으로 돌아왔네. 그리고 이때 에이전시를 창립…… 뭐?'

깜짝 놀란 세희가 눈가를 비볐다. 화면 속 문장은 변하지 않았다.

'그럼 에이전시 대표라는 건가?'

검색해 보니 꽤 명성이 자자한 에이전시였는데, 대표가

연우라는 점이 유명세에 이바지한 모양이었다.

세희는 차갑게 식은 손끝으로 지끈거리는 관자놀이를 짚었다.

혹시나 해서 더 검색해 보았지만, 특이 사항이라곤 그가 여태 의상 화보만 고집하고 메이크업 화보를 찍어 본 적이 없다는 점뿐이었다.

수영복 화보가 나타날 때쯤 세희가 다급히 홈페이지 창을 닫았다. 연우의 단단하고 균형 잡힌 몸매를 마주하자 또다시 그날 밤 기억이 떠오른 탓이었다.

"흠, 흠."

손으로 부채질하며 열을 식히는 세희의 볼이 발갛게 물들었다.

'차강 그룹 사람이라는 건 아무도 모르나 보네. 의도적으로 숨긴 걸 보면, 말 못 할 사정이 있겠지.'

세희는 애써 연우를 향한 호기심을 떨쳐 내고자 노력했다. 궁금하면 다시 만나고픈 마음이 들 터였다.

하지만 그와 다시 만나는 일이 있어서는 안 되었다. 그 역시 결국에는 차강 그룹의 사람이었으며 차진혁의 가족이었으니까.

"대리님!"

별안간 눈앞으로 불쑥 서류 몇 장이 튀어나왔다. 고개를 돌리자 지시대로 서류를 가져온 직원이 생글생글 웃으며 서 있었다.

"QC 성적서 가져왔습니다. 점심 회의 때 배부하실 거죠?

제가 복사해 올까요?"

"아, 주하 씨. 이쪽으로 주세요. 제가 한번 검토하고서 복사할게요."

세희는 서류를 받아 들고서 몸을 일으켰다. 복도로 걸어가는 그녀의 모습이 사무실 통유리 벽에 그림처럼 비쳤다.

"그래프, 도표, 전부 잘 정리했고…… 오타도 없고…… 음?"

서류를 확인하는데 주머니 속 핸드폰이 요란하게 진동했다.

꺼내서 이름을 확인한 세희가 전화를 받는 대신, 미간을 찌푸리고 주머니에 도로 넣었다.

그렇지만 곧 복도 끝에 서 있는 사람을 발견하고서 우뚝 걸음을 멈출 수밖에 없었다.

"내 전화, 그렇게 무시하고 싶었으면……."

뼈마디가 굵은 남자의 손가락 사이, 핸드폰에 박힌 세희의 이름이 깜빡거렸다.

"차라리 핸드폰을 꺼 뒀어야지, 세희야."

진혁이 손에 든 핸드폰을 건드린 순간, 세희의 주머니 속 진동도 멈추었다.

차진혁이 여느 때처럼 새카맣고 각 잡힌 슈트 차림으로 느리게 걸어왔다.

서서히 다가오는 얼굴이 백열등 아래서 환하게 드러났다. 피로하고 지친 표정 때문인지 그의 심기도 유독 불편해 보였다.

아니, 아마도 정말 기분이 가라앉았을 터였다. 눈앞에서 자신의 전화가 무시당하는 걸 똑똑히 목격하였으므로.

"기다려."

다급한 목소리가 돌아서려는 세희를 붙잡았다. 그녀는 아랫입술을 꽉 깨물고서 다가오는 발소리를 들었다.

마침내 등 뒤까지 다가왔지만, 진혁은 그녀를 억지로 돌려세우지 않고서 얌전히 기다렸다. 지난번 상견례 자리에서 겪었던 것과 사뭇 다른 모습이었다.

결국, 세희는 한숨과 함께 그를 돌아보았다. 눈이 마주치자마자 진혁이 새하얀 봉투를 내밀었다.

"업무와 상관없는 물건은 받지 않겠습니다, 부사장님."

세희가 사무실 쪽을 힐끗거리며 선수 치듯 대답했지만, 소용이 없었다.

"그거 다행이네. 업무와 상관있어서."

이미 돌아올 반응 따위 예상했다는 듯 진혁이 그녀의 손에 억지로 봉투를 쥐어 주었으니까.

봉투 겉면에는 호텔 주소와 함께 파티 날짜가 찍혀 있었다. 날짜를 확인한 세희가 냉기 가득한 목소리로 대꾸했다.

"부사장님의 개인적인 업무에 일개 직원이 동행할 필요는 없을 텐데요."

"회사 업무에 개인이 존재할까?"

다시 거절해도 물러설 기미가 없어 보였다.

세희는 더 궁금해하지 않겠다는 일념으로 주머니에 봉투를 구기듯 넣었다.

"이제 물어보지도 않는 거야?"

그녀가 자리를 떠나려 하자 진혁의 나직한 목소리가 따라붙었다. 태연한 얼굴과 달리 까맣게 일렁이는 눈빛이 다소 위험해 보였다.

"무슨 말씀이신지 모르겠습니다."

"예전에는 눈만 봐도 알았잖아, 내 기분."

세희가 차갑게 대꾸할수록 진혁의 대답은 더욱 빨라졌다.

실없는 대화라도 좋으니 최대한 길게 이어 가고픈 게 분명했다. 그 마음을 느낄 때마다 세희의 태도는 더욱 싸늘해졌다.

"아뇨, 그때도 몰랐습니다. 주제도 모르고 아는 척했을 뿐이죠."

"……."

"그래야 부사장님 심기를 거스르지 않을 수 있으니까요."

세희는 씁쓸한 마음을 조용히 곱씹으며 바닥을 내려다보았다.

'그래야 당신 눈치를 살피지 않아도 되니까.'

그래, 그때는 그럴 수밖에 없었다.

세희는 어디까지나 을의 위치였고, 차진혁은 단 한 번도 갑의 자리를 내어 주지 않았다.

얌전히 집을 지키며 연락을 기다리고, 진혁의 귀가가 늦어지면 애태우다가 뜬눈으로 잠들었다.

연애 기간에는 사내에서 들킬까 봐 마음 편히 설렘과 떨림을 만끽하지도 못했다.

"어젯밤."

과거를 회상하느라 잠깐 주의를 놓친 탓일까.

세희는 별안간 손이 다가온 걸 알아차리고 흠칫 눈을 감아 버렸다.

"악몽을 꿨어."

낮게 갈라진 음성이 귓가에 감겼다. 눈을 뜬 세희가 돌처럼 굳어졌다.

얼음처럼 차가운 손가락이 여린 귓불을 아슬아슬하게 스치며 머리카락을 넘겨 주었다.

"또 그 꿈을 꾸게 될까 봐…… 병신처럼. 이 나이 처먹고 무서워서 잠을 설쳤어. 어이없게도."

진혁이 상스러운 표현을 사용할 줄도 알던 남자였나.

연인처럼 다정한 손길을 그에게서 미처 겪어 본 적이 없으니, 세희는 그저 당황스러웠다.

"사표 수리 안 된 건 이야기 들었겠지."

이어진 말이 혼란스러운 마음을 거칠게 파고들었다.

세희는 사납게 그를 노려보면서 후다닥 뒤로 물러났다. 한 발자국만 나아가도 닿을 거리, 고작 그만큼의 거리였다.

그런데도 그 거리가 무척이나 멀게만 느껴져서, 진혁은 입 안이 썼다.

"딱 한 달 미뤄졌을 뿐입니다. 퇴사는 그대로 할 거고요."

또박또박 대답하는 입술이 얄미웠다. 진혁은 그답지 않게 씁쓸한 웃음을 흘렸다.

"그 파티, 꼭 와."

뭐라 할 틈도 없이 돌아서 멀어지는 진혁의 뒷모습이 오늘따라 작게 느껴졌다.

세희의 기분이 더욱 가라앉는 것은 물론이었다.

넓은 로비에 사원증을 찍는 기계음이 높고 날카롭게 울려 퍼졌다.

바깥은 벌써 깜깜해졌고 겨울바람이 매섭게 불어와 코트 사이로 스며들었다.

세희는 코트를 더욱 단단히 여미면서 정문을 통과했다.

'빨리 돌아가려고 했는데…….'

최대한 일찍 퇴근해야겠다 싶었는데 마지막 업무에 집중한 나머지, 조금 초과해 버렸다.

세희가 서둘러 돌아가자는 마음으로 고개를 든 찰나.

그다지 멀지 않은 거리에서 카멜 코트를 입은 남자가 눈에 들어왔다. 마찬가지로 세희를 발견한 남자가 멋들어진 고급 세단에 기댄 채 왼손을 흔들었다.

'누구지?'

세희가 의아한 얼굴로 빤히 쳐다보는 가운데, 남자가 슬그머니 선글라스를 벗었다. 그 아래 드러난 얼굴에 세희의 낯이 금방 새하얗게 질렸다.

"안녕하세요, 문세희 씨. 오랜만이죠?"

연우가 다가오며 선글라스를 장난스레 빙빙 돌리더니 코트 주머니에 넣었다. 바깥으로 드러난 그의 담갈색 눈동자가 말갛게 반짝였다.

'저 남자, 여기를 어떻게 알고 온 거야?'

세희는 그를 알아보자마자 재빨리 오른손을 얼굴에 대고서 휙휙 흔들었다. 누군가 알아볼 수도 있으니, 어서 선글라스를 쓰라는 무언의 독촉이었다.

그러나 연우는 비뚜름하게 고개를 기울이고서 아예 마스크를 턱 아래까지 내려 버렸다.

"별로 안 반가워요? 표정이 좀 그렇네."

'아냐, 그게 아니라고!'

설마 자신을 알아보지 못해서 이런다고 생각하는 걸까. 세희는 다급하게 달려가 빠르게 소곤거렸다.

"차연우 씨, 여, 여기서 대체 뭐 하세요?"

"그냥 연우라고 부르세요. 아니면, 서연우 씨도 좋고."

세희가 제 실수를 깨닫고 입을 다물어 버렸다. 차강 그룹의 일원이라는 걸 숨겨야 했으니, 그를 본명으로 부르면 안 될 일이었다.

"회사는…… 어떻게 알고 오셨어요?"

싱글벙글 웃는 연우에게서 우디한 비누 향기가 번졌다.

"그날 나한테 명함 줬잖아요. 기억 안 나려나?"

연우가 코트 주머니를 뒤적여 명함 한 장을 꺼내 들었다. 세희가 그와 하룻밤을 보낸 날, 예의상 건넸던 명함이었다.

연우는 연예인이라 신상을 다 밝힌 거나 마찬가지였는데, 자신만 숨기기는 좀 그랬으니까.

'그렇다고…… 명함 보고서 회사까지 찾아올 줄 몰랐는데.'

그녀는 제 실수를 뼈저리게 느끼면서 되물었다.

"질문을 바꿀게요. 회사 앞까지 대체 무슨 일로……."

"같이 밥이나 먹을까 해서?"

연우가 씩 웃으며 입을 열었다. 입술 너머로 하얀 김이 안개처럼 흩어졌다.

대화를 회피하려던 세희가 생각지도 못한 제안에 놀라 눈꺼풀만 깜빡거렸다.

"그날 일에 관해서 나눌 대화도 아직 남았고."

툭, 어느새 다가온 손끝이 자연스레 손가락에 얽혔다. 세희는 뻣뻣하게 굳어져 숨을 삼켰다. 연우의 손은 겨울이 아니라는 착각이 들 정도로 뜨거웠다.

"그래서 왔습니다. 당신 얼굴, 한 번 더 보고 싶어서."

진혁이 아닌 다른 남자의 손에 닿은 건, 연우가 처음이었다. 그 낯선 기분 때문인지 그만 손을 뺄 타이밍을 놓치고 말았다.

"지금은…… 좀 힘들어요."

세희는 혹시라도 누군가 이 모습을 지켜볼까 봐 조마조마한 마음으로 대답했다.

하지만 연우는 그녀를 쉽게 놓아주지 않았다. 곧 해외 출장 계획이 있어서, 오늘이 아니면 그 역시 대화를 깊이 나눌 날이 없었다.

"그럼 언제가 괜찮아요? 내일 저녁?"

거절하기가 무섭게 다음 약속을 잡으려는 행동에 당황한 세희가 머뭇거렸다. 약점을 발견한 사람처럼 연우의 미소는 더욱 짙어졌다.

"차라리 점심을 먹을까요? 날씨 좋을 때, 어디 경치 좋은 곳에서."

"죄송하지만, 당장 확실히 말씀드릴 수가……."

세희가 도망칠 생각만 하던 그 순간.

"주하 씨, 맥주 한잔하고 갈래요?"

"안 돼요, 안 돼. 나 오늘 절대로 한 잔만 못 마셔요. 소주 한 궤짝이면 모를까."

익숙한 목소리가 들려오자 세희의 팔에 오스스 소름이 돋았다.

'이 목소리는……!'

제발 아니길 바라면서 돌아보았지만, 슬픈 예감은 틀리지 않는 법이었다.

로비 건너편에서 막 사원증을 찍는 지혜와 주하의 얼굴이 보였다. 등골이 오싹해졌다.

"누가 주당 아니랄까 봐. 맥주로는 입가심도 못 한다는 거예요?"

"차라리 막걸리는 어때요? 근처에 진짜 맛있는 전집 있는데."

"헉, 좋죠. 저 빈대떡도 좋아해요."

도란도란 이야기를 나누는 두 사람이 정문으로 천천히 걸어왔다.

아직 이쪽을 보지 않아 다행이었지만, 발견하는 건 시간문제였다.

'만약 두 사람이 연우와 함께 있는 내 모습을 보게 된다면?'

세희의 머릿속에도 아찔한 상상이 스쳐 지나갔다.

안 그래도 차진혁과 헤어졌다는 이야기가 사내에 쫙 퍼졌는데, 그보다 더한 소문을 내기는 싫었다.

심지어 연우는 방송에 얼굴까지 내비친 연예인이었다. 만에 하나 기삿거리가 된다면, 그야말로 절망의 낭떠러지로 떨어질 터였다.

'절대 안 돼!'

머릿속에는 오로지 회사 사람들이 나오기 전, 연우를 숨겨야 한다는 생각뿐이었다.

세희는 고민도 없이 연우의 팔을 붙잡고서 가까운 골목으로 마구 밀어 넣었다.

붙잡힌 연우가 처음으로 당황하여 눈을 크게 뜨다가 순순히 그녀에게 떠밀려 주었다.

"후……."

좁은 골목으로 들어가 완전히 몸을 숨긴 끝에 세희가 슬쩍 고개를 올렸다.

안도하여 내쉬는 한숨이 연우의 너른 가슴팍을 간질이듯 스쳤다.

그는 무너질 뻔한 평정심을 가까스로 붙잡으면서 허리를 폈다. 은은한 세희의 체향이 코끝을 스치자 반사적으로 그날 밤 기억이 떠올랐다.

'이 사람은 지금 우리 몸이 지나치게 가깝다는 걸, 자각 못 하는 걸까.'

연우가 세희의 붉고 도톰한 입술에 시선을 고정하며 낮게 웃었다.

이대로 더 있는 것도 나름 괜찮지만, 제 욕망이 절제를 모르고 움직인다면 큰일이었다.

일부러 고개를 기울인 그가 세희의 귀에 나직이 속삭였다.

"내 차, 저기 오래 세워 두면 안 되는데."

귓속을 파고드는 숨결과 음성에 세희가 어깨를 움츠렸다. 커다란 손바닥이 다가와 그녀의 볼을 감싸며 온기를 전했다.

그제야 연우와 거리가 지나치게 가까워졌음을 자각했는지, 하얗게 질렸던 볼이 점점 붉게 물들었다.

"여기서 계속 붙어 있을 생각은 아니죠?"

세희는 바싹 마르는 입술을 느끼며 초조한 말투로 대꾸했다.

"그러니까 갑자기 회사로 오면 어떡해요? 미리 연락이라도 했으면……."

"그랬으면 내가 도착하기 전에 도망쳤을 거잖아요?"

"……."

"방금 나 눈치 빠르다고 생각했죠. 표정에 다 보여."

세희의 침묵이 긍정이나 다름없었다.

작게 웃는 연우의 떨림이 볼에 닿은 손 너머로 고스란히 전해졌다.

"차라리 빨리 내 차 타고 다른 장소로 이동해요. 직원들 또 나올 수도 있잖아."

왜 골목으로 그를 데리고 들어왔는지조차 눈치챈 듯했다.

세희는 머쓱해진 얼굴로 그를 빤히 올려다보았다. 별이 박힌 듯 반짝이는 연우의 눈동자가 아름다웠다.

"응? 어서."

연우가 손끝으로 은근하게 세희의 눈가를 쓸며 대답을 요구했다.

"……알았어요."

별다른 선택의 여지가 없었다. 세희는 끝내 고개를 끄덕이며 연우의 제안에 응했다.

진혁의 이복동생이라는 걸 알게 된 후부터 불편해졌지만, 어쨌든 자신을 도와준 남자였다.

앞으로 다시 마주치지 않기 위해서라도 마지막 끝맺음을 확실히 할 필요가 있었다.

그렇지 않으면 오늘처럼 대화를 핑계 삼아 다시 찾아올 수도 있었으니까.

"좋아요."

만족스러운 대답이었는지 연우가 씩 웃으며 손을 놓아주었다.

멀어지는 체온이 조금 아쉽다는 생각에, 세희는 저도 모르게 시선을 피했다.

"그럼 저쪽에서 기다려요."

곧장 나갈 줄 알았던 연우가 반대쪽 골목을 가리켰다. 전전긍긍하던 세희의 마음을 눈치채고서 배려하는 듯했다.

"직원들한테 들키고 싶지 않잖아요? 내가 차 빼서 저쪽으로 갈게요."

"고, 고마워요."

대답 없이 씩 입술 끝을 올려 웃은 연우가 어서 가라며 손짓했다.

세희는 사람들의 목소리가 사라질 때쯤 재빠르게 골목 뒤쪽으로 달려갔다.

그녀가 반대편 골목으로 완전히 사라진 후, 연우는 마스크와 선글라스를 도로 착용했다. 서둘러 세단으로 돌아가는 그의 걸음이 무척 가벼웠다.

'좋아, 그날 밤 일에 대해 대화할 기회가 생겼어.'

연우는 세단에 올라 시동을 켜고, 핸들을 부드럽게 돌리면서 반대편 골목으로 이동했다.

화보 촬영 일로 바닷가에 다녀와서 무척 피곤했으나 곧장 회사로 달려온 보람이 있었다. 어쨌든 목적대로 세희를 만나 식사까지 하게 되었으니까.

'계속 신경 쓰였으니까…… 얼굴 보면서 대화하면 괜찮아지겠지.'

세희와 함께 보냈던 그날 밤. 연우는 아주 이상한 꿈을 꾸었다. 오래전 어머니의 장례식 날, 아무도 없는 계단에 쪼그려 앉아 흐느끼던 꿈이었다.

꿈의 내용은 항상 비슷했는데, 이번만큼은 달랐다. 갑자기 누군가 나타나서 자신을 위로해 주었으니까.

'너 뭐야? 왜 여기서 울고 있어?'

고사리 같은 손으로 제 뺨을 닦아 주던 누군가. 토끼가 그려진 티셔츠와 청바지 차림의 여자아이. 희고 동글동글한 모양에 무지개색 무늬가 들어간 사탕도 떠올랐다. 여자아이는 그 특이한 사탕을 반으로 뚝 쪼개더니 그에게 나눠 주었다.

사탕은 지나치게 달았고, 먹으면 먹을수록 혀가 빨개졌

다. 연우와 마찬가지로 울다가 나온 듯이 한껏 상기된 여자아이의 눈가처럼.

'누구였을까, 그 애는…….'

연우는 초조한 표정으로 서 있는 세희를 향해 차를 움직이며 고개를 갸웃거렸다. 눈앞으로 다가오는 세단을 살피던 세희가 황급히 조수석에 올라탔다.

문을 닫자마자 바깥과 다르게 따뜻한 공기가 몸을 감쌌다. 다행히 아무도 그녀를 발견하지 못한 듯하여 안심이었다.

"먹고 싶은 건 있어요?"

좁은 골목을 빠져나온 세단이 대로변으로 향했다. 세희는 조수석 창문에서 시선을 떼고 천천히 연우를 돌아보았다.

운전에 집중하는 듯 보이지만, 연우의 신경이 알게 모르게 이쪽으로 향했음이 느껴졌다.

"아무거나 괜찮아요."

"그럼 제가 아는 레스토랑으로 갈게요."

연우가 액셀을 지그시 밟자 차체가 가볍게 흔들렸다. 세희는 무릎에 올려 둔 손으로 애꿎은 안전벨트만 만지작거렸다.

"어제 잘 들어갔어요?"

정면을 주시하던 연우가 뜬금없는 질문을 던졌다.

"네?"

"집에 혼자 돌아갔잖아요."

그제야 연우가 무슨 이야기를 하는지 알아차렸다. 상견례 자리를 망치고 난 후, 세희가 홀로 집에 돌아갔을 때의 이야기였다.

그녀는 차분하게 고개를 끄덕였다. 연우가 걱정할 만한 일은 아무것도 없었으니까.

"차진혁이 쫓아오지는 않던가요?"

"그렇게까지 무모한 사람이 아니에요. 시간이 여유롭지도 않을 테고."

아이를 갖고 첫 심장 소리를 들었을 때, 그 아이를 허무하게 잃었을 때.

차진혁은 언제나 세희의 곁에 없었다. 이유는 간단했다. 너무나도 바쁘고 바빠서, 이런 일에는 신경 쓸 여유조차 없는 남자라서.

그때의 기억을 되살리던 세희가 무의식적으로 배를 가벼이 쓰다듬었다.

"형에 대해서 잘 알고 계시나 봐요."

"……."

"하긴, 일 년 남짓 만났다고 했으니까 모르는 게 더 이상하겠네."

어느덧 차가 대교를 지나고 있었다. 차창 밖의 반짝이는 강을 응시하면서 세희가 답했다.

"모르겠어요."

자그맣게 중얼거린 세희의 말에 연우가 힐끗 시선을 던졌다. 세희의 하얀 얼굴에 차창을 넘어온 네온사인의 오렌지 빛이 스며들었다.

"내가 알던 그 사람이 맞는지."

"그렇게 생각하게 된 계기가?"

"그냥…… 느낌이 이상해요."

오늘 사무실 앞 복도로 찾아와 초대장을 건네준 것부터가 그답지 않은 행동이었다.

차진혁은 길지 않은 결혼 생활에서, 단 한 번도 세희를 바깥 행사에 데려간 적이 없었다.

파트너와 참여하는 파티에서도 마찬가지였다. 차진혁의 옆자리는 언제나 세희가 아닌, 여자 비서의 차지였다.

'어쩌면 내가 창피했을지도 모르지.'

세희는 끝내 그 이유를 알지 못한 채 과거로 넘어왔다. 아마 앞으로도 영영 알 수 없을 터였다.

자신이 차진혁에게 다시 마음을 열지 않는 이상, 영원히.

두 사람이 레스토랑에 도착한 이후.

서버가 먹음직스러운 애피타이저를 시작으로 줄줄이 화려한 음식을 가져왔다. 스테이크와 파스타는 보기만 해도 고급스러워서 도저히 눈을 뗄 수가 없었다.

세희는 어색하게 나이프를 들고서 고기를 썰고, 한 조각을 먹자마자 눈을 크게 떴다. 그 순진한 반응이 귀여웠는지 맞은편의 연우가 씩 웃었다.

"여기 셰프가 이탈리아 사람인데, 요리 정말 잘하는 사람이에요. 어때요?"

세희가 반짝반짝 눈을 빛내면서 고개를 끄덕였다. 여전히 포크를 꽉 쥔 채였다.

"진짜 맛있어요."

"저번에 스타일리스트한테 소개받아서 와 봤는데 괜찮더라고요. 입에 맞는다니 다행이네요."

스타일리스트라는 단어에 그제야 정신없이 움직이던 포크가 멈추었다.

낮에 인터넷에서 마주한 연우의 정보들이 주르륵 떠오른 탓이었다.

'맞아, 모델 에이전시 대표였지. 업계 사람들과 당연히 가깝게 지내겠네.'

모델로서의 연우는 화보 속 모습처럼 화려할 터였다. 그렇다면 회사 대표로서의 연우는 어떤 모습일까.

가만히 상상의 나래를 펼치는 가운데, 연우가 오른손을 들어 서버를 불렀다.

빠르게 다가온 서버가 두 사람의 잔에 붉은 와인을 가득 따라 주었다.

"같이 한잔해요. 어차피 대리 부를 거라서, 세희 씨도 집까지 데려다줄게요."

부드러운 권유였다. 마침 긴장으로 목이 타던 참이라 마셔서 나쁠 것도 없었다.

"슬슬 이야기 좀 할까요?"

"네?"

세희는 붉게 일렁이는 와인을 응시하다가 고개를 들었다.

스테이크 몇 점을 썰어 먹는 연우의 손길에서 익숙함이

느껴졌다. 이런 고급 레스토랑을 한두 번 와 본 게 아니라는 증거 같았다.

"궁금한 게 많은 표정이라서."

두 사람의 접시가 비워져 갈 무렵, 연우가 툭 화제를 던졌다. 세희는 그를 빤히 쳐다보고 있었음을 뒤늦게 자각하고서 볼을 붉혔다.

"미, 미안해요."

"뭐가 미안해요? 애초에 대화하자고 붙잡은 건 내 쪽이었는데."

연우는 자신에 대해 섣불리 물어보지 않는 세희의 태도가 마음에 들었다.

그만큼 사람이 가볍지 않고 진중하다는 뜻일 테니까.

"저희는 이복형제예요. 아버지는 같지만, 어머니가 달라요. 그건 이제 알고 있죠?"

그런 배려에 감사를 표시하듯, 연우가 먼저 입을 뗐다.

"네, 알고 있어요."

세희는 차분하게 고개를 끄덕이면서 냅킨으로 입가를 닦았다. 본격적인 대화가 시작될 거라는 걸 느꼈기 때문이었다.

"열 살 때까지 아버지 얼굴을 모르고, 어머니와 단둘이 살았어요. 그러다가 본가로 들어가게 되면서 형을 만났죠. 사모님 얼굴도 그때 처음 뵀고요."

"어머님께서는 그럼……."

"그때 돌아가셨어요."

말문이 턱 막혔다. 세희는 입을 꾹 다물고서 침묵했다. 흐릿한 기억을 더듬는 연우의 눈매가 가늘어졌다.

"장례식 치를 때, 어머니께서 암을 앓고 계셨다는 걸 들었어요."

"……."

"암에 걸렸다는 걸 알자마자 저를 부탁하려고 아버지를 찾아가셨던 거죠. 그리고 집으로 돌아오다가 사고를 당하셨고."

자신이 존재하지 않았더라면, 모친이 그런 사고를 당할 일도 없었을 텐데. 그런 비관적인 생각에 잠긴 것처럼 가라앉은 목소리였다.

"그 후 아버지와 사모님, 형과 함께 본가에서 살게 됐어요. 스무 살 때까지."

세희는 차마 위로할 말도 떠올리지 못하고 마른침만 삼켰다.

"스무 살 때 독립한 건가요?"

"더는 그 집에서 살 자신이 없었거든요. 나와서 뭘 해야하나 싶었는데, 고등학생 때부터 꾸준히 모델 제의받았던 게 생각났어요. 무작정 뛰어들었는데 운이 좋았죠. 다행히 좋게 봐 주는 사람들이 많아서."

자연스럽게 화제를 바꾼 연우가 부드러운 미소를 건넸다. 그의 긍정적이고 밝은 성격이 이런 순간에도 느껴졌다.

그는 아무리 어두운 이야기를 건네도, 상대가 부담스러워하지 않을 선에서 그 분위기를 끊어 냈다.

이런 점은 연우가 그동안 어떻게 살아왔는지를 짐작게 하는 부분이기도 했다.

"그렇게 모델 에이전시 대표까지 되신 거네요."

"그건 어떻게 알았어요?"

연우가 담갈색 눈을 반짝 빛내며 물었다. 날카로운 지적에 세희가 아차 싶어 당황했지만, 이내 솔직하게 털어놓았다.

"사실…… 인터넷으로 검색해 봤어요. 궁금해서."

기분 나빠 할 줄 알았는데, 예상외로 연우의 미소는 더욱 짙어졌다.

"그래서 궁금증은 해결했어요?"

세희는 그의 기분이 상하지 않았음에 안도하면시도 민망한 마음에 고개를 푹 숙였다.

"이제 세희 씨 얘기도 들려줘요. 제대로 결혼, 취소된 건가요?"

"네, 이제 퇴사할 날짜만 기다리고 있어요."

"기다린다는 게 무슨 뜻이에요?"

"위에서 사표를 받아들이지 않았거든요."

간결한 대답이었는데도, 연우는 눈치 빠르게 질문했다.

"형이 거절한 건가요?"

"……."

"정답인가 보네요."

그게 아니라고 뒤늦게나마 대답하려는 찰나, 세희가 의자를 당기는 반동에 무릎에 올려 둔 핸드백이 바닥으로 떨어졌다.

얌전히 떨어졌다면 좋으련만, 핸드백이 벌컥 열리며 내용물을 와르르 쏟아 냈다.

세희보다 먼저 허리를 숙인 연우가 물건을 주워 담기 시작했다. 그러다 하얀 봉투를 발견한 그가 그것을 들어 올렸다.

"이것도 형이 준 건가요?"

어떤 내용인지 물어보지도 않고, 봉투를 확인한 연우가 다짜고짜 물었다.

세희는 대답 대신 아랫입술을 지그시 깨물었다. 어째선지 사실대로 말하기 싫었다.

그렇다고 대답하면, 차진혁이 파트너를 부탁했다는 이야기까지 꺼내야 할 것 같았으니까.

"퇴사, 내가 도와줄까요?"

대답을 고민하는 사이, 갑자기 뜬금없는 질문이 날아왔다.

"형의 미련도 떨어트릴 겸, 좋은 방법이 하나 있는데."

"네? 어떻게요?"

세희는 얼떨결에 되물으면서 눈을 동그랗게 떴다. 정리한 핸드백을 건네준 연우가 나른하게 미소 지었다.

"그 파티."

연우의 손가락이 정확히 초대장을 가리켰다. 이미 봉투 겉면에 적힌 글자를 다 읽어 본 모양이었다.

"나랑 같이 참석하는 거예요."

단조로운 음성이 무척 간단한 문제를 풀 듯 속삭였다.

"차진혁 말고, 서연우 파트너로."

길고 평온한 침묵이 흘렀다.

덧붙인 설명을 이해하지 못하고 눈만 깜빡거리는 세희의 표정이 귀엽기 짝이 없었다.

"그게 내가 돕는 방법이에요, 세희 씨."

연우는 그녀의 볼을 찔러 보고픈 욕망을 잠재우고서 침착하게 설명했다.

"저도 이 초대장, 받았거든요."

"연우 씨도요?"

대체 무슨 파티이길래 진혁뿐만 아니라 연우까지 참석하는 걸까.

세희는 파티 초대장을 자세히 확인하지 못한 것을 후회했다.

조금 더 자세히 살폈더라면, 애초에 연우의 앞에서 쏟아 버리는 실수도 안 했을 텐데. 차라리 그 초대장을 갈기갈기 찢어 버렸을 테니까.

"그래서 알아요. 그 파티에 차강 그룹 일원이 많이 참석할 예정이라는 걸."

연우는 오른손으로 와인이 든 글라스를 만지작거렸다. 파티에 참석할 인물을 대충 추려 내는 표정이 사뭇 진지했다.

세희는 자신을 걱정해 주는 연우가 고마우면서도, 한편으로는 다정함의 이유를 몰라 당황스러웠다.

"차진혁의 파트너로 참석하면, 아무래도 불편한 시선이 느껴질 거예요. 결혼할 상대라고 세희 씨를 집안 전체에 알렸다면 더욱."

연우의 추측에도 일리가 있었다. 세희는 암담한 마음에 한숨을 내쉬었다.

진혁이 자신에게 파트너를 부탁한 게 처음이다 보니, 어떤 식으로 대처해야 할지 감도 잡기 어려웠다.

대체 무슨 파티였을까. 세희는 봉투를 뜯어 자세한 초대장 내용을 살펴보았다.

'여기는⋯⋯.'

피오레 코스메틱의 모회사이자 차강 그룹 계열사 중 가장 규모가 큰 곳.

주식회사 피오레코르테(Fiore córte)의 세미나 애프터 파티였다.

차강태 회장이 직접 얼굴을 비칠지도 모른다고 생각하니 등골이 싸해졌다.

"하지만 저는⋯⋯ 애초에 파티 참석할 생각이 없었는데."

"참석 안 하면, 차진혁이 무슨 수를 써서라도 데려가려고 할걸요. 괜찮겠어요?"

당연히 괜찮지 않았다. 거부감이 앞서고 불편했다. 초대장을 건네받은 순간부터 이미 충분히 부담스러웠다.

진혁이 어떤 마음으로 자신의 퇴사를 거절했는지, 또 초대장을 건네주었는지 이해할 수가 없었으니까.

언제나 읽기 힘든 무표정으로 다가와 담백한 어조로 몇마디를 건네는 게 전부였던 남자였다.

제게 청혼하던 그 순간까지, 진심이 맞나 헷갈릴 정도로 덤덤하기 짝이 없던 차진혁. 그가 왜 지금에서야 이런 행동들을 벌이는지 알 수 없었다.

"세희 씨."

더욱 깊고 어두운 생각에 빠지기 직전, 세희의 상태를 알아채기라도 한 것처럼 연우의 목소리가 들렸다.

세희는 깜짝 놀라서 시선을 올렸다. 자신의 마음을 온전히 이해한다는 듯 쳐다보는 눈빛이 다정했다.

"한 번 이용한 남자, 두 번 이용하는 건 더 쉽잖아요."

테이블을 넘어온 남자의 왼손이 또다시 손목에 얽혔다. 손목 안쪽 여린 살갗을 장난치듯 어루만지는 손가락이 뜨거웠다.

간지러움에 손을 빼내고 싶으면서도, 그의 은근한 눈빛을 마주하자 힘이 탁 풀렸다.

고요하게 일렁이는 눈빛에 진심이 반, 호기심이 반. 바라볼수록 오히려 속내를 읽기 어려웠다.

"나 마음껏 이용하라는 뜻인데."

연우는 오른손을 들어 손등에 턱을 괴고서 지그시 세희를 응시했다. 나직한 목소리가 귓가에 감기자 소름이 오스스 돋았다.

눈을 떠난 시선이 제 입술에 닿았을 때, 세희는 더 참지 못하고 손목을 빼냈다.

그가 힘을 주지 않아서 걸치듯 얽혔던 손가락도 가지런하게 떨어졌다.

"저한테 왜 이렇게까지 해 주세요?"

분명 손이 떨어졌는데도, 연우의 체온이 뿌리내린 것처럼 손목이 뜨거웠다.

"솔직히 연우 씨, 저랑 아무 사이도 아니잖아요."

세희는 이 자리에 동행하기로 마음먹었던 이유를 재차 상기시켰다.

이 식사를 마지막으로 다시는 마주치지 말자고 이야기해

야 했다. 형제와 나란히 얽혔다는 사실이 미치도록 불편했으니까.

아무리 연우가 매력적인 남자여도 밀어내야만 했다. 그는 어쨌든 진혁의 이복동생이었으니까.

"지금에서야 말하지만, 오늘 식사 제안에 응한 건 이 점을 확실히 해 두고 싶어서예요. 저희가 다시 만나는 일은 없으면 좋겠다고 생각해서……."

"하룻밤 같이 잤는데도 아무 사이 아니에요?"

다소 날카로운 질문 앞에서 연우가 능청맞은 대답을 흘렸다.

세희는 제 귀를 의심하면서 깜짝 놀라 눈을 크게 떴다. 프라이빗 룸이 아니라서, 꽤 멀긴 하지만 근처 테이블에 다른 손님들도 있었다.

"나, 그날 밤이 처음이었는데."

뭐가 처음이라는 걸까.

말문이 막혀 눈만 끔뻑거리는 세희의 모습에 연우가 싱긋 웃었다. 순간 머릿속이 하얘질 정도로 환한 미소였다.

"어렵게 생각할 필요 없어요. 오히려 우리 관계를 이용하는 편이 세희 씨한테도 이득일 텐데."

"이득이라뇨?"

"아무리 이복형제라고 해도, 동생 여자가 된 사람한테까지 질척거리진 못하겠죠."

차라리 두 사람의 관계를 제대로 이용하라는 말투였다. 깊이 고심하던 세희가 어렵게 입술을 뗐다. 아까부터 지적하고 싶었던 부분이 있었다.

"연우 씨는…… 그런 점은 신경이 안 쓰여요?"

"어떤 점이요?"

"어쨌든, 저는 연우 씨 이복형과 만났던 여자잖아요."

마음에 걸릴 법도 한데, 어떻게 아무렇지도 않게 자신을 대하는지 의문이었다.

"글쎄요. 저는 다른 점을 더 중요하게 생각해서."

"어떤 점이요?"

"아까도 말했지만…… 세희 씨가 내 처음을 가졌다는 점."

적나라하고 솔직한 연우의 목소리가 꽤 당당했다. 세희의 머리칼 사이로 새빨개진 귀 끝이 삐죽 튀어나왔다.

그 자리를 만져 보고 싶은 욕망을 애써 지우면서, 연우가 테이블을 손끝으로 톡톡 두들겼다.

"그러니까 세희 씨도, 세희 씨 입장만 생각해 봐요."

"네?"

"어렵게 생각하지 말고, 당장 필요한 일부터. 형과 완전히 인연을 끊는 방법이 제일 필요하지 않았어요?"

차분한 연우의 말이 정곡을 찔렀다. 고민하던 세희의 마음에 길잡이가 되어 주는 조언이기도 했다.

'나만 생각해 보라니, 그런 건…… 해 본 적이 없는데.'

한 번도 제 입장만을 고려해 본 적이 없던 그녀였다. 결혼할 때도, 아이를 가졌을 때조차 진혁의 입장만 생각했다.

그래서 아이를 잃게 된 순간, 인생의 기반이 무너진 것처럼 절망에 빠졌는지도 몰랐다. 여태껏 제 마음만 고려해서 결정한 일이 하나도 없었으니까.

"책임지라고 안 할 테니까. 도울 수 있게 해 줘요."

"……"

"물론 책임진다고 해도 거절 안 할 테지만."

제 마음의 빈틈을 포착한 것처럼 이어지는 연우의 말에 별안간 맥이 탁 풀렸다. 진심인지 아닌지 헷갈렸지만, 저 말이 완전히 거짓처럼 느껴지지 않았다.

"농담 그만해요."

세희는 고민을 끝내고 마음의 결정을 내리고서 작게 중얼거렸다. 이번만큼은 자신만을 위해 연우의 도움을 받아 보는 것도 괜찮을 터였다.

연우는 한쪽 눈썹만 치켜올릴 뿐 이렇다 할 답이 없었지만, 세희의 입꼬리를 빤히 살폈다.

'이제야 웃네.'

아까보다 부드럽게 풀어진 세희의 입매를 확인하니 마음이 놓였다. 원하는 방향으로 대화가 흘러가서 만족스럽기도 했다.

"그럼, 같이 파티 참석하는 거예요."

"네, 이번만…… 마지막으로 잘 부탁드릴게요."

세희는 일부러 마지막이라는 단어에 힘을 주며 말했다.

"그래요. 나도 잘 부탁해요."

그 점을 눈치챈 연우가 풋 하고 웃음을 터트렸다. 말간 미소를 빤히 바라보던 세희가 자신도 모르게 중얼거렸다.

"……그런데 정말로 제가 처음이에요?"

무슨 소리냐는 듯 쳐다보는 시선이 돌아왔다. 세희는 실수로 속내를 내뱉어 버렸음에 후회했다.

"그때 그…… 그거요."

정확한 단어를 말할 수가 없으니 부끄러워 죽을 노릇이었다. 발갛게 물든 세희의 볼이 잘 익은 사과 같았다.

연우는 그 자리를 한 입 깨물어 보고 싶다는, 조금 유치하고 적나라한 욕망을 겨우 짓눌렀다.

"거짓말 같아요?"

"네, 아무래도……."

"아무래도?"

쉽게 말을 잇지 못하고 머뭇거리는 세희의 태도에 애가 탔다.

연우는 궁금하고 초조한 마음을 드러내지 않도록 주의하며 손등에 턱을 괴었다. 남들에게 들리지 않도록, 자그맣게 속삭이는 그의 눈빛이 퍽 짓궂었다.

"내가 너무 잘해서?"

어쩜 저렇게 부끄럽고 당당한 말을…… 자연스럽게 물어볼까.

또다시 열이 올라서 새빨개진 얼굴로 세희가 고개를 마구 끄덕거렸다. 피할 수 없는 화제라면, 차라리 얼른 얘기하고 넘겨 버리고 싶었다.

"예, 예. 맞아요. 그래서 못 믿겠어요."

"만족했다니 다행이네. 나도 내가 잘했다는 거 몰랐어요. 처음이니까."

갑자기 닿은 손끝에 세희가 움찔하며 시선을 돌렸다. 단단하고 길쭉한 연우의 손가락이 어느새 그녀의 손등에 자리를 잡았다.

검지로 손등에 원을 그리는 감각이 간질간질하게 번져 갔다. 얽힐 듯 말 듯 제자리를 맴도는 손길에 심장은 오히려 세차게 뛰었다.

"흥분해서 뭘 생각할 겨를도 없이, 덥고, 끈적하고…… 너무 좋아서."

"……."

"정신없이 당신한테 몰두했던 기억만 남았는데."

신이 정성스레 빚은 것처럼 근사한 외모로 건네는 미소에 심장 박동이 요동쳤다.

대놓고 유혹하는 게 분명한 눈빛을 보내면서도 이럴 때만큼은 가볍지 않았다. 진지하고 나직한 목소리가 상대를 더욱 긴장 속으로 몰아갔다.

"그날 밤이 좋았다면 당신 덕분이에요, 문세희 씨."

당신이 예쁘고 귀여워서 멈출 수가 없었거든.

더없이 다정하게 소곤거리며 연우가 또 웃었다. 질 나쁜 미소였다.

심장에 해로운 게 명확한데도, 그저 멋모르고 중독될 듯한.

모니터 속 커서가 깜빡, 깜빡 흔들렸다.

세희의 시선은 커서에 꽂힌 채 한동안 움직이지 않았다.

막 오전 회의가 끝나 점심시간이 코앞이건만 배도 고프지 않았다. 그녀의 신경은 온통 울리지 않는 핸드폰에 가 있었으니까.

'먼저 연락할 줄 알았는데…….'

연우는 파티 파트너를 부탁하더니 며칠 내내 감감무소식이었다.

오지 않는 연락을 신경 쓰다 보니 벌써 금요일이었다. 지난 삼 일이 어떻게 흘러갔는지 의문이었다. 그만큼 업무에 집중하지 못했으니까.

'아냐, 연우 씨도 바쁘겠지. 모델이잖아.'

자신이 먼저 연락해 볼 수도 있었겠지만, 차마 그럴 엄두가 나지 않았다.

연우가 한창 인기 절정의 모델이라는 점도 신경 쓰였고, 괜히 바쁜 시간을 뺏으면 어떡하나 싶었기 때문이었다.

거리를 두자는 결심이 무색하게, 연우에게 끌리는 마음을 느낄 때마다 한없이 착잡해졌다.

'그만! 이런 생각은 어차피 아무런 도움도 안 돼.'

세희는 핸드폰을 내려놓고서 다시 마우스를 붙잡았다.

오늘 저녁에는 예정대로 그녀의 송별회를 겸한 회식 자리가 마련되어 있었다. 즉, 퇴근 시간 전까지 주어진 업무를 다 마쳐야만 했다.

"어서 내 일이나 정리하자."

모니터 화면에 뜬 인수인계 교육 자료를 확인하던 찰나.

작은 진동이 책상 전체를 울렸다. 그녀의 시선이 곧장 핸드폰으로 향했다. 새카만 화면에 막 도착한 문자 한 통이 떠 있었다.

[상품 배송 안내. 금일 고객님의 소중한 꽃다발을 가지고 출발 예정입니다. 상품 수령이 편하신 상소를 선택해 주시면……]

"……꽃다발?"

갑작스러운 문자 내용에 정신이 아득해졌다. 당연히 잘못 온 문자이겠거니 생각한 순간, 핸드폰이 또 한 번 진동했다.

[안녕하십니까? 고객님의 꽃다발을 가지고 출발했습니다. 기타 요청이 있을 시, 아래 번호로 작성을……]

비슷한 내용이었지만, 다른 택배사의 문자였다.

'잘못 온 문자겠지? 꽃 주문이라니, 한 적도 없는데.'

우연이라기엔 수상한 부분이 많았다. 꽃을 주문한 적도 없으니 의아할 따름이었다.

"문 대리님! 같이 나가실 거죠?"

"아, 네. 지금 갈게요."

하지만 지금은 점심 식사가 먼저였다. 세희는 의문의 문자를 뒤로하고서 동료의 부름에 사무실을 빠져나갔다.

그렇게 점심을 먹고 돌아온 후.

"어머, 대리님! 이 꽃다발, 다 뭐예요?"

세희를 반겨 준 건 책상을 통째로 차지한 두 개의 꽃다발이었다.

식사를 마친 직원들이 세희의 책상 주변에 몰려 웅성거리기 시작했다. 주변에서 부럽다는 소리가 쏟아지는데, 누가 보냈냐는 질문에 대답할 수가 없었다.

'누가 보냈는지, 나도 정말 모르겠다고!'

세희는 놀라서 어쩔 줄 모르는 와중에도 꽃다발을 자세히 살펴보았다.

보낸 이를 알 방법이 없는 문제의 꽃다발이 두 개나 존재했다. 하나는 새하얀 리시안셔스에 붉은 거베라, 목화가 가득한 꽃다발이었다.

'이건 설마…… 아냐, 아닐 거야.'

보낸 사람이 짐작 가는 듯도 했지만, 세희는 애써 모른 척하며 다른 꽃다발을 응시했다.

다른 하나는 연분홍색 라넌큘러스에 하얀 하노이, 싱그러운 유칼립투스로 장식한 꽃다발이었다. 화려한 꽃다발에서 좋은 향기가 풍겨 세희의 코끝을 간질였다.

세희는 간질간질한 마음에 꽃다발을 들고서 꽃향기를 맡았다. 이쪽도 짐작 가는 바가 있었지만, 확신할 수 없었으므로 애꿎은 꽃잎만 만지작거렸다.

"진짜 예쁘다. 정말 누가 보냈는지 모르시는 거예요?"

지혜가 다가와서 관심을 보이며 이리저리 살폈지만, 정말로 카드 한 장조차 없었다.

세희는 대답 대신 발개진 얼굴을 가리듯 고개 숙였다.

"거래처에서 보낸 건 아닐까요?"

"주하 씨, 어느 거래처에서 회사 직원 한 명한테 이렇게까지 정성스러운 꽃다발을 보내겠어요?"

"하긴, 그건 그렇네요."

"아마 우리 문 대리님한테 한눈에 반한 사람일 거야."

골똘하게 추리 삼매경에 빠진 직원 사이에서 세희는 떨리는 가슴을 잠재웠다.

핸드폰은 여전히 배송 알림 외에 도착한 문자가 없었다.

"부사장님."

회의실을 나서던 진혁이 비서실장을 흘끗 돌아보았다.

"마케팅 부서 공동 회식 자리가 막 끝났다는 모양입니다."

비서실장은 그에게 거슬리지 않을 만큼 고저 없는 음성으로 보고를 올렸다.

"그렇습니까."

진혁은 손에 쥔 태블릿 PC로 다시 시선을 돌렸다. 브리핑 관련 서류를 확인하는 그의 눈가에 어두운 그늘이 졌다.

눈길은 여전히 서류 속 글자에 박혀 있었지만, 사실 아까부터 도통 집중하기 어려웠다.

'생각보다 늦게 끝났군.'

끝내 관자놀이를 짚으며 태블릿을 넘겨주는 진혁의 미간에 주름이 깊게 박혔다. 비서실장이 서둘러 그것을 받아 들었다.

'송별회는…… 잘 마쳤을까.'

진혁은 듣자마자 속이 답답해졌던 오전의 보고 내용을 떠올리면서 인상을 썼다. 세희의 송별회를 겸한 회식 자리가 있다는 내용이었다.

"……."

손목에 찬 시계를 확인하면서 엘리베이터로 향하는 그의 걸음이 빨라졌다.

세희는 자신이 이런 사항을 일일이 보고받는 걸 모를 터였고, 평생 몰라야만 했다.

이토록 추악하리만큼 그녀의 행보 하나하나에 집착하고 매달리는 중이라는 걸. 일거수일투족을 살펴보지 않으면, 언제 닥칠지 모르는 사고를 두려워하며 떨고 있으리라는 걸.

문세희는 어느 하나 몰라도 좋았다.

'아뇨, 그때도 몰랐습니다. 주제도 모르고 아는 척했을 뿐이죠. 그래야 부사장님 심기를 거스르지 않을 수 있으니까요.'

다만 그녀가 자신을 완전히 거절하리란 건 생각지도 못했던 방향이었다. 그 원인이 차연우라는 걸 알게 되자 불쾌함이 어마어마하게 솟구쳤다.

'다른 인간도 아니고, 하필.'

지긋지긋한 악연이라는 생각에 주먹 쥔 손으로 빠듯하게 힘이 들어갔다.

"저, 그리고……."

"뭡니까."

"회장님께서 연락하셨습니다."

곁으로 다가온 비서실장이 재빠르게 핸드폰을 건네주었다. 진혁은 표정 변화 없이 핸드폰을 받아 통화 버튼을 눌렀다.

"전화 받았습니다, 회장님."

부자지간이라기엔 지나치게 딱딱한 태도였지만, 돌아온

반응도 별반 다르지 않았다.

—며칠 전에 네 엄마랑 같이 연우 만났다는 얘기, 사실이냐.

차강태 회장의 첫마디에 진혁이 눈썹을 살며시 찌푸렸다. 물론 부친의 태도가 익숙한 듯 목소리에는 티 하나 내지 않고서 덤덤히 답했다.

"네, 우연히 만났습니다."

—어떻게 지내든.

"잘 지내는 것처럼 보이더군요."

잘 지내는 정도가 아니었다. 차연우는 지나치게 자유로운 삶을 살고 있었다.

차강 그룹의 일원으로 모든 걸 거머쥘 기회를 지닌 주제에, 그는 그 위치가 얼마나 드높고 대단한 자리인지조차 모르고 제 발로 걷어찼다.

진혁은 가만히 주먹을 쥐었다가 펴기를 반복하며 평정심을 찾고자 애썼다. 그렇지 않으면, 이 겹겹이 쌓인 증오를 들킬 것만 같았으니까.

—이번에 장웅 건설 쪽에서 주최한 전략 포럼에 다녀왔는데.

"말씀하세요."

—우 사장 첫째 딸이 참 괜찮더구나.

뭔가 바라는 게 분명한 어조에 진혁이 숨을 죽였다.

—아주 참하고 얌전하니 요즘 아가씨 같지 않았어. 연우한테 붙여 주면 잘 어울리는 한 쌍이 될 텐데…… 이놈이

연락을 받아야 말이지, 원.

즉, 맞선을 주선해 주고 싶은데 연우가 연락을 받지 않아 불만이라는 뜻이었다. 진혁은 어쩔까 고민하다가 적당한 대답을 골라 내뱉었다.

"다시 마주친다면 회장님 말씀 전하겠습니다."

—그래, 부탁 좀 하마.

전화는 일말의 망설임도 없이 곧장 끊어졌다.

자신의 결혼이 취소되었다는 소식도 분명히 들었을 텐데, 그에 관해서 일언반구 없다는 건 어떤 의미일까.

'여전히 내 일에는 관심도 없으시군.'

진혁은 핸드폰을 비서실장에게 도로 건네주면서 넥타이를 고쳐 맸다.

"슬슬 이동하죠."

"네, 부사장님. 안내하겠습니다."

지루한 통화를 끝마쳤으니, 이제 세희를 만나러 갈 차례였다.

아쉽다면서 직원들이 건네는 술을 거절하지 못한 탓일까.

회식 자리는 정신이 하나도 없었다. 바쁘게 걸어가는 세희의 얼굴이 술기운과 열로 발갛게 달아올랐다.

'볼이 좀 뜨겁네. 너무 마셨나……'

가만히 입을 열자 하얀 김이 새어 나와 흩어졌다. 어느덧

아홉 시에 가까운 시간이었다.

회식 자리가 끝나자마자 곧장 집으로 돌아가려고 했는데, 사무실에 두고 온 물건이 생각났다.

가게 앞에서 동료들이 별안간 낮에 받은 꽃다발 얘기를 꺼낸 탓이었다.

'아, 그러고 보니 문 대리님! 낮에 받은 꽃다발 대체 누가 보낸 거였어요?'

'뭐? 누가 문 대리한테 꽃을 보냈다고?'

잔뜩 술에 취한 상사부터 시작해서 가까운 동료, 후배들 까지 질문 세례를 멈추지 않았다.

비틀거리면서도 눈을 빛내는 사람들을 택시에 태워 보낸 후에야 세희도 질문의 늪에서 빠져나올 수 있었다.

"너무 크니까, 나중에 챙기려고 했는데⋯⋯."

계속 사무실에 꽃다발을 두었다간 며칠 내내 화젯거리가 될지도 몰랐다.

결국, 세희는 어쩔 수 없이 꽃다발을 챙겨서 귀가하기로 했다. 회사 로비는 자정에 닫힐 예정이므로 경비원에게 사정을 설명하면 사무실로 들어갈 수 있었다.

얼른 가지고 돌아가야지, 생각하면서 회사 앞에 도착한 찰나.

"세희야."

억센 손이 세희의 손목을 틀어쥐었다. 차진혁이었다.

급하게 달려온 탓인지 날씨가 이렇게 추운데도 남자의 이마에 땀방울이 맺혀 있었다.

"데려다줄게. 밤길 위험하잖아."

초조함이 역력한 그의 얼굴이 너무나도 낯설어서, 세희는 순간 화도 내지 못했다.

"……필요 없어요."

"너무 늦었다니까. 혼자 돌아가면 위험해."

진혁은 한 가지 말밖에 모르는 것처럼 위험하다는 말만 되풀이했다.

"이러지 마세요."

술을 마셨기 때문일까. 세희의 마음속에서 유달리 감정적인 동요가 들끓었다.

"위험하니까 데려다주고 싶어. 나한테 그 정도도 허락 못 하겠어?"

택시라도 잡아타면 그만인 일이었다. 대체 뭐가 위험하다고 이러는 걸까.

그럴 자격 없다고 쏘아붙이려는데, 진혁의 선언이 그녀의 평정심을 깨트렸다.

"우리 아직 안 헤어졌어."

세희가 할 말을 잃고 쳐다보았다. 일말의 감정도 남아 있지 않은, 그 무감한 시선에 진혁의 낯이 구겨졌다.

"결혼만 취소했지, 헤어지자는 말 없었으니까."

"그게 무슨……."

"억지 부리는 것처럼 느껴져도 상관없어, 나는."

가로등의 오렌지빛 그림자가 진혁의 얼굴에 깊은 명암으로 자리 잡았다.

세희가 그와 상사 부하 관계로 지낸 지 일 년. 연애한 시간도, 결혼 생활을 유지한 시간도 각각 일 년이었다.

약 삼 년 가까운 시간을 차진혁과 보냈는데도 저런 표정은 한 번도 본 적이 없었다. 어떻게든 그녀를 떠나보내고 싶지 않아 애가 끓는 듯한 시선.

"너만 붙잡을 수 있다면, 난……."

하지만 세희는 그의 말을 끝까지 듣지 않고 매몰차게 손을 뿌리쳤다. 진혁이 이럴수록 화만 날 뿐이었다.

"대체 왜 이러는 건데요."

차가운 대답에 진혁의 입매가 딱딱하게 굳어졌다.

"꽃다발 보낸 사람도…… 당신이죠."

긍정을 뜻하는 침묵이 무겁게 이어졌다. 하, 세희는 낮게 한숨을 내뱉었다.

차진혁은 대체 자신한테 무슨 기대를 했을까. 그 꽃다발을 보면, 갑자기 감동이라도 받아서 그에게 돌아오리라 여겼을까?

'어떻게 모를 수 있겠어. 그 꽃을…….'

세희가 결혼식에서 들었던 것도 새하얀 리시안셔스 부케였다.

신부 대기실에 앉아 리시안셔스의 꽃말을 찾아보고, 바보처럼 설레는 마음으로 식을 맞이했다.

그 이후의 시간이 얼마나 고통스러울지 꿈에도 상상하지 못한 채.

"네 부케로 준비될 꽃다발이었어."

진혁이 시선을 바닥에 처박고서 중얼거렸다. 상념을 깨트리는 낮은 음성에 그의 피로함이 짙게 묻어났다.

"네가 그 꽃다발을 들어 보지도 못한 게 아쉬웠거든. 너만큼 예뻐서…… 잘 어울릴 것 같았으니까."

"부사장님. 확실히 말씀드릴게요."

더 듣고 싶지 않았다. 세희는 진혁의 창백한 낯빛을 빤히 노려보면서 일갈했다.

"부사장님답지 않은 행동, 더는 하지 마세요."

"……."

"이런다고 달라지는 거 하나도 없어요. 우리 사이는 이미 끝났어요."

사납게 노려보는 세희의 목소리가 얼음처럼 냉담했다.

"이유를 말해 줘. 결혼하지 않기로 결심한 이유."

그러나 진혁은 조금도 물러서지 않고서 손을 뻗었다. 진혁의 손이 그답지 않게 떨리고 있었다.

세희는 그 모습을 외면하면서, 조금 더 강한 말을 내뱉고자 입술을 달싹였다.

"특별한 이유가 필요할까? 생각보다 단순할 텐데."

그 순간 뜨거운 손이 별안간 세희의 한쪽 어깨를 부드럽게 감쌌다.

"형보다 멋진 남자를 만났으니까."

다정다감한 음성이 세희의 귓가에 반갑게 내려앉았다.

"안 그래요, 세희 씨?"

세희는 깜짝 놀라 고개 돌려 목소리의 주인을 바라보았

다. 마주친 연우의 눈가가 반달처럼 예쁘게 휘어졌다.

"여, 연우 씨?"

상대가 누군지 자각한 순간. 다정하게 어깨를 감싼 손바닥의 체온이 뚜렷하게 느껴졌다.

오랜만에 마주하는 연우의 눈빛이 섬세하게 그녀의 표정을 살폈다. 흰 피부와 밤색 눈동자가 어둠 아래서도 반짝반짝 눈에 띄었다.

"오래 기다렸어요?"

"네, 네?"

"집까지 데려다주겠다고 했잖아요, 내가."

어깨 아래로 미끄러진 손이 자연스럽게 손깍지를 꼈다.

진혁의 차가운 시선이 집요하게 그 자리를 좇았다. 형형한 눈빛을 무시한 연우가 부드럽게 웃었다.

"손이 너무 차가워졌네. 어서 가죠."

그제야 세희는 연우가 자신을 위해서 연기하고 있음을 알아차렸다.

확실히 그가 도와주는 편이 차진혁을 떼어 놓기에 훨씬 편했다. 혼자 돌아가겠다며 아무리 말해도 진혁은 전혀 들어 먹질 않았으니까.

"그, 그렇죠."

연락도 없이 나타난 연우의 모습에 무척 놀라긴 했으나 사실 반가움이 앞선 상황이었다.

세희는 일부러 보란 듯이 연우의 단단하고 뜨거운 손을 꽉 부여잡았다.

어디에서 온 건지, 연우는 세련된 카멜 코트 차림에 좋은 향기까지 풍기고 있었다.

"기다려."

연우의 손에 이끌려 재빨리 자리를 벗어나려는 찰나, 진혁이 일그러진 얼굴로 두 사람의 앞을 가로막았다.

'역시 순순히 보내 주지 않는군.'

속으로 혀를 차던 연우가 느긋하게 고개를 돌렸다. 저를 경계하는 진혁의 눈빛이 익숙하면서도 낯설었다.

자주 목격한 건 아니지만, 저런 진혁의 표정을 처음 본 건 아니었다.

진혁은 연우가 어릴 적 본가에서 생활할 때 이따금 저런 표정으로 응시하곤 했다. 특히 차강태 회장의 관심이 연우를 향할 때마다 시선은 더욱 날카로워졌다.

"할 얘기 있으면 나중에 해. 세희 씨 데려다줘야 하니까."

연우가 세희의 이름을 입에 담은 순간, 진혁의 표정이 변했다.

당장 주먹이라도 날릴 듯 살벌한 눈빛이 새카맣게 번들거렸다. 그에 지지 않는 연우의 눈빛도 옅은 밤색으로 일렁였다.

"그만!"

세희가 가까스로 가운데 끼어들지 않았더라면, 둘 중 하나는 정말로 주먹을 날렸을 터였다.

"그만 돌아가세요, 부사장님. 더는 할 얘기 없습니다."

두 사람의 시선이 세희에게로 모였다. 진혁이 먼저 입술을 열었다.

"두 사람 만난다고 했던 이야기, 거짓말이지."

강경한 말투였다. 이미 스스로 그렇게 확신하여 믿고 있다는 말투.

세희는 놀란 속내를 들키지 않으려 노력했지만, 이어지는 진혁의 말에 허물어지는 표정을 막을 수 없었다.

"문세희가 사랑에 빠졌을 때 어떤 눈빛을 하는지, 어떤 표정을 짓는지…… 전부 다 알거든, 나는."

그래, 빌어먹게도 차진혁의 말은 사실이었다. 그는 사랑에 홀려서 멍청하게 청혼을 받아들였던 자신의 얼굴을 똑똑히 기억할 터였다.

과연 차진혁을 제대로 속일 수 있을까? 세희의 마음에 처음으로 거대한 불안함이 찾아왔다.

"눈에 빤히 보이는 거짓말까지 하면서 나를 밀어내는 이유가 대체 뭐야. 설명을 해 줘."

"싫다는 여자한테 이렇게까지 질척거리는 사람이었나, 차진혁이?"

잔뜩 비꼬는 연우의 음성이 혼란스러운 세희의 귓가에 닿았다. 흔들리지 말라는 듯 맞잡은 손에도 미미한 힘이 들어갔다.

"그럼, 회장님께서 네 맞선 자리를 주선하는 건 어떻게 설명할 셈이지?"

그 손을 노려보던 진혁이 건조한 표정으로 나직이 쏘아붙였다. 연우의 눈이 좁혀졌다.

"회장님?"

"아버지 말이다."

차강태 회장을 일컫는 말에 연우의 얼굴이 와락 일그러졌다.

'무슨 얘기를 하나 했더니, 제기랄.'

잔잔하던 그의 얼굴에 처음으로 증오 비슷한 감정이 서렸다.

곁에서 그를 지켜보던 세희도 흠칫 어깨를 떨었다. 맞잡은 손이 경직된 것으로 연우의 기분이 한껏 가라앉았다는 게 느껴졌다.

"차 회장님께서 언제 내 의견 따위나 물어보고 일을 진행했어야지. 원래 그런 분이시라는 거, 형이 더 잘 알면서."

"적어도 나는 제대로 말씀드렸다. 문세희라는 여자에게 청혼했고, 결혼할 생각이라고."

두 사람 사이에서 불꽃이 튀기듯 맹렬한 분위기가 이어졌다. 연우는 어이가 없어서 낮게 혀를 찼다.

비록 사정이 있어서 차 회장의 전화를 못 받았지만, 이 얘기를 들으니 차라리 받지 않은 게 다행이라는 생각마저 들었다.

한편, 이 상황을 지켜보던 세희는 진혁이 왜 하필 지금 저 얘기를 꺼내는지 알아차렸다.

일부러 그러는 게 틀림없었다. 저 들으라고, 듣고서 연우에 대한 생각을 바꾸라고.

이 얼마나 유치하고 악의적인 행동인가. 고작 저 하나 붙잡자고 가족의 내밀한 이야기까지 들먹이는 그 모습이 믿기지 않았다.

그녀가 기억하기로, 차진혁은 절대로 감정적인 이유로 행동하는 사람이 아니었으니까.

"부사장님."

세희는 연우에게 붙잡혔던 손을 빼내며 돌아섰다. 이 문제를 말하기에 지금이 적격이라는 생각이 들었다. 정중한 부름에 진혁의 시선도 그녀에게 돌아왔다.

"일전에 권유하신 초대, 확실히 거절하겠습니다."

까만 눈동자가 결연한 빛으로 반짝였다.

"너 아니면 데려갈 여자 없어. 알잖아."

진혁은 표정 하나 변하지 않고서 딱딱하게 답했다.

"그건 부사장님 사정이고, 제가 신경 쓸 부분이 아니죠."

조금의 희망조차 남겨 주지 않겠다는 듯이 차가운 속삭임이었다.

연우는 짐짓 놀란 눈치로 세희의 다음 행동을 기다리다가 그대로 눈이 마주쳐서 굳어졌다.

"연우 씨. 그때 말씀하신 제안, 좋아요."

이미 정해진 사안이었지만, 세희는 일부러 진혁더러 들으라는 듯 또박또박 말했다.

"연우 씨 파트너로 피오레코르테 세미나 애프터 파티, 참석할게요."

진혁이 놀랄 틈 따위 주지 않겠다는 작정인지, 날카로운 시선이 곧장 방향을 틀었다.

"그리고 차진혁 씨."

세희가 자신의 이름을 불러 준 게 너무나도 오랜만이었다. 딱딱한 말투인데도 달게 느껴진 건, 아마도 그 탓일 터였다.

멍하니 바라보는 진혁의 눈이 애타게 흔들렸다.

"앞으로 제 이름, 함부로 부르지 마세요."

그 간절한 기대에 못을 박아 버리듯 싸늘한 목소리가 내리꽂혔다.

"……세희야."

"나 이제 당신 여자 아니니까."

단호하게 선을 긋는 세희의 눈빛에서 일말의 애정도 찾아볼 수가 없었다.

완전히 남처럼 돌아선 그 모습이 지독하게 낯설어 두려움까지 일었다.

"그럼 내가…… 너를, 대체 뭐라고 부를까."

진혁은 일그러진 얼굴로 참담하게 중얼거렸다.

"처음 봤을 때처럼 문세희 대리라고 부르세요. 저희에게는 그 정도 호칭이 어울립니다, 부사장님."

세희의 대답은 막힘이 없었다. 마치 이런 상황이 벌어질 거라고 예상한 사람 같았다.

고장 난 기계처럼 답이 없는 진혁을 올려다보며 세희가 오른손을 움직였다. 그녀의 손은 연우의 팔을 부드럽게 휘감고 있었다.

"이제 아무런 사이도 아니잖아요."

등 돌려 멀어지는 세희의 모습이 이윽고 골목 사이로 사라졌다.

　어둠 너머로 사라진 뒷모습을 응시하던 진혁의 시선이 바닥으로 처박혔다.

　이미 모습은 사라졌는데도 세희의 목소리는 진혁의 귓가에 남아 먹먹하게 메아리쳤다.

　차진혁과 문세희가 더는 아무런 관계도 아니라는, 죽음과도 같은 선고가.

3. 나랑 해요, 도련님

## 3. 나랑 해요, 도련님

회사에 꽃다발을 두고 왔다는 건 자리에 앉고서야 떠올랐다.

세희는 아차 싶어 제 머리칼을 마구 쥐어뜯었다. 그렇지만 도망치듯 떠난 회사 앞으로 되돌아갈 수도 없었다.

아직도 차진혁이 그 자리에 우두커니 서 있지 않으리라는 보장이 없었으므로.

"여기 조용하고 괜찮지 않아요?"

산뜻한 목소리가 테이블 위 무거워진 공기를 깨트렸다. 퍼뜩 고개를 든 세희의 시야에 남자의 투명하고 깨끗한 미소가 들어섰다.

능숙하게 칵테일 두 잔을 주문한 연우가 턱을 괸 채 웃고 있었다.

"집에 곧장 들어가기 싫다는 표정이라서 일단 데리고 온 건데. 별로인가?"

"아뇨, 좋아요. 어차피 자리도 피해야 했고……."

두 사람이 자리를 피해 도착한 곳은 회사와 멀리 떨어진 바(bar)였다. 어두운 공간을 밝히는 건, 테이블 위의 보랏빛 조명뿐이었다.

'회식 때 소주 몇 잔 마시긴 했지만, 칵테일 정도야 더 마셔도 괜찮겠지.'

세희가 조심스레 주변을 둘러보는 가운데, 연우가 툭 질문을 던졌다.

"왜 그동안 연락 안 했어요?"

약간의 아쉬움이 묻어나는 어조에 세희가 작게 투덜거렸다.

"그러는 연우 씨도…… 저한테 연락 없었잖아요."

그 말에 기다렸다는 것처럼 연우가 주머니를 뒤적이더니 새로운 핸드폰을 꺼내 들었다.

최신 핸드폰을 발견한 세희가 두 눈을 크게 떴다. 저번에 본 것과 생김새가 다르지 않나, 생각하는 사이 연우의 설명이 이어졌다.

"내 핸드폰 박살 났어요."

"박살…… 났다고요?"

"공항에서 팬들 피하다가 놓쳤는데 그대로 밟혔거든요. 바로 파리 가서 일하느라 정신이 없었고, 오늘 귀국하자마자 새로 개통했는데 화보 촬영하느라 연락할 틈도 없었고."

한숨 쉬며 머리칼을 쓸어 넘기는 연우의 손길에서 초조함이 내비쳤다.

"이 일 설명하려고 회사까지 간 거예요."

급하게 달려오느라 메이크업도 지우지 못했는지, 가까이서 본 입술이 조금 붉었다. 그마저도 매혹적으로 보일 뿐이니 신기한 일이었다.

아마 저 처연하고 아름다운 얼굴 때문이겠지, 세희는 조용히 생각을 갈무리했다.

"그사이 세희 씨한테 연락 왔을까 봐 전전긍긍했는데, 나는……."

정말로 아쉽다는 듯 가늘어진 눈매에 세희가 마른침을 삼켰다. 사정이 있었다는 걸 알자 눈처럼 쌓였던 섭섭함이 빠르게 녹아내렸다.

"미안해서 꽃다발도 보내고."

"아, 역시 연우 씨가 보낸 거였어요?"

"그럼 나 말고 꽃다발 보낼 사람, 또 있어요?"

연우의 목소리가 눈에 띄게 낮아졌다.

"어, 없어요. 그런 사람."

세희는 꽃다발이 하나 더 왔다는 사실을 숨기면서 황급히 고개를 저었다.

"다행이네요. 나뿐이라서."

변명이 먹혔는지 연우의 눈빛이 다시 부드러워졌다.

세희가 안도의 한숨을 내쉬는 사이, 다가온 직원이 두 사람 앞에 칵테일을 놓아주었다.

"핸드폰도 새로 개통했으니, 앞으로 편하게 연락 줘요."

"그래도…… 되는 거예요? 연우 씨 일하느라 바쁘잖아요."

"차진혁이 오늘처럼 헛짓거리할 때 당신 도와주려면 연락

제때 받아야죠."

그렇지 않냐며 덧붙이는 연우의 태도가 제법 진지했다. 세희는 농담으로 받아들이며 작게 웃음을 터트렸다.

"나도 연락 자주 할 건데. 각오해요."

연우는 저도 모르게 그녀를 따라 웃으며 새끼손가락을 내밀었다.

원래 의도와 달랐지만, 세희의 웃는 얼굴을 볼 수 있으니 만족스러웠다.

"각오하라고요?"

겨우 웃음을 그친 세희가 갸우뚱 고개를 기울였다.

"나 생각보다 귀찮은 남자거든요. 자, 약속."

엉겁결에 새끼손가락을 걸고서 약속을 맺자마자 연우가 건배를 청했다.

세희는 그를 따라 허겁지겁 칵테일 잔을 들고서 가볍게 부딪쳤다.

몇 시간 후, 두 사람이 어떤 약속을 맺게 될지 꿈에도 모른 채로.

어느새 자정을 훌쩍 넘긴 시간이었다.

연우와 세희 앞에 놓인 칵테일 잔이 다섯을 넘어갔을 무렵.

보랏빛 조명 아래서 연우가 조용히 핸드폰 화면을 톡톡 두들겼다.

세희와 함께 자리를 피하기 직전, 진혁이 제게 남겼던 말이 떠오른 탓이었다.

'그럼, 회장님께서 네 맞선 자리를 주선하는 건 어떻게 설명할 셈이지?'

부친이 주기적으로 제게 연락하고자 애를 쓴다는 건 알았다. 모델 에이전시를 차린 이후부터 경제적인 도움을 주겠노라는 연락도 온 적이 있었다.

하지만 연우는 부친의 제안을 한 번도 받아들인 적이 없었다. 그가 모친의 곁을 떠난 순간부터 일말의 정도 품지 않았으니까.

"갑자기 맞선이라니, 웃기지도 않아."

본가에서 눈칫밥을 먹으며 자라나는 동안에도 차강태 회장에게 중요한 건 경영뿐이었다.

알게 모르게 후계자 자리를 넘겨주려는 차강태의 모습에 황남윤이 불편함을 느꼈음은 물론이었다. 그 불편함은 날이 갈수록 강한 경계와 거부로 변모했다.

"세희 씨."

"네에…… 네?"

잔뜩 취해서 이마를 짚고 꾸벅꾸벅 졸던 세희가 화들짝 놀라며 눈을 떴다.

조금만 머물다가 돌아가야지 했는데 벌써 이렇게나 늦은 시간이었다.

세희의 앞으로 물잔을 건네준 연우가 다정하게 시선을 맞추었다.

"물어보고 싶은 게 있어서요."

"으음, 네, 뭔데요?"

세희가 두 볼을 복숭앗빛으로 물들인 채 열심히 고개를 주억거렸다. 헝클어진 머리카락이 가는 얼굴선을 따라 흘러내렸다.

연우는 반사적으로 오른손을 뻗었다. 헝클어진 머리카락을 넘겨 주기 위함이었다.

그 순간 그의 손길을 오해한 세희가 저도 모르게 슬그머니 볼을 기댔다.

"……."

손가락에 닿았다가 떨어지는 세희의 볼이 따뜻했다. 미세하게 내뱉은 숨결도 술기운에 뜨거웠다.

숨결의 방향을 따라가던 시선이 도톰한 입술에 닿았다. 선홍빛으로 반짝이는 입술을 보자 참아 왔던 충동이 솟구쳤다.

"나랑 연애할래요?"

혼자서 고민하던 계획이 밖으로 튀어 나간 건, 그 때문이었다.

"연애……?"

갑작스러운 연우의 물음에 세희가 슬쩍 인상을 찌푸렸다. 술기운에 머리가 어지러운데도 제안이 수상쩍다는 판단이 들었다.

설명을 요구하는 눈빛에 연우가 아차 싶어 입을 다물었다. 다짜고짜 본론만 내뱉다니, 이건 명백한 실수였다.

"계약 비슷한 거죠. 서로 돕는 과정이 연애인 거고. 형이 우리 사이를 믿지 않으니까요."

그는 세희의 머리카락을 귀 뒤로 조심히 넘겨 주면서 속삭였다.

"계약, 이라고요."

"오늘처럼 의심받다가 꼬리라도 밟히면, 형이 앞으로도 세희 씨한테 귀찮게 굴 텐데."

마침 걱정하던 부분을 건드리는 발언에 세희의 눈빛이 흔들렸다. 표정 변화가 적은 편이라 담담한가 싶었더니, 이런 모습을 보면 또 아니었다.

"그건 싫잖아요?"

연우는 제 추측이 옳았음을 느끼며 말을 이어 갔다. 세희의 새카만 눈동자가 이리저리 흔들리며 고민하는 기색을 드러냈다.

"형이 우리 사이 오해하지 않도록 확실하게 도와줄 수도 있고."

일단 연애하는 사이임을 알리고, 그에 따른 모습을 보여 준다면. 지금처럼 그답지 않게 집착하는 일이 줄어들 가능성이 컸다.

적어도 연우는 그렇게 판단했다. 자신이 기억하는 차진혁이라면, 그리 행동할 것이라고.

"그럼, 연우 씨한테는…… 무슨 이득이, 있는데요?"

슬슬 명확하게 발음하는 것도 힘든지, 세희가 끊어지듯 심호흡했다. 취해서 혀가 꼬이는 와중에도 예리한 지적이 놀라울 따름이었다.

"아버지가 제 맞선을 주선하려는데, 그게 너무 불편하거든요."

"……"

"마땅히 거절할 이유가 필요해서."

친절한 설명에 세희가 비스듬히 고개를 기울였다. 내리깐 눈꺼풀 아래로 긴 그림자가 졌다.

속눈썹이 깜빡깜빡 흔들릴 때마다 반짝이는 눈이 가려졌다가 나타났다.

"좋아요."

마침내 고민을 마친 세희의 대답이 명쾌했다. 연우가 귀를 의심하며 쳐다보자 세희가 거듭 중얼거렸다. 넘겨 준 머리칼이 다시 흐트러져서 아래로 쏟아졌다.

"좋아, 좋다고요. 나랑…… 연애해요."

세희는 왼손으로 마구 머리칼을 넘기면서 더운 숨을 뱉었다.

어지러운 머릿속을 정리하던 탓인지 실수로 호칭이 변했다는 걸, 미처 알지 못했다.

"도련님."

"……도련님?"

태연한 척 미소 짓던 연우의 미간이 찌푸려졌다.

세희는 발갛게 익은 얼굴로 고개만 위아래로 끄덕끄덕 흔들었다. 술에 취해서 실수했나 싶었지만, 곧 그렇게 부른 이유를 알았다.

'아, 그렇네. 차진혁과 결혼했다면 나를 저렇게 불렀겠지.'

자연히 머릿속으로 진혁과 세희의 결혼식이 그려졌다. 웨딩드레스를 입고서 진혁과 팔짱을 낀 세희의 모습이.

그러자 순식간에 기분이 가라앉았다. 스스로 의아하다 싶을 정도였다. 또 한 가지, 묘한 점은…….

"이상하게 흥분되네."

이유는 모르겠으나 갈증이 일었다. 어딘가 뻐근해지는 감각도 함께였다.

목이 타는 기분에 연우가 가벼운 헛기침을 내뱉었으나 영 소용이 없었다.

그럴수록 바싹 마르는 입 안이 선명하게 느껴질 뿐이었다. 그의 마음을 알 리 없는 세희가 별 의미 없는 웅얼거림을 흘렸다.

"우, 응……."

본능적인 열기가 그의 시선을 눈앞의 입술로 이끌었다. 잘 익은 과육처럼 도톰하고 붉은 모양새가 탐스러웠다.

커다란 손바닥이 아프지 않게 턱을 쥐자, 눌린 볼 사이로 입술이 서서히 벌어졌다.

"한 번만 더 불러 봐."

뼈마디가 도드라진 연우의 손가락이 아랫입술을 툭 건드렸다. 나른한 속삭임이 귓속을 은밀하게 파고들었다.

"도련님, 하고."

세희는 홀린 듯이 끔뻑이던 눈으로 그를 보았다. 조각상처럼 희고 이목구비가 뚜렷한 얼굴은 보는 것만으로도 감탄스러웠다.

앞으로 저 남자는 자신의 든든한 아군이 될 터였다.

'그래, 연애든, 복수든, 뭐든 좋으니까…….'

결심한 세희의 목소리가 단호하게 흘러나왔다.

"나랑 해요, 도련님."

"……."

"전부."

지나치게 가까워졌다고 생각했을 때는, 이미 코끝이 닿아 있었다. 입술 위를 간질간질하게 스치는 숨결에 세희의 손끝이 움찔 떨렸다.

"목적어가 빠지니까…… 위험하게 들리는데."

연우는 젖은 입술을 혀로 살며시 쓸면서 웃음을 흘렸다. 달콤한 칵테일 향기가 코끝을 훔쳤다.

저 입술을 샅샅이 범하고, 도화지처럼 하얀 살결에 흔적을 남겼던 기억이 아른거렸다.

그때의 세희가 어떤 얼굴로 흐트러졌는지, 얼마나 달뜬 목소리로 흐느꼈는지. 연우는 전부 기억했다. 한순간도 잊지 못했다.

"응……."

자그마한 중얼거림과 함께 세희의 입술이 오른쪽으로 미끄러졌다. 졸음을 이기지 못한 세희의 얼굴이 기우뚱 흔들린 탓이었다.

연우가 다급하게 손바닥으로 받쳐 주지 않았더라면, 테이블에 부딪혔을 터였다. 가지런히 눈을 감아 버린 세희가 색색 고른 숨소리를 내뱉었다.

"아, 어떡하지."

연우가 자유로운 왼손으로 이마를 짚으며 웃음 섞인 한숨을 내쉬었다.

"당신 진짜 귀엽다."

"응, 으응……."

"귀여운 거 알고서 대답하는 거야?"

키스를 못 한 건 아쉬웠지만, 이 얼굴을 오래 관찰할 기회가 생겼다는 건 좋았다.

연우는 생각보다 약한 자신의 자제력을 느끼면서 턱을 괴었다. 보랏빛 조명이 번진 세희의 얼굴은 아무리 봐도 질리지 않았다.

'키스하고 싶네.'

청초하고도 새초롬한 분위기가 너무나 매력적인 까닭에.

여기가 어디지.

세희는 눈을 뜨자마자 낯선 천장을 올려다보며 생각했다.

간밤에 대체 무슨 일이 있었으며, 자신은 왜 여기 누워 있는지. 명확하게 떠오르는 기억이 하나도 없으니 난감할 따름이었다.

등골이 싸늘하게 식는 듯하여 굳어진 찰나, 가까운 곳에서 숨소리가 들렸다.

'뭐지? 진짜 뭐지?'

우선 침대 밖으로 벗어나서 생각해 보는 건 어떨까.

세희가 빠르게 판단을 마치고서 손가락을 꼼지락거렸다. 조심스럽게 이불을 걷어서 빠져나가려는 순간.

"왜 몰래 나가?"

단단한 팔뚝이 그녀의 허리를 손쉽게 휘감아 당겼다. 억센 손길에 끌려가 헉 소리도 내지 못한 채, 세희가 파르르 몸을 떨었다.

잔뜩 긴장한 그녀의 상태를 감지했는지 상대가 작게 웃음을 흘렸다. 등에 닿은 입술 탓인지, 웃음으로 인한 떨림이 고스란히 전해졌다.

"누가 보면 공포 영화 본 줄 알겠네. 표정이 왜 그래요?"

"여, 연우 씨?"

"네, 세희 씨. 이제 나 좀 알아보겠어요?"

연우가 헝클어진 세희의 머리칼을 넘겨 주었다. 덕분에 그의 얼굴이 시야를 가득 채웠다.

미묘한 거리감에 가슴이 간질거리면서도 불안함이 고개를 들었다.

'어젯밤 혹시, 설마⋯⋯.'

점점 파래지는 세희의 얼굴에 연우의 눈매가 반달처럼 휘어졌다.

더 놀리고픈 마음도 있었지만, 괜한 오해에 세희가 도망가면 큰일이었다.

연우는 떨리는 세희의 손을 꼭 붙잡으면서 차분히 토닥였다.

"아무 일도 없었어요."

"네?"

"혼자 알아서 씻고, 가운도 잘 입던데. 기억 하나도 안 나요?"

안심하라며 하나하나 짚어 주는 목소리가 퍽 다정했다.

"조금은 기억할 줄 알았는데."

연우가 상체를 일으켜 침대 머리맡에 기대앉았다. 벌어진 가운 사이로 탄탄하게 갈라진 근육이 모습을 드러냈다.

화들짝 놀란 세희가 시선을 피하면서 빨개진 얼굴을 가렸다. 아침부터 잔뜩 성이 난 근육을 보니, 반사적으로 그에게 안겼던 기억이 떠올랐다.

"기, 기억이 하나도 안 나서……."

"어디까지 기억나요, 그럼?"

글쎄, 과연 내 머릿속이 어디까지 기억할까.

세희는 필사적으로 머리를 굴려 보았으나 바에서 칵테일을 마시던 게 마지막 기억이었다. 그녀는 우선 재빠르게 이불을 걷어서 제 상태를 확인했다.

다행히 연우의 말대로 자신은 가운을 목 끝까지 단단히 잠근 상태였다. 아마도 그의 가운인지 품이 꽤 크고 좋은 향기가 났다.

"저 이상한 짓은…… 안 했나요?"

덜덜 떨면서 던진 물음에 연우가 턱을 쓰다듬었다.

"주사도 없었는데. 굳이 꼽자면, 자기 집 침대처럼 눕자마자 잠들었다는 점 정도?"

아주 고되고 피곤했나 싶을 정도였다. 베개에 머리를 대자마자 잠들었으니까.

세희는 민망하여 새빨개진 얼굴로 이불을 끌어당겼다. 겨우 얼굴을 반쯤 가린 찰나에 연우가 이불 끝자락을 세게 당기며 웃었다.

앗 하는 사이에 이불이 내려가 그만 눈이 마주치고 말았다. 아주 가까운 거리에서 바라보는 연우의 얼굴이 아침부터 화사하기 이를 데 없었다.

"오늘 토요일인데 같이 데이트나 해요."

그 멋진 얼굴로 연우가 뜬금없는 제안을 건넸다. 아직 정신을 차리지 못한 세희가 흐리멍덩한 낯으로 되물었다.

"데…… 데이트요?"

"어젯밤 약속한 내용, 안 잊었죠?"

다가온 손가락이 장난스레 세희의 볼을 콕 찔렀다.

"우리 연애하기로 했잖아요, 세희 씨."

우리가 연애하기로 했다니.

세희는 차분하게 기억을 더듬었으나 소용이 없었다. 술에 취한 탓인지, 기억은 전혀 떠오르지 않았다.

"죄송해요. 서…… 설명이 필요해요."

간절한 물음에 결국, 연우가 간략하게 간밤에 맺은 약속에 관해 설명해 주었다. 들으면 힘이 빠질 정도로 간단한 내용이었다.

연우는 차강태 회장의 맞선을 회피하기 위해서, 세희는 차진혁에게 의심받지 않기 위해서.

두 사람이 계약 비슷한 형태로 만나 보자는 약속이었다.

"퇴사 도울 방법도 마련했어요."

"그게 뭔데요?"

"그날 파티에 참석하면 다 알게 될 거예요."

연우는 호기심으로 반짝이는 세희의 눈을 보면서 부드러운 억양으로 속삭였다. 머리카락을 넘겨 주는 손가락이 목덜미의 여린 살갗을 스쳤다.

간질간질한 느낌이 살결을 넘어 세희의 가슴께까지 번졌다. 계약 형태의 연인이라기엔 지나치게 다정한 행동이었다.

"우선 나가서 식사부터 할까요. 얘기는 밥 먹으면서 자세히 나누고."

지금 식사가 문제일까 싶었지만, 아니라고 답하기엔 정말로 뱃가죽이 등에 달라붙기 직전이었다.

"세희 씨, 배고프잖아요."

용케도 그 상태를 알아차렸는지, 연우가 재차 식사를 권유했다.

세희는 설마 제 배에서 꼬르륵 소리라도 났었나 싶었지만, 확인할 길이 없었다.

왠지 제 속내 정도는 쉽게 꿰뚫는 듯한 연우의 눈빛이 신경 쓰였다.

"그, 그래요. 연우 씨도 배고프겠네요."

부랴부랴 침대 아래로 내려가는 세희의 몸짓이 언뜻 보기에도 다급했다.

"먼저 씻어요."

연우가 선뜻 배려해 주며 순서를 양보했다. 세희는 가운을 빈틈없이 여미고 그가 가리키는 방향을 향해 걸어갔다.

이런 식으로 오게 될 줄 몰랐지만, 연우의 집은 한눈에 봐도 고급스러운 분위기가 흘렀다.

침실을 빠져나와 기다란 복도를 걸어간 끝에야 화장실이 나타났다.

화장실 앞 테이블에는 이미 건조까지 마친 세희의 옷가지가 가지런히 놓여 있었다.

간밤에 연우가 세탁한 모양인지 옷가지에서 좋은 향기가 듬뿍 풍겼다.

'이게 무슨 민폐야, 문세희.'

세희는 머리를 쥐어뜯고 한탄하면서 화장실로 들어섰다.

호텔처럼 새하얗고 깨끗한 화장실의 풍경이 나타났다. 가운을 벗고서 거울 앞에 서자 더욱 깊은 한숨이 흘러나왔다.

"……그나마 씻고 잠들어서 이 정도구나."

헝클어진 머리카락에 희고 밋밋한 얼굴, 피곤한 눈가. 대체 이 얼굴 어디를 보고서 연우가 그토록 다정히 미소 지었는지 의문이었다.

세희는 이리저리 피부를 뜯어 살피다가 고개를 갸우뚱 기울였다.

'그래도 정말 별일 없었나 보네. 몸이 깨끗한 걸 보면…….'

흰 살결 어디에도 연우의 흔적은 하나도 없었다. 지난번, 온갖 부위에 잇자국을 남겼던 때와 확연하게 비교되는 모습이었다.

가만히 그때를 떠올리던 세희의 얼굴이 또다시 발그레 물들었다.

"어휴, 빨리 씻기나 하자."

그녀는 세게 고개를 가로저은 다음, 세찬 물줄기 아래 머리칼을 적셨다.

왠지 긴 하루가 될 듯한 예감이 들었다.

외출 준비를 마친 후.

연우는 세희를 고급 레스토랑으로 데려갔다. 아침부터 값비싼 스테이크를 먹으려는 행동에 세희가 괜찮다고 했지만, 돌아온 대답은 단호했다.

'세희 씨는 너무 말랐으니까. 아침부터 든든히 먹을 필요가 있어요.'

거듭 주장하는 통에 거절할 수가 없었다.

결국, 세희는 비싸고 맛난 음식으로 배불리 배를 채웠다. 당연하다는 듯이 밥값도 연우가 계산했다.

지난밤 술값도 전부 연우가 냈던 터라, 여간 부담스러운 게 아니었다.

'커피는 제가 살게요. 제발, 내가 사게 해 줘요.'

'좋죠. 그런데 그보다 먼저 갈 곳이 있어서.'

'네? 어디요?'

연우는 대답 없이 미소와 함께 핸들을 돌렸다. 세희는 조수석에 앉아 대교 너머 풍경을 바라보면서 얌전히 몸을 맡겼다.

이윽고 두 사람이 도착한 장소는 강남 한복판의 거대한

백화점이었다.

"이쪽으로 와요."

부드럽게 세단을 주차한 연우가 백화점 뒤쪽의 엘리베이터로 그녀를 안내했다.

VIP 전용 출구라고 적힌 엘리베이터를 바라보면서 세희가 멍하니 입을 벌렸다.

"여기는 왜……."

"전쟁터에서 군인들이 무기를 왜 챙기겠어요? 우리도 챙겨야죠."

뜻 모를 설명이었지만, 세희도 이내 그게 무슨 뜻인지 알아차릴 수밖에 없었다.

엘리베이터가 멈추자마자 눈앞에 화려하고 우아한 드레스가 가득했다.

"어서 오세요!"

깔끔한 유니폼 차림의 직원들이 우르르 몰려와 두 사람을 반겼다.

세희는 얼떨떨한 기분에 휩싸여 그들을 바라보았다.

진혁과 결혼했던 삶에서, 세희는 언론의 관심을 꺼리는 시모 탓에 매번 드레스를 집에서 받아 보았다.

그러니 직접 백화점에서 이런 대접을 받아 본 적은 한 번도 없었다.

다만 입던 경험이 있으므로, 옷걸이에 걸린 게 죄다 값비싼 품목이라는 건 알아차렸다.

"일단 치수부터 확인하겠습니다, 고객님."

방긋방긋 미소 지은 직원들이 그녀를 탈의실로 안내했다.

세희는 탈의실에서 그들이 부탁하는 대로 팔을 들고, 때로는 숨을 들이마셔 잔뜩 허리를 조였다.

꼼꼼하게 치수를 재던 직원들이 마침내 만족스러운 얼굴로 물러섰다. 그제야 세희도 정성스러운 손길에서 벗어나 자유를 맞이할 수 있었다.

"조금만 기다리시면 금방 상품 가져와 보여 드리겠습니다."

"가, 감사합니다……."

세희는 감사 인사를 건네며 대기실로 빠르게 걸어갔다. 가죽 소파에 앉아 잡지를 보던 연우가 인기척에 고개를 들었다.

무언가를 열심히 보던 중이었는지, 한껏 벌어진 잡지가 눈에 띄었다.

"치수 다 쟀어요?"

"네. 뭘 보고 있어요?"

궁금한 마음에 곁으로 다가가 슬쩍 물어보자 연우가 아무렇지도 않게 대답했다.

"당신이 파티에서 들 가방이랑 구두."

"……네?"

"색깔은 드레스에 맞춰야 하니까 모양만 살펴봤어요. 올겨울 신상 컬렉션인데, 세희 씨도 한번 봐요."

자연스럽게 손을 붙잡은 연우가 옆자리로 세희를 끌어당겼다. 중력에 끌리듯 털썩 주저앉은 세희가 얼떨결에 잡지를 내려다보았다.

당연한 소리지만, 어느 하나 쉽게 고를 수 없었다. 전부 비싼 게 틀림없는 모양새였으니까.

그나마 제일 저렴해 보이는 걸 짚어 보는데, 등 뒤로 직원 하나가 조용히 지나갔다.

"연우 씨, 그런데…… 마스크 안 써도 괜찮아요?"

발소리를 들은 세희가 내내 마음에 걸리던 것을 물어보았다. 주변의 시선이 신경 쓰이는지 이곳저곳 살피는 눈길이 분주했다.

"원체 입 무겁기로 유명한 곳이에요. 소문 퍼지면, 바로 여기부터 의심받을 걸 알아서."

걱정되는 부분을 시원하게 해결해 주나 싶더니, 능청스러운 물음이 돌아왔다.

"왜요? 나랑 열애설 날까 봐?"

"괜히 연우 씨한테 민폐 끼치면 안 되니까요."

대답은 빠르게 돌아왔고, 세희는 연우의 물음을 부정하지 않았다. 진지한 얼굴로 선언하듯 속삭이는 그 모습에 연우가 픗 웃음을 흘렸다.

"민폐 아닌데."

무슨 소리냐고 자세히 물어볼 틈도 없이, 연우가 어깨를 으쓱했다.

"걱정 마요. 세희 씨가 괜한 구설에 휘말리지 않도록 최선을 다할 테니까. 애프터 파티도 비밀 유지가 필수라서 괜한 일 없을 거예요."

아, 그렇다면 다행이다.

깊이 안심하는 세희의 얼굴이 귀여우면서도 뭔가 답답했다. 연우는 답답함의 원인을 깨닫지 못하고 미간을 좁혔다.

만약 진짜로 두 사람의 열애설이 터진다면, 세희는 어떤 반응을 보일까.

"고객님, 상품 준비되었습니다."

세팅을 마친 직원이 다가와 눈인사를 건네자 세희는 화들짝 놀라 손을 빼내고 일어섰다.

직원을 따라가는 그녀의 뒷모습에 연우는 조용히 손바닥을 쥐었다 펴 보았다.

그가 손바닥에서 사라진 온기를 곱씹는 동안, 세희는 드레스를 하나둘 입고서 나오기 시작했다.

"아냐, 다음."

"……."

"다음 드레스."

모두 화려하고 예쁘다고 생각했는데, 입고 나오는 족족 연우는 아쉽다는 듯 고개를 저었다.

'모델이니까 옷을 보는 능력도 남들보다 뛰어난 걸지도 몰라.'

세희는 조용히 추측하면서 마지막 드레스를 입고 나왔다. 날씬한 몸에 달라붙어 우아하고 세련된 아름다움이 돋보이는 보랏빛 드레스였다.

"거울 앞에서 보죠. 이리 와요."

드디어 연우가 긍정적인 반응을 보이듯 자리에서 일어났다.

"아, 네."

세희는 연우의 손을 잡고서 커튼 안쪽으로 들어갔다. 직원들과 꽤 떨어진 거리라서 조용했고, 두 사람의 목소리만 작게 울렸다.

"이 드레스가 가장 잘 어울리네요."

전신 거울에 비친 세희를 바라보면서 연우가 담담히 말했다. 세희는 거울 속 제 모습을 어색하게 바라보았다.

가늘고 예쁜 허리선이 돋보이지만, 제게 어울리는지 확신하기 어려웠다. 그래도 연우의 판단에 맡겨 보는 것도 나쁘지 않을 듯했다.

"그럼 이 드레스로 고를까요?"

"좋은데, 약간 변주를 주면 좋겠어요."

변주라니, 무슨 뜻일까.

연우가 좋은 생각이 떠올랐는지 짓궂은 미소를 건네며 속삭였다.

"약간 파격적인 느낌을 더해서."

"파격적인 느낌이요?"

되물어 보던 세희의 몸이 움찔하고 굳어졌다. 커다랗고 뜨거운 손바닥이 별안간 등에 닿은 탓이었다.

"이를테면……."

뚫어져라 그녀를 응시하는 연우의 얼굴이 거울에 비쳤다. 그가 세희의 머리칼을 하나로 모아 올리자 희고 뽀얀 목덜미가 드러났다.

드레스 뒤쪽이 파인 탓에 목덜미부터 등까지 시린 공기가 닿았다. 가까워진 연우의 숨결도 목덜미를 간지럽게 스쳤다.

"목선이 가늘고 곧으니까 머리카락을 올려 보는 것도 나쁘지 않고."

세희는 거울을 통해 뜨거운 시선을 마주하고 숨죽였다.

"아니면……."

단단하고 길쭉한 손가락이 어깨를 지나 꼬리뼈 부근까지 내려왔다. 얇은 천 한 장 너머로도 느껴지는 체온이 뜨거웠다.

침묵을 타고 흐르는 긴장감에 세희의 눈꺼풀이 사르르 떨렸다.

"웨딩드레스처럼 새하얗게 바꾼다거나."

결혼식이 취소된 지금, 차진혁의 분노에 불꽃을 붙이기 제격인 아이디어였다.

고민하는 세희의 마음에 쐐기를 박듯 연우가 중얼거렸다.

"상상만 해도 예뻐. 분명히 잘 어울릴 거예요."

예쁘다는 칭찬에 세희의 귓불이 붉게 달아올랐다. 그녀는 민망한 마음을 어쩌지 못하고 어색한 미소만 머금었다.

"이…… 일부러 칭찬해 주지 않아도 괜찮아요."

"나 원래 아무한테나 예쁘다고 안 하는데."

연우의 손이 느릿하게 떨어졌다. 그런데도 살갗에 그의 온기가 남은 듯했다.

"당신한테만 그러는 거예요."

목덜미에 닿는 숨결이 가까워졌음을 느낀 순간, 세희의 얼굴에 가벼운 홍조가 어렸다. 상기된 그녀의 얼굴을 응시하면서 연우가 점점 고개를 기울였다.

"진짜로 예쁘니까."

남자의 입술이 금방이라도 닿을 듯 가까웠다.

"그, 그럼!"

입술이 닿기 직전, 세희는 가까스로 소리치며 뒤돌아섰다. 어중간한 거리에서 내려다보는 연우의 눈빛에 아쉬움이 빠르게 스쳤다가 사라졌다.

그는 능숙하게 아쉬운 표정을 숨기며 빙그레 미소 지었다. 그 표정 변화를 미처 확인하지 못한 세희가 허둥지둥 흐트러진 머리카락을 정리했다.

"색깔 바꾸는 것도 좋아요, 그렇게 해요. 이 드레스로 정했어요."

"좋아요."

연우가 만족스러운 눈길로 드레스를 확인한 다음, 커튼 밖으로 걸어가 직원을 불렀다.

달려오는 발소리에도 세희는 차마 뒤돌아보지 못하고 바닥만 내려다보았다.

드레스와 수선 방향을 설명해 주는 연우의 목소리가 도란도란 들려오는데도 마찬가지였다. 얼굴의 열은 쉽사리 가라앉지 않았으며 목이 자꾸만 탔다.

'왜 이래, 미쳤어.'

이윽고 커튼 안쪽으로 직원들이 다가와 드레스 벗는 걸 도와주었다.

세희는 새빨간 얼굴을 들킬까 봐 심호흡하며 숨죽였다. 예쁘다는 칭찬을 자주 듣지 못해서 면역이 없는 걸까.

연우가 숨 쉬듯이 칭찬을 건넬 때면 기분이 아주 이상하고 어색해졌다.

"수고하셨습니다."

"저어, 화장실은 어디에 있나요?"

"저쪽 복도 끝으로 가시면 됩니다, 고객님."

친절한 직원의 안내에 따라 세희가 부랴부랴 걸음을 옮겼다.

연우는 어차피 대기실에서 기다릴 테니, 그동안 널뛰는 마음을 조금이라도 잠재울 요량이었다.

지금 다시 연우의 얼굴을 마주했다간 평정심을 잃을 수도 있을 테니까.

"후……."

괜히 다른 사람이라도 마주치면 민망할 터였다. 무슨 일이라도 난 사람처럼 한숨을 쉬었다가, 가슴을 두드리고 있었기 때문이었다.

세희는 일부러 가장 구석진 칸으로 들어가 숨을 골랐다. 조금만 진정되면 나가자고 생각하면서.

"누구일까요?"

하지만 세희가 문고리를 돌리려는 순간, 막 화장실로 들어온 누군가가 대화를 시작했다.

"서연우가 여자랑 단둘이 방문한 건 처음이잖아요."

멈칫 굳어진 세희의 귓가에 익숙한 이름이 파고들었다.

"신인 모델이라기엔 키가 작은 편이던데."

연우와 세희를 맞이했던 직원 중 한 명이 거울을 보며 소곤거렸다. 그녀의 상사 또한, 거울을 보면서 번진 립스틱을 고치기 바빴다.

두 사람은 화장실 안쪽에 세희가 있다는 걸 꿈에도 모르는 눈치였다. 세희가 아까 화장실 위치를 물어본 건, 다른 직원이었기에.

"아무래도 그렇죠? 혹시 애인 아닐까요?"

이어지는 대화에 세희의 심장이 바닥으로 쿵 내려앉았다.

설마 들킨 걸까? 아니, 진짜 애인은 아니지만. 그녀는 초조한 마음에 입술만 잘근잘근 씹었다.

"에이, 설마."

"왜요? 여자 진짜 예쁘던데. 눈이 엄청 커서 놀랐어요."

"하긴, 피부도 진짜 좋더라. 얼굴에 잡티 하나 없고, 모공도 안 보이고. 화장품 뭐 쓰는지 물어보고 싶더라……."

세희의 화장품은 대부분 피오레 코스메틱의 상품으로, 그녀가 직접 기획 개발한 것들이었다.

세희는 순간 직업 정신을 발휘하여 상품명을 외치고픈 마음을 꾹 참았다. 제 험담인가 싶었는데, 주의 깊게 들어 보니 오히려 낯간지러운 칭찬이라 당황스럽기도 했다.

부끄러움에 달아오르는 얼굴을 손바닥으로 감싸 식히는데, 수상쩍은 이야기가 들려왔다.

"그리고 서연우랑 열애설 도는 사람은 따로 있잖아."

"누구요?"

"진짜 몰라서 묻는 거야?"

"제가 인터넷을 잘 안 봐서요."

웃음을 터트린 직원이 앞머리를 정리한 다음, 고개를 돌렸다. 어느새 파우치에 화장품을 정리하는 상사의 대답을 듣기 위함이었다.

"인터넷에 없어도 소문이 퍼졌잖아."

"그러니까 그 상대가 대체 누군데요?"

그래, 대체 누군데 그래?

"내가 특별히 알려 준다. 모델 유······."

끝까지 듣고자 세희가 문에 귀를 바싹 기울인 찰나.

"두 사람, 여기서 뭐 합니까?"

별안간 불청객의 목소리가 끼어들었다. 신나게 떠들던 직원들도 합죽이처럼 입을 꾹 다물었다. 파우치를 분주하게 정리하던 손길도 우뚝 멈추었다.

"빨리 나와요! 고객님 기다리세요."

"헉, 네! 지금 나가겠습니다!"

직원들은 부랴부랴 파우치를 챙겨 화장실 밖으로 나가 버렸다. 시끌벅적한 분위기가 순식간에 고요하게 가라앉았다.

정적이 길게 흐르는 와중, 세희가 문고리 돌리는 소리만이 요란하게 울려 퍼졌다.

"그래서, 그게 대체 누구냐니까······."

끝내 연우의 열애설 상대가 누구인지 듣지 못한 세희가 답답한 가슴을 두드렸다.

마치 우유 없이 퍽퍽한 고구마를 힘겹게 삼킨 느낌이었다.

'그날 데리러 올게요. 드레스랑 가방. 구두 전부 샵으로 옮겨 달라 부탁했으니까.'

연우는 세희를 집까지 데려다주며 파티 날의 일정을 읊어 주었다. 그날 직접 데리러 올 테니 푹 자고 일어나 나오기만 하면 된다고.

세희는 끝까지 드레스 가격을 알려 주지 않았던 직원을 떠올리며 물었다.

'연우 씨, 결제는 어떻게……'

'선물이라고 생각해요.'

'선물이요?'

'계약 연애하기로 한 기념 선물.'

능청스럽게 속삭이던 연우의 목소리가 아직도 귓가에 메아리쳤다.

방송 활동을 한 경험 덕분인지 연우는 워낙 언변에 능했다. 대화를 나누다 보면 그의 페이스에 말려들 때가 잦았다. 이번에도 마찬가지였다.

세희는 고마우면서도 부담스러운 그의 선물 세례에 어쩔 줄 몰랐다.

"열애설 얘기는…… 물어보지도 못했네."

터덜터덜 침대까지 걸어온 그녀가 휙 몸을 던졌다. 푹신한 침대에 눕자 하품이 절로 나왔다. 그녀에게 익숙하고 낡은 천장이 시야에 가득 들어찼다.

이곳은 그녀가 열심히 한 푼 두 푼 모아서 월세로 들어온 오피스텔이었다. 진혁과 결혼할 때 급히 처리하는 바람에 아쉬운 마음으로 떠났던 보금자리이기도 했다.

"음……"

소중한 공간이었지만, 연우의 집에 다녀온 탓인지 오늘따라 삭막하게 느껴졌다. 갑자기 홀로 남겨져서 그런 걸지도 몰랐다.

세희가 오른쪽으로 고개 돌려 깔끔하고 휑한 테이블을 응시했다.

'내일 출근하면…… 연우 씨가 준 꽃다발부터 챙기자.'

좋은 생각이 들었다. 그녀는 벌떡 일어나 찬장 앞으로 달려갔다. 찬장을 열심히 뒤적인 끝에 큰 유리병 하나가 튀어나왔다.

오래전 회사 비품을 처리하다가 남아 가져온 유리병이었다. 먼지투성이였지만, 수세미로 박박 닦아 내자 제법 깨끗해졌다.

'이 병에 꽃을 장식해야지.'

라넌큘러스 꽃다발을 볼 때마다 다정하게 웃던 연우가 떠오를 터였다.

그럼 이 삭막한 분위기도 잊을 만큼 좋은 기억이 떠오르지 않을까.

세희는 배시시 웃으며 괜스레 유리병을 쓰다듬었다.

연우의 미소처럼 화사하게 바뀔 풍경을 상상하니 기분이 좋았다.

❉　　❉　　❉

수요일, 마케팅 부서 사무실은 유난히도 분주했다.

세희의 팀에서 기획 개발한 제품이 드디어 판매를 코앞에 둔 시점이었다. 사람들은 틈만 나면 모여 제품에 관한 토론을 이어 나갔다.

문제점을 하나 고치면, 두 가지의 새로운 문제점이 나타났다. 해결하는 순간이 곧 다음 탐구의 시작이었다.

"후⋯⋯."

지끈거리는 이마를 짚은 세희가 의자에 털썩 주저앉았다. 열띤 토론을 마치고 온 탓인지, 그녀의 얼굴도 살짝 상기된 상태였다.

손으로 부채질하던 세희의 시선이 문득 창가에 닿았다. 창가 아래 놓인 리시안셔스가 바람에 따라 하늘하늘 흔들렸다.

진혁이 선물로 주었던 꽃을 바라보면서도, 세희의 머릿속에는 다른 꽃다발이 떠올랐다.

'집 가자마자 꽃병 물부터 갈아야겠어.'

연우의 꽃다발은 월요일에 집으로 가져와 꽃병에 장식했다. 뒤늦게 물을 맞이했는데도 라넌큘러스는 화려한 꽃잎을 자랑했다.

그것과 달리, 진혁의 꽃다발은 사무실에 두고서 바싹 마르면 버릴 계획이었다. 팀장의 눈에 띄지 않았더라면 정말로 그렇게 사라졌을 터였다.

'세희 씨, 그 꽃다발 그냥 두려고? 아깝다.'

팀장뿐만이 아니었다. 사람들은 대충 책상 구석에 올려둔 꽃다발이 시들까 봐 걱정했다.

세희는 고민 끝에 꽃다발을 창가로 옮겼고, 직원들은 멋대로 병을 가져와 꽃다발을 장식했다.

덕분에 리시안셔스는 모두가 지나다니는 사무실 창가에 위치하게 되었다.

세희는 차라리 이게 나을지도 모른다고 생각했다. 더는 개인적으로 저 꽃다발을 신경 쓸 필요가 없어졌으니까.

'저러다가 관심이 끊기면, 그때 조용히 치우자.'

"대리님, 커피 한 잔 어떠세요?"

가만히 생각에 잠긴 세희의 곁으로 다가온 지혜가 말을 걸었다. 방금 비품 정리를 마치고 온 건지, 그녀의 치마에 먼지가 묻어 있었다.

세희는 자연스럽게 먼지 묻은 치마를 털어 주면서 몸을 일으켰다.

"좋죠. 같이 가요."

무던한 척 다정한 배려가 세희의 모든 행동에서 묻어났다. 그건 대다수의 직원들이 세희를 상냥하다고 칭찬하는 이유 중 하나였다.

지혜는 헤실헤실 웃으면서 세희와 함께 휴게실로 향했다.

"아침에 대리님이 보여 준 바이블, 꼼꼼히 살펴보니까…… 정말 완벽하던데요. 2팀 사람들도 탐낼 것 같더라고요."

휴게실에서 도착한 지혜가 커피를 내리며 슬그머니 말을 걸었다. 세희가 작성하여 저장해 둔 인수인계 바이블을 읽어 본 모양이었다.

"그 정도는 아니에요. 기본적인 사항만 적었는데."

세희는 실없이 웃으며 손사래를 쳤다. 담담한 태도에 지혜는 더욱 목소리를 높였다.

"그 기본적인 내용이 지나치게 많으니까 다들 입사하고 힘들었잖아요. 후임으로 들어올 사람은 좋겠다. 입사하자마자 이 귀한 걸 다 보고……."

지혜는 세희가 사무실을 떠난다는 상상만 해도 마음이 허전했다. 자신이 입사하던 날부터 가장 친절하고 다정하게 대해 준 선배였으니까.

그런 지혜의 마음을 아는지 모르는지, 세희는 순식간에 인수인계 준비를 끝마쳤다. 그녀가 직접 작성한 바이블을 본 이들이 모두 감탄을 금치 못할 정도였다.

'다행히 공고 올리자마자 많이 지원했어. 금방 후임이 들어오겠지.'

따뜻한 커피를 한 모금 머금으면서 세희가 날짜를 셈했다.

연우가 어떤 방법으로 도와주겠다는 건지 모르겠으나 묘한 믿음이 있었다. 이미 그의 도움으로 한 번 진혁과 결혼할 뻔한 걸 막았으니까.

다 마신 컵을 내려 두는 그녀의 손길에서 홀가분한 마음이 느껴졌다.

"참, 지혜 씨."

휴게실을 빠져나온 후.

세희는 다른 목적을 떠올리며 멈춰 섰다.

"먼저 돌아갈래요? 잠깐 들를 곳이 있어서."

"네, 알겠어요."

지혜가 떠난 후, 세희는 홀로 엘리베이터에 올랐다. 높은 층수의 버튼을 누르는 그녀의 손끝이 살며시 떨렸다. 세희의 목적은 비서실이 있는 층이었다.

"좋아."

심호흡하며 엘리베이터에서 내린 세희가 곧장 오른쪽으로 향했다. 비서실 앞으로 다가가는 그녀의 뒷모습에서 비장함마저 느껴졌다.

마침내 도착한 문 앞에서 그녀가 떨리는 주먹으로 문을 똑똑, 조심스럽게 두드렸다.

곧 비서실에서 머리를 질끈 올려 묶은 직원 한 명이 튀어나왔다. 김 실장이 자리를 비워서 막내인 직원이 다급하게 나온 모양이었다.

"이채윤 비서님 좀 불러 주시겠어요?"

세희는 상대가 놀라지 않도록 빠르게 용건을 전달했다.

"네, 알겠습니다."

막내 직원은 이유도 묻지 않고서 빠르게 사라졌다. 일을 시작한 지 얼마 되지 않아 다소 산만한 행동거지가 눈에 띄었다.

그 점이 세희에게는 도움이 되었다. 이유를 묻는 말에 대답할 필요가 사라졌으니까.

제자리에 서서 기다리기를 오 분째, 마침내 여자 한 명이 복도로 나왔다. 긴 생머리에 단정한 오피스룩 차림의 여자였다.

그녀는 세희를 발견하고서 잠시 멈칫했지만, 빠르게 표정을 가다듬고 다가왔다.

"안녕하세요. 저를 찾으셨다고요?"

떨리는 목소리에서 세희를 모른 척하는 기색이 여실했다. 하지만 세희는 그녀가 자신의 존재를 모를 리 없다고 생각했다.

눈앞의 여자, 이채윤은 오래전부터 차진혁을 짝사랑하고 있었으니까.

'이 여자라면, 적어도 일은 잘 해내겠지.'

채윤은 진혁이 세희와 결혼한 이후, 쭉 파티에서 그의 파트너 자리를 꿰찼던 여성이었다. 보조 능력이 뛰어나고 암기도 잘해서 제 역할을 톡톡히 해낸다는 게 장점이었다.

부부 동반이 필요한 자리조차 채윤이 따라가는 바람에, 세희는 남몰래 속앓이한 적이 잦았다. 이유는 모르겠으나 진혁은 절대로 세희를 파티에 데려간 적이 없었다.

"긴히 부탁할 일이 있어서요."

세희는 지난 기억을 훌훌 털어 버리고 입을 뗐다. 지금 중요한 건, 눈앞의 여자가 예전에 제 마음을 얼마나 괴롭게 했는지가 아니었다.

현재 상황에서 얼마나 제게 도움이 될 수 있는지, 그 부분이 중요했다.

"어떤 부탁을⋯⋯."

"잠시 귀 좀 빌려주시겠어요?"

세희가 소곤소곤 부탁을 일러 주자 채윤의 얼굴에 놀라움이 스쳤다. 채윤은 잠시 고민했지만, 이내 부탁을 받아들이고서 돌아갔다.

세희는 계획대로 일이 흘러가고 있음에 안심했다. 이로써 마지막 준비를 마친 셈이었다.

차진혁의 마음을 완곡하게 거절할 준비가…….

따듯한 물로 샤워하고 나왔을 때, 거실은 아침 햇살로 가득 차 있었다.

긴장되는 마음에 잠을 제대로 이루지 못한 탓인지, 세희는 새벽부터 눈을 떴다. 화장대 앞에서 얼굴에 크림을 바르는 그녀의 표정이 사뭇 비장했다.

"후……."

잠이라도 잘 잤다면, 적어도 기분은 상쾌했을까?

세희는 오늘따라 밋밋하게 느껴지는 제 얼굴을 이리저리 뜯어 살폈다.

주변에서 차가운 인상의 미인이라며 간혹 칭찬을 들었지만, 정작 본인의 눈에는 그렇게 느껴지지 않았다.

"괜히 연우 씨 옆에서 어색하게 서 있으면, 더 눈에 띌 텐데."

연우가 얼마나 인기가 많은지 알게 된 상황이었으니 그의 파트너 자리가 제법 부담스러웠다.

게다가 그 유명한 피오레코르테(Fiore córte)의 세미나 애프터 파티였다. 당연히 온갖 분야의 유명한 사람들이 대거 참석할 게 틀림없었다.

까다롭게 손님을 골라 받는 만큼, 파티의 비밀 보장은 확실할 테지만 말이다.

딩동.

세희가 머리칼을 다 말리고 드라이기를 내려놓은 순간, 별안간 초인종이 경쾌하게 울려 퍼졌다.

'택배라도 왔나?'

세희는 부랴부랴 몸을 일으켜 현관으로 달려갔다. 한 치의 의심도 없이 문을 열어 버린 그녀의 앞에 긴 그림자가 졌다.

"연우 씨?"

잠옷 차림으로 천천히 고개를 든 세희의 입술이 놀라움으로 크게 벌어졌다.

"좋은 아침. 데리러 왔어요."

눈이 마주치자 연우의 잘생긴 눈썹이 비죽 올라갔다. 부드러운 시선이 아래로 내려가면서 세희의 옷차림을 살폈다.

이내 귀엽다는 듯 미소 짓는 연우의 눈매가 반달처럼 휘었다.

"내가 너무 일찍 왔나?"

그제야 세희는 자신이 아직도 잠옷 차림이라는 걸 깨닫고 후다닥 고개를 돌렸다.

심지어 민낯이었는데, 멍청하게 연우를 올려다보기만 했다는 게 부끄러웠다.

연우가 성큼 현관으로 들어오면서 세희는 자연스레 주춤주춤 밀려났다. 쾅, 문 닫히는 소리와 함께 현관에는 묵직한 고요함이 찾아왔다.

"왜 가려요? 예쁜데."

그냥 넘어갔으면 했는데, 전혀 소용이 없었다. 어떻게든 얼굴을 가리려는 세희의 노력에, 연우가 아랑곳하지 않고 거리를 좁혔다.

가까워져 맞닿은 코트 자락에는 아직 싸늘한 바깥 공기의 흔적이 남아 있었다.

"화장도 아직 안 했는데, 뭐가 예뻐요……."

"아무것도 안 해도 예쁘다니까."

어색하게 흘린 대답에도 연우의 대꾸는 여전했다. 그는 커다란 손바닥으로 흐트러진 세희의 머리칼을 넘겨 주었다.

자연스럽게 고개를 들 수 있도록 유도하는 손길이 뻔뻔하면서도 다정했다.

"진짜로."

느리게 내려온 세희의 손이 입가를 가린 채 멈추었다. 연우의 시선이 아쉽다는 듯 그곳을 나른하게 훑었다.

어깨를 타고 내려가 등 뒤로 넘어간 손바닥이 세희의 허리에 닿았다. 차가운 코트와 달리, 뜨거운 연우의 체온에 세희가 흠칫하며 등을 꼿꼿하게 폈다.

"못 믿겠으면, 더 자세히 설명할까요?"

서서히 고개를 숙이는 연우의 입술이 점점 가까워졌다. 피할 곳이 없어 어정쩡한 자세로 굳어진 세희의 눈빛이 세차게 흔들렸다.

"피부는 뽀얗고, 볼은 발그레해서 막 샤워하고 나온 티가 나잖아. 당신 목덜미에서는 좋은 향기도 나고……."

상세하고 낯부끄러운 칭찬이 고저 없는 음성을 타고 들려왔다.

좁은 현관에서 두 사람이 거리를 좁히고, 또 물러설 때마다 머리 위 형광등이 빠르게 점멸했다. 오렌지빛 그림자가 조금씩 발갛게 물드는 세희의 볼 위로 드리워졌다.

"당신이랑 같은 샴푸 썼던 날도 생각나."

"……."

"그때 좋았는데. 우리 향기가 섞여서…… 그렇지 않아요?"

간질간질한 느낌에 얼굴을 돌리자, 빈틈으로 다가온 코끝이 목덜미를 스쳤다.

세희는 오싹한 긴장감에 어찌할 바 모르며 시선을 올렸다. 그녀가 두 손으로 연우의 어깨를 밀어내기 직전.

"같이 나가죠."

세희가 물러날 거라고 예상한 연우가 산뜻한 미소와 함께 손을 놓아주었다.

"밖에서 기다릴게요."

뒤돌아선 연우가 문밖으로 사라지고서야 순식간에 긴장이 풀렸다.

세희는 하마터면 주저앉을 뻔한 다리에 힘을 주고서 몸을 떨었다. 세차게 뛰는 가슴을 짓누르고 화장대 앞으로 돌아온 다음에는 한 번 더 놀라고 말았다.

'내 얼굴 왜 이래!'

자신의 얼굴이 숨길 수 없을 정도로 새빨간 상태였으니까.

부랴부랴 외출복을 입고서 연우의 차에 오른 순간, 세희는 깜빡 잠이 들었다.

그사이 연우는 예약해 둔 강남의 메이크업 숍으로 이동했다. 도착하고서 눈을 뜬 세희에게 그는 짧은 설명만 들려주었다.

'지인분께서 운영하는 곳인데, 믿을 만한 실력이니까 안심해요.'

두 사람은 커다란 빌딩의 뒷문으로 향했다.

관계자 외 출입이 어렵다고 쓰인 문이 열리자 안쪽으로 긴 복도가 보였다. 복도를 따라 걷고 얼마 지나지 않아 유리문과 직원이 나타났다.

직원은 연우의 얼굴을 확인하고서 문을 열어 주었다. 마침내 두 사람이 나란히 문 너머로 들어간 순간.

"연우 씨, 대체 얼마 만이야!"

별안간 중년의 여자 한 명이 빠르게 달려오며 소리쳤다.

"예약했다길래 설마설마했는데, 진짜 본인이 왔네. 정말 반갑다. 그동안 잘 지냈어?"

깜짝 놀라 물러나는 세희와 달리, 연우는 능숙하게 여자의 인사를 받았다.

"좋은 아침입니다, 한 실장님. 저도 오랜만에 뵙네요."

멀끔한 연우의 모습에 일순간 모든 직원의 시선이 꽂혔

다. 사람이 아름다운 사물을 볼 때 무의식적으로 튀어나오는, 흐뭇하고 다정한 시선이었다.

따라서 고개를 돌리던 세희가 뒤늦게 중년 여성의 얼굴을 알아보고서 굳어졌다.

"한샛별 실장님?"

자그맣게 흘러나온 세희의 목소리에 여자가 휙 고개를 돌렸다. 세희를 발견한 여자의 목소리가 금세 천장까지 올라갈 듯 높아졌다.

"어머? 이게 누구야! 문세희 대리잖아?"

그녀는 유명 코스메틱 기업, '뷰티 샛별'의 경영자 한샛별 실장이었다. 연한 화장과 누드톤 립스틱이 그녀의 트레이드마크였다.

오래전 기업을 차리자마자 방송을 통해 빠르게 회사를 발전시켰고, 기업인과 결혼하면서 사업의 규모를 확장했다.

결국, 뷰티 샛별은 최근 피오레 코스메틱을 위협할 만큼 성장하게 되었다. 즉, 엄연한 경쟁 그룹의 수장이라고 할 수 있었다.

"두 사람, 구면인가요?"

연우가 의아한 표정으로 두 사람을 번갈아 살펴보았다.

한샛별은 그와 상당히 오래도록 친분을 유지한 메이크업 아티스트였다. 더불어 루비노 모델 에이전시의 고정 메이크업 팀 총책임자이기도 했다.

그런 사람이 갑자기 세희와 인연이 있다고 하니 놀랄 수밖에 없었다.

"구면이지, 그럼. 일하면서 얼마나 자주 마주쳤는데. 내가 피오레에서 나온 다음부터 보기 어려웠지만."

한샛별이 세희의 손을 붙잡고 위아래로 마구 흔들며 웃음을 터트렸다.

"그동안 잘 지냈어요?"

"네, 덕분에 잘 지내고 있습니다."

"아직도 피오레에서 일하고요?"

세희는 머쓱한 웃음으로 대답을 대신했다. 동시에 샛별이 세희의 손등을 톡톡 두드리면서 나직이 한탄했다.

"우리 세희 씨는 피오레에서 일하기 아까운 사람인데. 내가 늘 말했잖아, 그때도."

"과찬이세요. 다들 열심히 한 덕분인걸요."

세희는 언제나 그랬듯 다른 사람에게 공을 돌리며 미소 지었다.

"과찬이긴! 현장까지 쫓아와서 꼼꼼하게 살피는 사람이 어디 많아? 주말까지 반납하고…… 세희 씨처럼 열정 넘치는 사람이 늘어나야 하는데."

샛별은 착하면서도 약간 미련한 세희의 성격을 내심 걱정하고 있었다. 이런 사람일수록 경쟁 사회에서 손해를 볼 수밖에 없었으니까.

'부끄럼 타는구나.'

무자비한 칭찬 세례에 세희의 귓불이 빨갛게 달아올랐다. 곁에서 세희를 지켜보던 연우의 시선이 그 자리를 집요하게 살폈다.

세희는 조용하고 내성적인 성격 같았지만, 일에 한해서는 열정이 넘치는 듯했다. 아까 언뜻 본 세희의 화장대에도 온 갖 샘플 화장품이 전시되어 있었다.

아마도 피오레 코스메틱의 샘플 제품일 테고, 스스로 매일 테스트해 보는 게 틀림없었다.

"자, 이쪽으로 와요."

잡담을 마친 샛별이 세희의 손을 붙잡고서 안쪽으로 이끌었다. 이제 그녀가 직접 세희의 메이크업을 도와줄 시간이었다.

"잘하고 만나요."

뒤편에서 소곤소곤 속삭인 연우도 반대편 방향으로 사라졌다.

고개를 끄덕인 세희가 심호흡과 함께 의자에 앉아 거울을 보았다. 도화지처럼 새하얀 얼굴에 밋밋한 이목구비가 비쳤다.

"부탁드려요, 실장님."

"나만 믿어!"

자신만만하게 소리치는 샛별의 목소리를 들으며 세희는 오늘의 파티를 상상했다.

정확히는, 그 파티에서 마주하게 될 사람들을.

호텔 라운지로 들어서자마자 화려한 풍경이 시야를 압도했다.

은은한 클래식 음악이 깔린 파티장 곳곳에서는 아름답게 차려입은 사람들이 돌아다녔다.

세희는 크게 숨을 들이마셨다. 그러자 온몸이 뻣뻣하게 굳어 차가워진 느낌이 들었다.

"손이 차갑네. 떨려요?"

지켜보던 연우가 그녀의 손을 잡아 주면서 안쪽으로 이끌었다. 따뜻한 온기를 느낀 세희가 어색하게 미소 지었다.

"연우 씨 체온이 높은 편이라서, 내 손이 차갑게 느껴지는 거예요."

"그런가?"

"그래요."

농담 같은 잡담을 나눈 덕분일까.

세희는 미약하게나마 긴장이 풀려 나지막이 심호흡했다. 입구를 넘어선 순간부터, 모두의 시선이 모른 척 이쪽으로 쏠리는 게 느껴졌다.

밝은 남색 슈트 차림의 연우를 흘깃거리는 시선이 대다수였다.

"긴장하지 마요. 저쪽에서 형이 보고 있으니까."

연우의 말에 세희가 조용히 얼굴을 찌푸렸다. 그의 말대로 저 멀리 샴페인 분수 앞에 진혁이 서 있었다.

그는 새카만 슈트 차림에 평소처럼 무감한 얼굴로 인파를 훑고 있었다.

세희는 싸늘하게 서 있는 차진혁의 모습을 빤히 응시했다.

'퇴사하면, 저 얼굴을 마주할 일도 다시는 없겠지.'

그런 생각에 후련하면서도 한편으로는 씁쓸했다.

'우리는 왜 이런 사이가 되고 말았을까.'

잃어버린 아이가 생각나자 다시금 억울함이 치밀었다. 그 애는, 우리 아이는 그렇게 죽어서는 안 되었는데.

"!"

그녀가 주먹을 그러쥔 순간, 마침내 세희를 발견한 진혁의 낯이 순식간에 엉망으로 일그러졌다.

새하얗게 빛나는 세희의 드레스가 웨딩드레스를 떠올리게끔 하고, 어두운 라운지를 환하게 밝혔으니까.

"연우 씨."

세희는 보란 듯이 더 세게 연우의 팔짱을 붙들었다. 얼굴로 꽂히는 진혁의 시선이 한층 더 매서워졌다.

그 적나라한 시선을 태연하게 무시한 세희가 연우를 돌아보았다.

"같이 발코니 쪽으로 가 줄래요? 잠깐 만날 사람이 있어서."

"좋아요."

두 사람은 팔짱을 끼고서 나란히 발코니를 향해 이동했다.

당연히 뒤를 쫓으려던 진혁이었지만, 그를 발견한 사람들이 앞을 가로막기 시작했다.

"부사장님, 오랜만에 뵙습니다. 그간 잘 지내셨습니까?"

"회장님께서 성대하게 파티를 열어 주셨으니, 얼마나 기쁘시겠습니까."

발이 묶인 진혁의 모습을 확인하면서, 세희는 발코니로 들어섰다.

커튼이 드리워진 발코니 안쪽은 라운지보다 조용하고 한적했다.

세희가 천천히 팔을 놓았고, 연우는 묘하게 허전한 마음을 느끼며 그 자리를 응시했다.

"이채윤 씨."

갑작스러운 세희의 부름에 연우가 느긋하게 고개를 돌렸다. 커튼 뒤쪽에서 조용히 서성이던 여자가 깜짝 놀라 두 사람을 돌아보았다.

왼손에는 초대장을, 오른손에는 핸드백을 든 채 까만 드레스를 단정하게 입은 여자였다.

"부탁 들어줘서 고마워요. 부사장님께서는 저쪽에 계세요. 함께 가죠."

세희는 싱긋 웃는 얼굴로 가까이 다가가며 말을 붙였다.

"앗, 네!"

부사장이라는 호칭에 채윤의 얼굴이 확 밝아졌다. 갑자기 저도 모르게 돌아가는 상황에 연우가 슬쩍 세희를 쳐다보았다.

이게 무슨 상황인가 싶어 물어보려 했지만, 그럴 틈도 없이 발코니 쪽으로 불청객이 들이닥쳤다.

겨우 사람들을 떨쳐 내고서 쫓아온 진혁의 표정에 초조함이 가득 실려 있었다.

"오셨어요, 부사장님."

천연덕스럽게 인사를 건네는 세희의 모습에 진혁은 미간을 구겼다. 세희의 뒤를 졸졸 쫓아오던 채윤도 놀라서 걸음을 멈추었다.

"괜찮아요."

상황을 파악한 연우도 곁으로 다가왔지만, 세희가 기다리라는 뜻으로 손을 저었다.

두 사람 사이에 오가는 신호조차 불쾌했는지 진혁의 얼굴이 사납게 굳었다.

"어떻게 된 거지."

씹어뱉듯 말하는 진혁의 음성에 분위기가 얼어붙었다.

"설명해. 이게 무슨 상황인지."

"네, 지금 해 드릴게요."

세희는 조금도 동요하지 않고서 그를 가만히 올려다보았다. 안절부절못하며 서 있는 채윤을 가리키는 그녀의 손길도 여느 때처럼 침착했다.

"알고 계시겠지만, 이쪽은 비서 팀에서 근무하는 이채윤 씨예요."

"뭐?"

"오늘 파티에서 부사장님을 보좌해 줄 파트너이기도 하고요."

허공을 떠돌던 긴장감이 금방 터질 풍선처럼 팽창했다. 팽팽하게 당겨진 침묵 속에서 진혁이 눈을 부릅떴다.

급하게 오느라 이마에 맺힌 땀방울, 굳게 다물려 뚜렷하게 도드라진 턱. 어디를 봐도 진혁의 혼란스러운 마음이 드러났다.

"이 비서님께서 잘해 주실 거예요. 부사장님과 관련된 사항에 대해서는 김 실장님 못지않게 꿰뚫고 계신 분이니까."

채윤이 떨리는 눈빛으로 세희를 돌아보았다. 그걸 어떻게 알았나 싶은 표정이었다.

'모를 수가 없지. 그렇게나 자주 파트너 자리를 꿰찼는데.'

이채윤은 진혁을 흠모하고, 그의 정보를 잘 알고 있는 여자였다. 비서 중에서도 능력이 특출났던 건 단순히 그녀가 똑똑하기 때문만은 아니었다.

모두 진혁을 향한 애정이 바탕에 깔려 있기에 가능했던 일이었다. 지금 진혁을 바라보는 눈빛만 보고도 그 마음의 깊이를 유추할 수 있을 정도로.

'어쩌면……'

이채윤은 어쩌면, 파티에 나오지 못하는 자신을 상대로 우월감을 느끼지 않았을까.

차라리 쇼윈도 부부가 우리보다 다정하게 보일 지경이었으니까.

세희는 쓸쓸한 생각을 곱씹다가 차분히 진혁을 올려다보았다.

"저보다 이 비서님이 부사장님의 파트너로 훨씬, 더 잘 어울려요."

세희는 직접 채윤을 찾아가 초대장을 넘겨주면서 부탁했다. 오늘, 차진혁의 파트너 자리를 맡아 달라고.

차라리 진혁이 채윤의 마음을 눈치채고 이제라도 새로운 인연을 찾았으면 하는 바람도 있었다. 그래서 제 손을 완전히 놓아 버린다면, 얼마나 후련할까.

"이 비서님, 부탁드릴게요."

더 할 말은 없었다. 세희는 미련 없이 두 사람을 등지고 돌아섰다.

하지만 얼마 걷지도 못하고 손목이 붙잡혀 멈추고 말았다.

"문세희."

초조한 부름이 그답지 않았다. 세희는 싸늘하게 진혁의 얼굴을 노려보았다.

이채윤은 진작 진혁과 자신의 이별 소식을 들었을 터였다. 그러니 여기서 이상한 구석을 보인다면 괜한 의심을 살 수도 있었다.

'혹시라도 차진혁의 파트너 자리를 포기하겠다고 말하면 큰일이야.'

이채윤이 진혁에 대한 마음을 접고서 돌아간다면, 진혁은 계속 제 주변을 맴돌지도 몰랐다.

그렇게 둘 수는 없었다. 자신에게 파트너 자리를 제안했던 연우를 위해서라도.

"내가 만약 예정대로 진혁 씨와 결혼했다면, 이런 파티는 나오지도 못했겠죠."

딱딱한 어조에 실린 감정이 깃털처럼 가벼워 미련은 조금도 느껴지지 않았다.

진혁은 차디찬 세희의 말을 하나하나 속으로 따라 되뇌었다. 차갑게 쏘아붙이는 그녀의 얼굴은 바라볼수록 적응하기 어려웠지만, 눈을 피하지는 못했다.

눈을 마주하고 바라만 보는데도 그리움으로 점철된 마음을 들킬 것만 같아서.

"그래."

진혁이 느릿하게 눈을 감았다가 뜨면서 답했다. 붙잡힌 손목에 서서히 힘이 들어가는 걸 느끼며, 세희가 입술을 깨물었다.

"네 말이 맞아."

낮게 갈라진 음성으로 중얼거리는 진혁과 눈이 마주친 순간.

"네 얼굴을 그 누구에게도 보여 주기 싫으니까."

세희는 그의 마음이 전혀 바뀌지 않았음을 직감하고서 헛웃음을 흘렸다.

"뭐라고요?"

"얼굴뿐만이 아냐. 손, 발, 그 어떤 곳이라도……."

나직하게 이어지는 고백은 더욱 충격적이었다.

"함부로 너를 쳐다보는 새끼마다 그 눈을 다 도려내고 싶을 정도였거든."

진혁의 시선이 어느새 세희의 곁으로 다가온 연우에게 꽂혔다. 귀를 열고서 제대로 들으라는 듯 살벌한 읊조림이었다.

"그걸 막기 위해서, 아마도 너를 집에 꼭꼭 가뒀을지도 모르지."

"……."

"그럼 아내 좀 쳐다봤다고 남들한테 다짜고짜 달려드는 미친놈 소리는 듣지 않았을 테니."

처음 문세희한테 시선을 빼앗겼던 날부터, 그리고 연인이 된 이후에도.

차진혁은 누군가 세희를 잠깐 쳐다보는 순간조차 끔찍하게 여길 만큼 질투를 느꼈다.

저 혼자 그녀를 독점할 수만 있다면, 집에 꼭꼭 숨겨도 죄책감 하나 느끼지 못할 정도로.

"나를 사랑하지도 않으면서 집착했다니, 정말…… 우습네요."

그의 고백이 조금 놀라웠지만, 세희가 들려줄 대답은 그게 끝이었다.

마음은 조금도 흔들리지 않았다. 그저 허무하고 허탈했다. 홀로 끙끙 앓았던 나날의 원인이, 고작 저 남자의 이유 모를 집착 때문이었다는 게.

"우리가 더 말 섞을 필요가 있나요?"

이 상황을 비꼬듯 조소하는 세희의 눈동자가 까맣게 일렁였다.

차진혁이 이런 인간이라는 걸 더 일찍 알아채지 못한, 자신이 가여워 내뱉는 미소였다.

그 미소의 의미를 읽은 진혁의 낯이 더욱 어둡게 물들었다.

"저는 오늘 연우 씨 파트너로 온 거예요."

위태롭게 흔들리는 진혁의 눈을 보면서도 세희의 태도는 똑같았다.

"차진혁 씨 파트너가 아니라."

그 대답을 증명하듯, 연우가 진혁에게 붙잡히지 않은 세희의 반대편 손을 꼭 붙잡았다.

세희는 그대로 진혁의 손을 뿌리쳤다. 이제 그와 채윤을 두고서 떠날 차례였다.

"가지 마."

끝까지 세희의 앞을 막아서는 진혁의 목소리가 가늘게 흔들렸다.

"네 말 못 믿겠어, 세희야."

"믿고 싶지 않은 게 아니라?"

처음으로 입을 뗀 연우의 입가에 차가운 비소가 맺혔다.

"넌 빠져."

분노를 참느라 깊게 잠긴 진혁의 목소리가 갈라졌다.

"내가 어떻게 빠져? 세희 씨 애인인데."

연우는 담담하고 여유롭게 받아치며 반응했다. 알게 모르게 독점욕을 느끼는 건 연우도 마찬가지였다.

"못 믿겠으면, 증거라도 보여 줘야 믿을 건가?"

분명 세희에게 선택된 건 자신이었는데, 포기를 모르고 매달리는 진혁이 거슬렸다.

"너, 감히……."

진혁이 사납게 중얼거리자, 연우는 묘한 불쾌감을 조용히 억누르면서 미간을 찌푸렸다.

여전히 그는 만족을 모르고 남의 것을 독식하는 사람 같았다. 본가에서 모든 권력을 손에 쥐고 살았던 그때처럼.

'증거라고?'

그때, 세희는 좋은 생각을 떠올리고서 반짝 눈을 빛냈다.

'그래, 증거를 보여 주면…… 충격을 받아서라도 관두지 않을까.'

세희는 더 생각하지 않고서 연우의 팔에 손을 올렸다. 그녀의 움직임을 느낀 연우가 사선으로 고개를 기울였다.

그렇지만 막상 눈을 마주하니 쉽게 부탁을 내뱉을 수가

없었다. 아무리 계약한 사이였지만, 어떻게 이런 일까지 요구할까 싶어서.

'아냐, 아무리 그래도 이건 연우 씨한테 못 할 짓······.'

"좋아."

용기를 내지 못해 손을 놓기 직전, 연우가 기척을 죽인 맹수처럼 웃었다.

세희가 속으로 상상했던 요구를 알아차린 듯한 미소였다.

"직접 보여 주는 것도 나쁘지 않지."

웃음 섞인 대답과 함께 억센 손길이 허리를 채 가듯 끌어당겼다.

앗 하는 사이, 뜨거운 숨결이 세희의 입술을 집어삼켰다. 망설임도 없이 빠르게.

"······!"

겹친 입술이 보드랍고 따뜻했다. 벌어진 틈 사이로 번지는 숨결이 고른 치열을 훑었다. 맞닿은 코끝이 간지럽게 스치며 눈꺼풀은 파르르 떨렸다.

세희는 둘 곳 없는 손으로 겨우 연우의 팔을 짚었다. 커다란 손바닥이 긴장하지 말라는 듯 꼬리뼈와 허리 사이를 다정하게 쓰다듬었다.

숨이 부족한 탓일까, 아니면 너무 가까운 탓일까. 심장이 미친 듯한 속도로 뛰면서 온몸을 북처럼 울렸다.

"하······."

달뜬 숨소리가 장밋빛 입술 사이로 흩어졌다. 열기로 불그스름하게 얼룩진 세희의 두 볼이 시야를 가득 채웠다.

입술을 떨어트린 직후 마주한 풍경에 연우가 만족스럽게 미소 지었다. 평소 세희의 표정 변화가 드물다 보니, 가끔 흥분한 기색이 드러나면 더욱 적나라하게 느껴졌다.

'아름다워…… 정말로.'

연우는 소리 없는 칭찬을 속으로 새기면서 세희를 꽉 끌어안았다. 갑작스러운 입맞춤에 당황했을 세희를 위한 배려였다.

품으로 쏙 안긴 세희가 숨을 죽이고 마른침만 꼴깍 삼켰다.

"자, 확인했어?"

확인 사살하듯 던진 연우의 말에 진혁이 주먹을 그러쥐었다. 금방 주먹이라도 날릴 기세였지만, 연우의 품에 세희가 안겨서 어찌하지 못하는 눈치였다.

연우는 세희의 어깨를 감싼 채 그의 곁으로 여유롭게 걸음을 옮겼다.

"그만 포기해."

"못 한다면."

곧장 튀어나온 진혁의 대답에 연우도 즉각 쏘아붙였다.

"오늘처럼 이런 모습이나 보게 되는 거지. 바로 눈앞에서."

차진혁은 실소했다. 욕설을 내뱉거나 이를 갈지도 않았다. 하루아침에 뒤바뀐 자신과 연우의 위치가 그저 우스울 뿐이었다.

또한, 제 쪽으로 눈길 하나 두지 않는 세희의 모습이 너무나 잔인해서…….

"그편이 더 좋으면 마음대로 하고."

툭, 어깨를 치고 지나가는 연우의 눈길이 얼음처럼 차가웠다. 세희는 여전히 그의 품에 얼굴을 묻고서 고개를 돌리지 않았다.

사실 그녀는 진혁의 얼굴을 확인할 겨를조차 없었다. 입을 맞춘 후 달아오른 열기가 도통 식을 기세를 보이지 않았기 때문이다.

"부…… 부사장님."

두 사람이 발코니를 빠져나가자 쥐 죽은 듯한 정적이 깔렸다. 홀로 남겨진 진혁의 곁으로 채윤이 쭈뼛거리며 다가왔다.

진혁은 여전히 응답이 없었고, 침묵이 허공에 벽을 쳤다. 무슨 수를 쓰더라도 그의 마음에 발 들일 공간 따위 없다는 걸, 채윤은 바로 직감했다.

'헤어졌다는 건 들었는데, 왜 아직도…….'

언제부터 교제했는지도 모를 두 사람이 갑자기 결혼 사실을 밝혔을 때.

그때의 채윤은 그야말로 하늘이 무너지는 느낌이었다. 피오레 코스메틱에 입사한 후, 쭉 진혁을 흠모하며 곁을 보좌했으니까.

철저하게 사생활을 관리하던 진혁이 대체 어느 틈에 세희와 사랑에 빠졌는지조차 의문이었다. 그만큼 갑작스러운 이별 소식을 들었을 때, 반가우면서도 의아함이 앞섰다.

'갑자기 결혼 소식을 밝히더니, 이번에는 헤어졌다고? 대체 왜?'

처음에는 진혁이 세희의 집안을 가늠하고서 결혼을 포기한 줄로만 알았다. 그런데…….

'내가 잘못 생각했던 거야.'

돌처럼 굳어져 세희가 사라진 방향만 허무하게 시선으로 뒤쫓는 남자의 모습이 낯설었다. 그건 누가 봐도 사랑을 포기하지 못한 자의 눈빛이었다.

진혁에게서는 아마도 평생 보지 못하리라 여겼던, 그런 눈빛.

# 4. 픽시(PIXY)의 문 팀장

## 4. 픽시(PIXY)의 문 팀장

"괜찮아요?"

다급하게 세희를 부축하는 연우의 손이 따뜻했다. 긴장을 풀어 주는 온기에 세희가 힘 빠진 한숨을 내쉬었다.

두근두근하던 심장이 조금이나마 진정되어 다행이었다. 이상하리만큼 떨리는 제 마음을 연우에게 들키지 않을 테니까.

"네, 괜찮아요."

"힘들면 말해요. 잠깐 자리 피해서 쉴 수 있으니까."

세희는 비틀거리는 다리에 힘을 주면서 고개를 끄덕였다. 그녀를 부축하는 연우의 눈빛이 의미심장하게 가라앉았다.

'방금 키스할 때, 무슨 생각을 했을까.'

궁금한 마음에 연우의 침묵이 길어졌다. 고요한 그의 모습에 머뭇거리던 세희가 말을 붙였다.

"미안해요. 미리 말 못 해서."

"……."

"이야기가 조금이라도 새어 나가면 다른 일이 생길까 봐. 그래서 비밀로 할 수밖에 없었어요. 정말 미안해요."

뜻밖의 이야기에 연우의 눈이 크게 뜨였다. 당연히 키스부터 지적할 줄 알았는데, 전혀 다른 문제를 거론해서였다.

이채윤이 두 사람의 이야기를 들은 걸 신경 쓰는지 걱정하는 기색이 역력했다.

"나 하나도 안 서운해요. 오히려 더 반했는데."

다정하고 배려 깊은 세희의 마음 씀씀이에 연우가 진지하게 답했다. 다가온 손이 머리칼을 넘겨 주자 붉어진 귓불이 모습을 드러냈다.

"조심성 있고, 신중하고. 배울 점이 많아서 좋아요."

흠칫하며 고개를 든 세희의 커다란 눈망울이 맑게 일렁였다. 기분이 좋은 듯, 또 어딘지 애가 타는 듯. 묘한 연우의 표정에서 도무지 시선을 뗄 수가 없었다.

"아까 세희 씨가 형 표정 봤어야 했는데."

"어땠는데요?"

"살면서 그런 얼굴 처음 봤어요. 형은 지는 걸 유난히 싫어하는 사람이라, 어떻게 반응할지 궁금했는데."

유난히 지는 걸 싫어하는 사람. 연우의 표현이 정확했다. 세희는 진혁과 연애를 이어 가고, 또 함께 살았던 나날을 떠올렸다.

그는 매사 신중하고 모든 것을 경계하는 성격이었다. 때로는 그녀에게조차 벽을 친다고 느낄 만큼, 마음의 틈을 조금도 보여 주지 않는 남자.

"이걸 졌다고 표현하는 게 맞는지 모르겠지만……."

"원래 사랑하는 쪽이 져 준다고들 하잖아요."

오래전 들었던 이야기를 떠올리는 세희의 시선이 먼 곳을 향했다. 연우는 말없이 그녀의 눈빛을 살피면서 귀를 기울였다.

"그 사람은 연우 씨 말대로 지는 법을 모르는 사람이에요."

울컥대는 마음을 애써 가라앉히자 평온함이 찾아왔다. 세희는 애써 고개를 저으며 진혁에 관한 생각을 떨치고자 노력했다.

그 사람을 불쌍하게 여기는 일조차 제게는 사치였다. 잃어버린 아이를 위해서라도, 그를 불쌍히 여기는 일 따위 없어야 마땅했다.

"이제 알 필요도 없는 일이지만."

"나랑 키스한 건 어땠어요?"

깊어지려는 생각을 막은 건, 뜻밖에도 연우의 한마디였다. 눈앞으로 훅 다가온 잘생긴 얼굴에 세희가 헉 소리를 내며 뒷걸음질 쳤다.

"그건 앞으로 알아봐도 괜찮을 문제인가요?"

넘어질세라 그녀의 허리를 단단히 붙든 연우가 얄궂게 눈웃음을 흘렸다.

"응? 말해 봐요."

거리가 좁혀지자 발코니에서 입을 맞춘 순간의 기억이 떠올랐다.

세희는 잔뜩 긴장한 얼굴로 그를 올려다보면서 어깨를 굳혔다. 설마 여기서 입맞춤하지는 않겠지만, 괜한 상상에 긴장이 되는 건 어쩔 수 없었다.

"아⋯⋯."

게다가 연우의 아랫입술에 제 립스틱 자국이 선명하게 남아 있었다. 어디를 봐도 입맞춤의 순간이 떠오르는 게 문제였다.

"여기, 립스틱이 묻어서⋯⋯."

세희는 민망한 마음에 검지를 들어 연우의 아랫입술을 살며시 건드렸다.

긴장으로 낮게 잠긴 목소리가 가만히 끊어졌다. 다가온 손가락 끝을 연우가 장난스레 핥아 버린 탓이었다.

"지금은 어때요."

애교를 부리는 강아지, 아니, 여우처럼.

"묻었어, 아직도?"

아닌 척 말을 놓아 버린 그의 시선이 세희의 입술로 향했다. 무엇을 원하는지 적나라하게 드러나는 눈빛이 뜨거웠다.

그런 뜻이 아니었다고 반문할 틈도 없이 입술은 점점 더 가까워졌다.

'안 돼!'

굳어 버린 세희가 질끈 눈을 감은 순간.

"서연우?"

간절한 외침을 들어준 것처럼, 누군가 연우의 이름을 불렀다.

세희는 깜짝 놀라 눈을 뜨면서 물러나다가 목소리가 들린 쪽을 돌아보았다. 장미처럼 새빨간 드레스를 입은 미인이 눈앞에 서 있었다.

'누, 누구지?'

당황한 세희가 바라보는 사이, 여자의 시선이 아래로 내려갔다. 그 시선은 정확하게 세희와 연우가 팔짱을 낀 쪽을 향하고 있었다.

"여기서 다 보네. 오랜만이다."

여자가 성큼 다가오더니 연우를 올려다보며 인사를 건넸다. 그녀의 얼굴에 반가운 기색이 잔뜩 어려 있었다.

"……그러게, 오랜만이네."

놓쳐 버린 키스의 순간을 아쉬워하던 연우가 뒤늦게 인사를 받아 주었다.

"한국으로 언제 들어온 거야? 파티 참석할 거면 연락 좀 주지."

양옆으로 전구를 단 것처럼 환하고 희게 빛나는 피부. 복숭앗빛 홍조와 어깨 위로 일자를 그리는 밤색 단발.

아주 작은 얼굴에 귀여운 이목구비가 오밀조밀하게 박혀 있었다. 귀여운 얼굴과 달리 늘씬하고 육감적인 몸매가 주변의 분위기를 압도했다.

'와, 엄청 예뻐…… 연예인이겠지?'

반사적으로 그런 생각이 들 만큼 아름답고 매력적인 상대였다. 조용히 감탄하며 넋을 놓은 세희의 모습에 지켜보던 연우가 작게 웃음을 삼켰다.

처음 만났을 때도 그랬지만, 세희는 아름다운 사람 앞에서 표정을 잘 숨기지 못하는 듯했다.

"세희 씨. 이쪽은……."

연우가 대신 설명해 주고자 입을 뗀 찰나.

"저 누군지 모르세요?"

여자가 새초롬하게 웃는 얼굴로 말허리를 뚝 끊었다. 차분하고 고저 없는 음성이라 언뜻 보기엔 적의가 깔린 것 같기도 했다.

귀엽게 지은 미소에는 그런 기운이 전혀 드러나지 않았지만 말이다.

"저도 나름 유명해졌다고 생각했는데, 이번 기회에 반성 좀 해야겠네요. 대한민국에서 아직도 나 모르는 사람이 있을 줄이야."

"농담 그만해, 배유미. 내 파트너한테."

"파트너?"

마지막 단어가 귀에 거슬렸는지 여자의 미간에 주름이 잡혔다. 어째선지 무거워진 분위기에 세희가 슬그머니 팔을 빼며 물러나던 순간, 연우가 나직이 이름을 부르며 세희의 팔을 붙잡았다.

"세희 씨."

세희는 어색하게 붙잡힌 상태로 두 사람을 번갈아 바라보았다. 정보를 구하는 그녀의 눈빛에 연우가 서둘러 말을 이었다.

"소개할게요. 이쪽은 모델 유미. 우리 에이전시 소속 모델이에요."

모델 유미.

어째선지 낯설게 느껴지지 않는 이름이었다. 그 이유가 뭘까, 세희는 고개를 갸웃했다.

머릿속을 마구 뒤져 보던 끝에 얼마 전 엿들은 대화 하나가 떠올랐다.

'그리고 서연우랑 열애설 도는 사람은 따로 있잖아.'

'누구요?'

연우의 권유로 함께 드레스를 예약하고자 찾아갔던 백화점. 그 백화점 화장실에서 직원들끼리 나누던 대화. 바짝 귀를 기울이고서 들었던 내용이 선명하게 기억났다.

'그러니까 그 상대가 대체 누군데요?'

'내가 특별히 알려 준다. 모델 유…….'

불청객이 들이닥쳐서 끝내 듣지 못했던 뒷얘기. 바로 그 뒷얘기의 주인공이 눈앞에 서 있었다.

즉, 이 사람이 아마도 소문 속 연우의 열애설 상대였던 모양이었다.

"안녕하세요, 배유미라고 해요."

다가온 유미가 한쪽 눈을 귀엽게 찡그리면서 악수를 청했다. 가까스로 연우의 입술에 묻은 립스틱을 닦아 내서 다행이었다.

유미가 그걸 발견했다면 어땠을지 상상만 해도 머릿속이 새하얘지는 기분이 들었다. 들킬 경우, 딱히 변명할 말도 떠오르지 않았다.

"안녕하세요, 배유미 씨. 문세희라고 합니다."

차분하게 건네는 인사에 유미도 싱긋 웃으며 답했다.

"네, 안녕하세요."

새초롬한 유미의 얼굴을 가까이서 마주하자 불현듯 기억 하나가 떠올랐다.

꽤 유명한 모델인데도 도통 눈에 익지 않았던 건, 아마도 바뀐 머리 스타일 때문인 듯했다.

세희는 미간을 찌푸리고서 제 기억을 좀 더 꼼꼼하게 뒤 져 보았다. 그러자 긴 생머리를 금발로 염색하고, 예쁜 옷을 입었던 과거 유미의 모습이 떠올랐다.

예전에 진행한 피오레 코스메틱 행사 때의 기억이었다.

"혹시…… 작년 피오레 코스메틱 행사에서 진행자를 맡아 주시지 않았나요?"

세희는 제 기억이 맞는지 확인하고자 조심스레 질문을 꺼 냈다.

"네?"

"여수 행사에서요."

지역까지 알려 주자 유미의 미간에 작은 주름이 잡혔다. 그사이 세희의 기억은 점점 더 명확하게 틀을 되찾았다.

곧바로 알아차리지 못한 건, 그때와 지금의 유미가 사뭇 다르기 때문이었다. 무대 아래 대기실 앞에서 마주친 유미 는 예민하고 우울한 분위기였으니까.

'여수 행사?'

곁에서 이야기를 듣던 연우가 슬쩍 눈썹을 올렸다. 그 역시 머릿속을 스치는 한 가지 기억이 있었기 때문이었다.

피오레 코스메틱에서 진행했던 지방 행사에 참여했던 기억.

하지만 어떤 기억인지 떠올리기도 전에, 유미의 목소리가 주의를 뺏었다.

"맞아요. 회사랑 관련한 건 잘 기억하시네요?"

"배유미."

연우는 말투를 조심하라며 경고하듯 그녀의 이름을 불렀다.

유미는 불만스럽게 입술을 오므리며 그를 응시했다. 오랜만에 만나 반갑다고 인사를 나눌 겨를도 없이, 불편해진 공기가 마음에 들지 않았다.

"그때는 감사했어요. 급하게 잡힌 일정이었을 텐데도 정말 잘 소화해 주셔서……."

더욱 거슬리는 건, 이 와중에 솔직하게 감사를 전하는 세희의 존재였다.

웃는 얼굴에 침을 뱉지 못한다는 게 이런 기분일까.

유미는 너무나도 순수한 세희의 태도 앞에서 어쩔 수 없이 떨떠름함을 감추었다.

"뭘요. 저도 큰 행사 맡겨 주셔서 감사했는걸요."

대신, 대화를 끊어 내고서 슬그머니 연우의 곁으로 다가갔다. 그녀가 연우의 팔에 손을 올리자 잡지 화보에서나 볼 법한 분위기가 연출되었다.

세희는 저도 모르게 한 발자국 뒤로 물러나면서 그 모습을 주시했다.

"나한테 파트너 부탁하지 그랬어. 네 부탁이면, 바로 달려 갔을 텐데."

지나가던 사람들마저 그 풍경에 시선을 빼앗겨 우두커니 멈춰 섰다. 멋쩍은 마음으로 두 사람을 지켜보는 건 세희도 마찬가지였다.

'둘 다 모델이라서 그런지, 분위기가 확 달라지네.'

서 있기만 해도 그림이 된다는 표현이 꼭 두 사람을 위해서 존재하는 듯했다. 사회에서 연우가 어떤 위치에 놓였는지, 다시 느끼게 하는 순간이었다.

그는 원래 이토록 특별하고 매력적인 사람과 어울리는 게 당연한 남자였다. 평범하기 그지없는, 다수에 섞여 살아가는 자신과 다르게.

"지금도 이렇게 인기가 많으면서, 내 부탁까지 들어주겠다고?"

연우가 픽 웃으면서 농담을 던지더니, 유미에게 붙잡힌 팔을 살짝 흔들어 빼냈다. 능숙한 거절에 유미의 얼굴 위로 실망하는 기색이 스쳤다.

"저기 봐. 저쪽에서 네 파트너가 쳐다보잖아."

연우가 저 멀리 인파 사이를 눈짓했다. 그의 말대로였다.

유미가 걸어왔던 곳에서 훤칠한 남자 한 명이 유리잔을 든 채 바삐 서성였다. 사라진 유미를 찾고 있는지, 상당히 어리둥절한 표정이었다.

"신경 안 써도 돼. 어차피 다시 안 볼 사이야."

남자를 흘겨보던 유미가 한숨과 함께 고개를 절레절레 흔들었다.

"파트너로 참석할 정도면, 친밀한 사이 아닌가."

"비즈니스 관계도 친밀하다고 해 줘? 착하네."

세희는 순간, 유미가 지칭한 비즈니스 관계가 자신을 뜻한다고 생각했다. 그 단어를 내뱉는 순간 유미의 시선이 교묘하게 제 얼굴을 훑었으니까.

"그리고 알잖아. 나랑 친밀하다고 표현할 만한 상대라고는……."

스스럼없이 뻗은 유미의 손끝이 연우의 어깨를 툭 건드렸다. 어깨를 지나 다시 팔로 내려가는 손길이 무척 자연스러웠다.

"너밖에 없는 거."

새초롬하게 눈을 흘긴 유미가 은근하게 속삭였다. 둘 사이의 공기는 확실히 무언가 달랐다. 적어도 오래 알고 지낸 사이라는 점이 확 느껴졌다.

'둘이 아주 가까운 사이일까?'

세희는 쓸데없이 뻗쳐 나가는 생각을 떨쳐 내고자 고개를 저었다. 무의식중에 떠오른 호기심이었다.

이런 것까지 신경 쓸 필요는 없었다. 자신과 연우가 무슨 관계라고. 그러면서도 주체할 수 없이 강해지는 궁금증에 마른침을 삼켰다.

"칭찬이 과하네."

"그래서, 싫어?"

실없는 대답마저도 기쁘다는 듯 유미가 미소 지었다. 연우는 그 반짝이는 눈을 똑바로 응시하며 그녀와 비슷한 얼굴로 웃었다.

"나도 늘 고맙게 생각해. 루비노가 빠르게 성장한 건 네 지분이 크니까."

그런 뜻으로 말한 게 아닌데…… 유미가 아랫입술을 꾹 깨물었다.

연우는 늘 이런 식이었다. 슬그머니 진심을 드러내면, 언제나 농담으로 부드럽게 회피했다. 조금의 빈틈조차 허락하지 않는 그 단호함이 때때로 원망스러웠다.

"연우야, 그럼……."

"파티, 재미있게 즐기다가 가."

다시 말을 걸려는 순간, 연우가 한 손을 다른 쪽으로 길게 뻗었다. 순식간에 손이 붙잡힌 세희가 깜짝 놀라 고개를 돌렸다.

"나도 이만 가 볼게. 파트너랑."

세희가 슬쩍 눈치를 살폈지만, 다행히 유미의 시선은 오로지 연우에게만 꽂혀 있었다.

"파트너…… 그래."

유미는 연우의 말을 복기하듯 속삭이다가 애써 입술 끝을 올렸다. 미소를 머금고서 인사를 건네는 유미의 태도에 다시금 여유가 넘쳐흘렀다.

허겁지겁 그녀를 따라 인사한 세희를 연우가 가볍게 끌어당겼다.

"잡담이 길어졌네. 미안해요."

"아, 아녜요. 괜찮아요, 연우 씨 지인인데……."

"이해해 줘서 고마워요. 이만 갈까요?"

연우는 세희의 손을 꼭 붙잡은 채, 유미에게 마지막 인사를 건넸다.

두 사람의 모습은 인파 사이로 빠르게 사라졌다. 한참 그들의 뒷모습을 지켜보던 유미의 얼굴에서 서서히 미소가 걷혔다.

"왜 그래?"

뒤늦게 유미를 발견한 파트너가 부랴부랴 다가왔다.

"뭐가."

유미는 그가 건네준 샴페인 잔을 받아 들고서 살짝 흔들었다. 천장의 조명이 유리잔 너머로 투과하여 오색찬란하게 반짝였다.

"표정이 영 별로라서."

"그래?"

무심하게 답하는 유미의 입가에 쓴웃음이 맴돌았다. 파트너의 말대로 유미는 지금 기분이 영 별로였다. 못 보던 사이 연우의 옆자리를 당당하게 꿰차며 나타난 인물 때문에.

"여기 별로면, 따로 나가서 놀까?"

유혹하는 파트너의 속삭임이 귓속을 파고들었다.

"너랑 나가면 더 별로야."

남자의 끈적한 시선에 조소로 응답한 유미가 테이블에 잔을 내려놓았다.

"뭐?"

"나 먼저 돌아간다. 더 있든지 말든지, 마음대로 해."

"야! 배유미!"

당황한 남자의 고함을 뒤로한 채, 유미는 곧장 입구로 걸어갔다.

라운지를 빠져나가는 그녀의 모습에 주변에서 호기심 어린 시선이 쏟아졌다. 익숙한 시선 속에서 그녀가 코웃음을 쳤다.

'재미없어.'

파티를 즐길 여유 따위, 더는 남아 있지 않았다.

✿  ✿  ✿

한편, 연우를 따라 걸어가던 세희가 다급하게 걸음을 멈추었다.

"연우 씨. 잠깐! 잠깐만요."

팔을 붙잡고 흔드는 힘에 연우가 왜 그러냐는 듯 돌아보았다. 빤히 내려다보는 시선이 천연덕스럽게 다정했다.

"아까 그분, 연우 씨랑 이야기하고 싶은 눈치던데…… 이렇게 가도 괜찮아요?"

"오늘은 세희 씨만 신경 쓸 생각이라서요."

고민하다가 던진 말에 시원스러운 대답이 돌아왔다.

"내 파트너로 와 준 파티니까, 당연히 세희 씨가 우선이잖아. 맞죠?"

부드럽게 속삭이는 그의 목소리가 어찌나 다정한지, 순간적으로 엉뚱한 착각이 들 정도였다. 자신을 정말로 좋아해서 다정하게 대해 주는 걸지도 모르겠다는 착각.

'아니야, 네가 생각한 그거 아니야. 진정해, 문세희!'

세희는 열이 오르기 시작한 일굴을 느끼며 당황했다. 어서 식히지 않으면, 연우가 이상하게 생각할 거라는 불안이 앞섰다.

"도련님."

그녀가 서둘러 고개만 끄덕이려는데, 갑작스러운 속삭임이 두 사람의 대화에 끼어들었다.

화들짝 놀라서 돌아본 세희의 시야에 까만 정장 차림의 남자가 들어섰다. 동시에 그를 발견한 연우의 얼굴에서 빠르게 표정이 사라졌다.

"회장님께서 찾으십니다. 잠시 이쪽으로……."

그는 차 회장의 비서였다. 세희도 단번에 알아볼 수 있었다. 결혼식을 올린 날, 차 회장을 대신하여 찾아온 남자였으니까.

'저 사람이 여기를 왜…….'

당황한 세희가 멀뚱히 비서를 올려다보는 사이.

"회장님께서 도련님만 호출하셨습니다."

남자가 꼭 붙잡은 두 사람의 손을 살피면서 낮게 헛기침을 내뱉었다.

"나한테 볼일이 있다면, 회장님께서도 내 조건을 들어주셔야지."

연우는 단칼에 그의 부탁을 거절했다. 고집을 꺾기가 녹

록지 않다고 판단한 비서가 얌전히 길을 안내했다.

세희도 얌전히 연우의 손에 붙잡힌 채 걸음을 옮겼다. 꽉 붙잡은 힘으로부터 멀어지지 말아 달라는, 그의 은근한 바람이 느껴진 탓이었다.

"이쪽입니다."

비서는 라운지를 이리저리 빠져나와 좁은 복도로 들어섰다. 복도 끝까지 걸어가자 마침내 커다란 문이 나타났다.

문이 열리고 따로 마련된 공간과 함께, 창가에 서서 바깥을 보던 차 회장이 보였다. 뒷모습만 보고도 이전의 시부를 알아차린 세희의 얼굴이 어두워졌다.

"생각보다 늦게 부르셨군요, 회장님."

등 뒤로 문이 닫히고, 연우가 입을 떼자 차 회장이 천천히 돌아보았다.

"왔구나, 연우야."

나이가 지긋함에도 건장한 체격과 다부진 어깨에서 그의 일생이 느껴졌다.

"일부러 저를 만나려고 초대장을 보내셨을 테니, 슬슬 부르겠거니 생각했습니다."

"그래, 잘 왔다. 마침 소개해 줄 사람이 생겨서……."

긴 설명은 필요 없다는 듯 빠르게 이어지던 목소리가 뚝 끊겼다. 한 박자 늦게 세희를 발견한 탓이었다.

"이쪽은, 누구지?"

차 회장이 눈썹을 찌푸리며 물었다.

"아, 저는……."

대체 어떻게 자신을 소개하면 좋을까.

불과 며칠 전까지 차진혁의 애인이었지만, 결혼을 취소한 사람? 그게 아니라면, 최근에 연우와 연애를 시작한 사람?

어느 쪽이든 문제였고, 괜한 오해만 낳을 대답이었다.

"이 사람입니다. 제가 만나기 시작한 사람."

복잡한 머릿속을 정리하기도 전에, 지켜보던 연우가 선수를 쳤다. 당당한 소개와 함께 일순간 공기가 싸늘하게 얼어붙었다.

세희는 차강태 회장이 혹시나 자신을 알아볼까 조마조마하여 눈치를 살폈다. 다행인지 아닌지, 차 회장은 그녀를 전혀 알아보지 못하는 듯했다.

'아무리 그래도 아들과 연애했던 상대인데, 전혀 모르시는구나. 얼마나 나한테 관심이 없었으면…….'

의아하긴 했으나 생각해 보면, 과거 진혁과 결혼한 이후에도 시부만큼은 만난 적이 드물었다. 세희가 아이를 잃었던 날도 마찬가지였다.

시모가 쉴 새 없는 괴롭힘으로 응했다면, 시부는 소름 끼치는 무관심으로 일관했다.

진혁도 굳이 부친과의 만남을 주선해 주지 않았다. 오히려 부친과 만나는 일조차 꺼리는 눈치였다. 그게 늘 의문이었다. 누구보다 소중한 아버지일 텐데.

"이 아가씨가 최근에 만나는 사람이라고?"

"그렇습니다."

연우가 떨고 있는 세희의 손을 조심스럽게 그러쥐었다.

세희는 물건을 품평하듯 뜯어 살피는 차 회장의 눈빛을 익숙하게 받아들였다.

"요즘도 모델 일을 한다면서."

차 회장은 이내 한숨과 함께 고개를 좌우로 흔들었다. 더는 세희에 관한 얘기를 나눌 생각이 없었는지 화제도 바꾸었다.

"딴따라나 다름없는 짓을, 도대체 언제까지 할 생각이냐."

신랄한 차강태의 비판에 분위기가 쩡쩡 얼어붙었다. 세희는 그 순간 연우의 분노를 피부로 느꼈다.

살갗을 스치는 공기의 따가움으로, 연우의 얼굴을 보지 않더라도 짐작할 수 있었다. 그가 얼마나 화가 났으며, 필사적으로 그걸 억누르고 있는지.

"너도 곧 서른이다. 안정적으로 갈 수 있는 길을 버려두고, 굳이 가시밭길로 갈 이유가 뭐야."

차 회장이 진심으로 아들을 위한다는 말투라서 더욱 꺼림칙했다. 자신이 생각한 기준에서 벗어나는 걸 아주 경멸하는 티가 났으니까.

그 태도가 진혁을 대할 때와 조금 다른 듯하여 또 기분이 이상했다.

"평생 그렇게 살 계획입니다. 그 딴따라나 다름없는 짓을 하면서요."

"연우야."

"차 회장님께 제 이름 편하게 부르셔도 좋다고, 말씀드린 적 없습니다."

적의가 가득 담긴 대답이 매몰차게 튀어나왔다.

연우는 차 회장의 기백에도 압도당하지 않고서 빤히 응시했다. 뻔뻔한 부친의 얼굴을 보고 있으니, 오랫동안 품었던 감정의 응어리가 잔물결처럼 밀려왔다.

"부탁한 적도 없는 일을 벌이셨더군요. 맞선이라니."

건조한 조소였다. 철저하게 남을 대하는 듯한 말투에 진혁을 대할 때보다 더욱 선명한 증오가 담겨 있었다.

연우에게서 처음 보는 종류의 웃음이라서, 세희는 하마터면 그의 손을 뿌리칠 뻔했다. 순간적인 섬뜩함을 느낀 탓이었다.

"진혁이 놈한테 얘기 들은 모양이구나. 장웅 건설 우 사장 첫째 딸이 아주 괜찮은 아가씨야. 만나 보면 너도 똑같이 생각할 거다."

"회장님의 초대에 응한 건, 한 가지 확실하게 말씀드릴 게 있기 때문입니다."

짧게 뜸을 들인 연우가 곧 확신에 찬 목소리로 선언했다.

"저를 위한다는 명목으로 쓸데없는 일 벌이지 않으셨으면 좋겠다고."

부친 앞에서 꺼낸 말치고는 상당히 딱딱한 말투였다. 가족애라고는 조금도 느껴지지 않는 말투에 세희가 또 한 번 놀라 숨죽였다.

"어차피 전부 차 회장님의 목표를 이루기 위한 발판이지 않습니까. 저는 그렇게 살고 싶지 않습니다."

흔들리는 차 회장의 눈빛에도 연우의 태도는 변함이 없었다. 그는 스스로 결심한 사항에 못을 박듯 거듭 말했다.

"연우야, 그게 아니다. 나는 모두 너를 위해서……."

"회장님의 후계자는 제가 아니라 형님입니다."

연우가 단도직입적으로 답하며 선을 그었다. 차가운 반박에 차 회장의 얼굴도 돌처럼 굳었다.

긴장감으로 팽팽하게 부푼 공기가 금방이라도 터질 듯했다. 살벌한 분위기를 살피는 세희의 가슴도 쿵쿵 뛰었다.

"그러니까 그 계획, 제발 형님을 위해서 쓰시죠."

"……."

"저를 위해서라도 그편이 옳습니다."

세희는 어느새 제 어깨로 올라온 그의 손을 곁눈질했다. 연우의 손은 그녀처럼 떨리지 않았지만, 평소보다 조금 차가웠다.

그게 아니었다면 그 역시 긴장했다는 사실을 알아차리지 못했을 터였다. 연우의 연기는 그야말로 완벽했으니까.

"앞으로 이런 일 없도록 부탁드립니다."

"연우야."

"이만 가 보겠습니다, 그럼."

연우는 한없이 정중한 인사와 함께 고개를 숙였다. 마지막 인사를 건네는 아들의 모습에도 차 회장은 굳은 채 말이 없었다.

실망과 죄책감이 뒤섞인 그의 눈빛이 어지럽게 허공을 더듬었다.

미련 가득한 눈길로 응시하는 차 회장의 모습은, 어딘가

진혁을 닮은 듯했다.

*  *  *

'오늘 힘들었죠? 집까지 데려다줄게요.'

파티가 끝난 후, 세희는 연우의 권유를 거절하지 않고서 차에 올랐다.

대리 기사가 운전하는 동안, 연우는 세희와 나란히 뒷좌석에 앉았다. 말없이 창밖만 보는 두 사람 사이에 어색한 공기가 떠다녔다.

각자 다른 생각에 잠겨 서로를 신경 쓸 여유가 없던 탓인지 무거운 침묵이 계속되었다.

"사장님, 도착했습니다."

침묵이 끊어진 건, 대리 기사의 한마디 덕분이었다. 어느새 도착한 오피스텔을 바라보면서 세희가 천천히 차에서 내려왔다.

따라서 내린 연우가 대리 기사에게 값을 치렀고, 그는 웃으면서 돈을 받았다.

"감사합니다, 사장님."

"네, 조심해서 들어가세요."

두 사람이 나누는 인사를 듣던 세희가 미간을 좁혔다. 연우가 마저 운전을 부탁해서 돌아갈 줄 알았기 때문이었다.

당황해서 돌아보는 세희의 모습에 연우가 싱긋 웃으며 코트 속 드레스를 가리켰다.

"혼자 갈아입기 불편할 텐데, 도와주려고요."

저게 대체 무슨 소리지.

세희는 순간 말문이 막힐 정도로 당황했지만, 이내 드레스의 구조를 떠올렸다. 확실히 입기도 힘든 드레스였으니 갈아입기는 더 어려울 터였다.

등 뒤에 단추와 지퍼만 해도 몇 개던가. 아무도 도와주지 않으면, 이 상태로 밤을 통째로 지새울지도 몰랐다. 연우도 그 사실을 눈치챈 게 자명했다.

"연우 씨. 그럼, 집까지 데려다주신 김에……."

어째선지 이대로 돌려보내기 아쉬운 마음이 앞섰다. 오늘 그에게 도움을 많이 받아서 그랬는지도 몰랐다.

"맥주라도 한잔하고 갈래요?"

잠시 망설이던 세희가 용기 내어 입술을 뗐다. 세희의 입술 너머로 하얀 김이 흩어졌다.

싸늘한 밤바람 탓인지, 중얼거리는 그녀의 볼이 장밋빛처럼 붉었다.

예상치 못한 권유에 연우가 눈을 크게 떴다. 예상보다 길어지는 침묵에 세희가 말을 얼버무렸다.

"시, 싫으면, 그냥 다음에……."

"아, 아니! 좋아요!"

반 박자 늦게 튀어나온 대답이 무척 다급했다. 눈앞으로 한 걸음 다가오는 연우의 눈이 반짝거렸다. 거절할 생각은 손톱만큼도 없어 보이는 눈이었다.

"맥주, 좋지. 나도 마침 마시고 싶었어요, 응."

세희가 혹시라도 권유를 철회할까 싶었는지, 연우가 연신 정신없이 중얼거렸다.

이내 환하게 미소 짓는 그의 눈가에 설렘과 기쁨이 솔직하게 일렁였다. 그 미소에 홀린 것처럼, 세희는 조용히 오피스텔 입구로 들어섰다.

엘리베이터를 타고 올라가는 동안, 차에서 그랬듯 무거운 침묵이 내려앉았다.

하지만 아까와 종류가 다른 침묵이라는 점을 두 사람 모두 느끼고 있었다.

"들어와요."

문 앞에 도착한 순간, 두 사람 사이에 흐르던 긴장의 끈이 탁 풀렸다.

서서히 열리는 문틈 사이로 낯선 듯 익숙한 풍경이 들어섰다. 낮에 본 것처럼 깔끔하게 정리된 풍경이었지만, 밤에 보니 느낌이 남달랐다.

"실례하겠습니다."

연우의 저음이 고요한 현관에 울려 퍼졌다. 네모난 어둠에 잠긴 방의 차분함이 세희를 닮았다는 생각이 들었다.

세희는 들어오라고 손짓하며 스위치를 눌렀다. 탁 소리와 함께 조명이 들어오고, 테이블 위 꽃병이 가장 먼저 연우의 시야에 박혔다.

"꽃, 여기 뒀네요."

활짝 핀 라넌큘러스를 발견한 연우가 부드러운 목소리로 속삭였다.

'아, 맞아.'

구두를 벗던 세희가 뒤늦게 꽃병의 위치를 기억하고서 고개를 들었다.

가까이 서 있던 연우의 그림자가 그녀의 얼굴 위로 드리워졌다. 거리가 지나치게 가까운 탓인지 낯선 감정이 가슴을 두드렸다.

"사무실에 두기 좀 그래서…… 꽃병에 장식하니까 느리게 시들더라고요. 아직 예쁘죠?"

세희는 허겁지겁 코트를 벗으면서 거실까지 빠르게 달음박질쳤다.

쑥스러운 마음에 괜스레 말이 많아진 걸 느꼈는지, 연우가 작게 웃음을 흘렸다.

후다닥 코트와 가방을 정리하고 돌아온 세희의 드레스 자락이 바닥에 질질 끌렸다. 신발을 벗고 다가오던 연우가 느리게 걸음을 멈추었다.

"그럼…… 부탁할게요."

머리카락을 왼쪽으로 넘기면서 등을 보여 주는 세희의 목소리가 살짝 떨렸다.

"네, 금방 해 줄게요."

등에 내리꽂히는 시선을 자각하자 호흡이 빨라졌다. 단단한 연우의 손가락이 등줄기를 스치고 견갑골 사이로 올라가는 게 느껴졌다.

단추를 푸는 감각, 손톱이 닿는 감각이 번갈아 살갗에 번졌다.

세희가 긴장으로 숨을 삼키자 견갑골의 윤곽이 더욱 도드라졌다. 상아처럼 희고 뽀얀 피부에 연우가 말라붙은 아랫입술을 조용히 적셨다.

"……끝, 다 했어요."

마지막 단추를 푼 연우가 순순히 손을 놓으며 물러섰다. 세희는 머쓱한 미소와 함께 고맙다며 고개를 숙였다.

"먼저 씻고 올 테니까, 쉬고 계세요."

"네, 천천히 씻어요."

샤워를 한다고 하는 것조차 기분이 굉장히 낯설고 어색했다.

진짜 연인도 아닌 주제에 이토록 자연스러운 대화의 흐름이라니. 말도 안 된다고 생각하면서도, 솔직하게 두근대는 가슴이 당혹스러웠다.

'아무것도 아니야. 맥주만 마시고, 오늘 있었던 일을 얘기하고…… 그게 전부일 텐데.'

쏟아지는 물줄기 아래서 몸을 씻는 와중에도 혼란스러운 생각은 끊임없이 밀려왔다.

'나는 그냥…… 연우 씨한테 도움을 빌리는, 그리고 빌려주는 관계일 뿐이니까.'

세찬 물소리가 화장실 문 너머로 점점이 이어졌다.

연우는 홀로 남겨진 채, 가만히 테이블 앞으로 다가가 꽃병을 내려다보았다.

'어떤 마음으로 이 꽃을 여기에 두었을까.'

그는 혼자서 꽃병을 꺼내 꽃을 장식했을 세희의 모습을 상상했다. 자그마한 손으로 꽃다발을 풀어 놓았을 걸 생각하자 무척 귀여웠다.

연우는 잠시 주변을 두리번거리다가 서랍장 앞 필통을 발견하고서 다가갔다. 필통 옆에는 마침 메모지도 놓여 있었다.

"음……."

짧은 고민을 갈무리한 연우가 펜을 들었다.

그는 자그마한 메모지 위로 펜촉이 물 흐르듯 내용을 적었다. 가지런하게 적은 글씨가 종이 위에서 까맣게 윤을 냈다.

[내일 좋은 소식 들릴 테니까, 기대해요.]

연우는 반듯하게 접은 쪽지를 꽃병 아래 끼워 두었다.

세희와 술 한 잔 나누는 건 괜찮았지만, 그 기회는 내일로 미루고 싶었다. 좋은 소식에 기뻐하는 그녀의 얼굴을 마주하며 마시고 싶었으니까.

'좋아. 내일도 세희 씨 볼 수 있는 이유가 생겼네.'

홀로 세희의 집에서 나오는 연우의 입가에 기대감 섞인 미소가 번졌다.

✿　　✿　　✿

이른 아침.

아무도 없는 휴게실은 어지러운 머릿속을 정리하기에 제격이었다.

세희는 시끄럽게 울리는 커피 머신 앞에서 깊은 생각에 잠겼다. 까만 커피가 좋은 향기를 내뿜으며 종이컵 안에 듬뿍 담기기 시작했다.

"후……."

커피가 다 내려졌는데도, 세희는 한숨만 내쉴 뿐 자리를 뜨지 못했다. 머릿속이 온통 어젯밤의 일로 가득 차서 다른 생각에 빠질 틈이 없었다.

샤워하는 사이, 홀로 돌아간 연우가 계속 신경 쓰였기 때문이었다. 테이블에 남겨진 의미 모를 쪽지의 내용도 깊은 고뇌에 한몫을 차지했다.

[내일 좋은 소식 들릴 테니까, 기대해요.]

대체 무슨 뜻일까? 좋은 소식이라니…….

지나치게 적은 단서만으로는 내용을 추측할 방법이 없었다.

세희는 한참 끙끙 앓는 소리를 내며 머리를 굴렸지만, 끝내 포기하고 돌아섰다. 사무실로 돌아가는 동안 손에 쥔 종이컵에서 김이 모락모락 솟았다.

"어?"

열심히 걸어가던 그녀가 사무실 앞에서 걸음을 멈추었다. 누군가 문 앞을 기웃거리며 서성거렸는데, 익숙한 얼굴이었다.

이윽고 고개를 돌린 그가 세희를 발견하고서 반가운 표정으로 달려왔다.

"문 대리! 어디 갔던 거야, 한참 찾았네."

"부장님?"

그는 인사부장이었다. 불과 며칠 전, 그녀의 퇴사 요청에 절절하게 매달렸던. 깜짝 놀란 세희가 떨어트릴 뻔한 종이컵을 붙잡으며 되물었다.

"마케팅 부서까지 어쩐 일이세요?"

"문 대리 후임자, 아까 찾아왔어. 임원진 추천으로 받았는데 면접해 보니까 꽤 괜찮더라고."

"네? 후임자요?"

처음 듣는 이야기였다. 세희는 당황함을 숨기지 못하고 눈을 크게 떴다.

일단 후임자가 들어왔다니 기쁘긴 한데, 어떻게 반응해야 좋을지 의문이었다.

공고를 올려놓긴 했으나 마땅한 지원자가 나타나지 않아 걱정만 쌓여 가던 참이었으니까.

"뭐야, 처음 듣는 얘기처럼?"

부장은 은밀하게 목소리를 낮췄다.

"겉보기엔 임원진 추천이지만, 사실 문 대리가 데려온 사람이라면서. 임원진 누구한테 부탁한 거야?"

전부 처음 듣는 얘기였다. 다만 임원진이라는 말에 혹시, 싶은 생각이 들었다. 차강 그룹과 관련이 있는 누군가가 제게 손을 빌려주었을지도 모른다는…….

"경력이 대단하더라고. 바로 입사해도 무리 없을 것 같아."

부장이 크게 웃으며 손을 내저었다. 자세한 이야기를 들어 보니 더욱더 수상쩍었다.

"면접은 통과한 건가요?"

"당연히 통과했지. 경력이 어마어마하던데."

잘되었다면서 맞장구를 치는 순간, 세희가 며칠간 애타게 기다리던 대답이 돌아왔다.

"그러니까 문 대리도 금요일까지 인수인계 끝내면, 재택으로 돌려서 근무하다가 퇴사 진행해. 그렇게 말해 둘 테니까."

"네? 정말요?"

"그럼 거짓말이겠어? 나야 아쉽지만…… 떠나겠다는 사람을 언제까지고 붙잡을 수도 없고."

듣던 중 반가운 소식이었다. 웃음이 절로 나오는 말에 세희의 입꼬리가 움찔거렸다. 반색하는 그녀의 표정에 인사부장이 너털웃음을 터트렸다.

"그렇게 좋아? 얼굴이 활짝 폈네."

"감사합니다, 부장님."

"나한테 감사할 필요가 있나. 오히려 우리가 감사해야지. 문 대리보다 낫지 않겠지만, 바로 일할 수 있는 사람이 구해져서 다행이야."

인사부장은 만족스러운 웃음을 흘리더니, 대뜸 귓속말로 속삭였다.

"그리고…… 뷰티 샛별로 이직하기로 했다며? 잘 생각했어. 조건을 상당히 괜찮게 부른 모양이지, 그쪽에서?"

이건 또 무슨 소리람.

"……네?"

미소가 사라진 세희의 얼굴에 의아함이 둥둥 떠다녔다.

"문 대리가 더 좋은 곳으로 간다니 다행인데, 아쉽기도 하고. 평생 나랑 같이 피오레에서 뼈를 묻을 줄 알았거든."

고개를 갸웃거리는 세희의 모습에 인사부장이 호들갑을 떨며 웃었다. 비밀을 유지하고자 모르는 척하는 거라고 오해한 눈치였다.

"비밀 유지 걸린 사항인 거지? 걱정하지 마, 나만 알고 있을게. 아직 아무한테도 말 안 했어!"

"아뇨, 부장님. 그게……."

"앗, 시간이 벌써 이렇게 됐네. 이만 보고 올리러 가야겠다. 그럼 수고!"

떠나는 인사부장을 붙잡을 틈도 없이, 세희의 핸드폰이 가볍게 진동했다. 그녀는 허겁지겁 핸드폰을 꺼내 화면 속 문자를 확인했다.

[오늘 점심, 같이 먹을까요?]

연우의 문자였다.

"문 대리님, 같이 식사 안 하세요?"

"저 오늘은 밖에서 먹으려고요. 다들 식사 맛있게 하세요."

"네, 다녀오세요!"

마침내 점심시간이 되었다. 세희는 같이 식사하자는 동료들의 권유를 부드럽게 거절하며 로비로 내려왔다.

곧장 빌딩 뒤편으로 향하자, 한적한 곳에 놓인 세단 한 대가 보였다. 눈에 익숙한 차였다.

후다닥 달려가서 문고리를 붙잡아 당기자 기다렸다는 듯이 문이 부드럽게 열렸다.

세희가 조수석에 오르자 운전석에 앉은 남자가 마스크를

턱 아래로 내리며 빙글 웃었다.

"천천히 와도 되는데. 배고팠어요?"

"연우 씨! 갑자기 연락해서 놀랐잖아요!"

서둘러 문을 닫은 세희가 당황한 얼굴로 살짝 목소리를 높였다.

그런데도 반가움이 앞서는 탓에 입가에는 자꾸만 배시시 미소가 떠올랐다. 연우도 미안하다는 말과 함께 세희를 따라 눈웃음을 지었다.

"그보다…… 저랑 밥 먹어도 괜찮아요? 바쁜 거 아니에요?"

"퇴근하고 보면 더 좋겠지만, 저녁에 촬영이 잡혀서. 점심이라도 시간이 비어서 다행이다 싶었어요."

연우는 정말 아쉽다는 얼굴로 낮게 혀를 찼다. 다 큰 청년인데도 순간 투정을 부리는 아이처럼 귀여운 구석이 엿보였다. 세희가 풋, 웃음을 삼키면서 동의했다.

"그렇네요. 같이 밥 먹……."

같이 밥 먹게 되어서 좋다고 말하려는데, 연우의 얼굴이 불쑥 다가왔다. 순식간에 가까워지는 입술 앞에서 불현듯 어제의 키스가 떠올랐다.

'나 하나도 안 서운해요. 오히려 더 반했는데.'

'조심성 있고, 신중하고, 배울 점이 많아서 좋아요.'

'나랑 키스한 건 어땠어요?'

키스를 마친 이후, 연우가 재촉하듯 물었던 내용도 따라서 떠올랐다.

세희는 다가올 입맞춤을 예감하면서 반사적으로 질끈 눈

을 감았다. 동시에 그녀의 귓가로 나직한 웃음소리가 감기더니 철컥, 소리가 이어졌다.

"벨트 해야죠."

슬며시 눈을 떠 보자, 안전벨트를 채우고 얄밉게 멀어지는 손이 보였다.

연우의 입가에는 짓궂은 미소도 번져 있었다. 눈을 감은 반응만 보고도, 그녀의 머릿속을 전부 읽었다는 표정이었다.

"바, 방금 일부러 나 놀린 거죠?"

"아닌데. 그냥 벨트 매 준 건데."

"……거짓말."

세희는 새빨개진 얼굴로 휙 고개를 돌렸다. 괜스레 차창만 노려보는 그녀의 모습에 연우가 다정히 속삭였다.

"그러지 말고, 얼굴 보여 줘요. 보고 싶어서 왔는데."

연우가 툭 내뱉은 말 한마디에 시선이 도로 돌아왔다. 세희는 제멋대로 움직이는 고개에 씁쓸한 한숨을 내쉬었다.

때로는 여유롭고, 때로는 조급한 연우의 목소리를 들을 때마다 반응하지 않을 수 없었다. 그걸 본인도 노리고 이러는 거라면, 그는 아마도 천재임이 분명했다.

"아, 좋다."

"네?"

"얼굴 보니까 좋아요. 오길 잘했네, 역시."

이것 봐. 이런 말을 아무렇지도 않게 하잖아.

세희는 제 눈을 빤히 들여다보는, 맹렬한 시선에 놀라 고개를 푹 떨구었다.

다행히도 연우가 핸들을 붙잡고자 멀어진 덕분에, 그녀는 다시 대화를 이어 갈 수 있었다.

"뭐 먹고 싶어요?"

연우가 능숙하게 핸들을 돌리면서 물었다.

"저는 다 좋아요."

"속은 괜찮아요? 어제 샴페인도 마셨는데."

숙취 여부까지 물어보다니 퍽 다정한 배려였다. 세희는 지난밤의 숙면을 떠올리며 대답했다.

"씻고 바로 잠들어서 그런지 괜찮았어요."

"다행이네요."

지난밤을 떠올리자 자연스레 연우가 두고 간 쪽지도 생각났다.

세희는 퍼뜩 인사부장과 나눈 대화를 기억하면서 눈을 반짝였다.

그렇지 않아도 뷰티 샛별이라는 단어를 들은 후부터, 추측은 한 가지 방향으로 향하기 바빴다.

"저기, 연우 씨."

궁금한 건 본인에게 직접 물어보는 게 정답이었다. 운전하는 연우의 옆모습을 곁눈질하던 세희가 조용히 입을 뗐다.

"혹시 쪽지에 적었던, 좋은 소식이라는 게……."

"참, 세희 씨 후임자 정해졌죠?"

세희가 그 질문을 꺼내길 기다렸다는 것처럼 대답이 빠르게 나왔다.

'아, 역시 연우 씨가 벌인 일이었구나.'

의문이 해소되는 것과 동시에 의아함은 더 깊어져 갔다.

"대체 어떻게 된 거예요? 뷰티 샛별 이직은 또 뭐고, 부장님 말씀 듣고 너무 놀라서……."

궁금함에 저절로 말이 빨라졌지만, 세희는 그 점을 알아차리지 못했다.

"기다려요. 밥 먹으면서 설명해 줄게요."

다급한 세희와 다르게 연우의 반응은 너무나 여유로웠다.

"먹고 싶은 건, 생각했어요?"

원하는 음식을 거듭 물어보는 모양새가 유유자적하기 짝이 없었다.

세희는 초조한 마음을 이기지 못하여 떠오른 말을 무작정 내뱉었다.

"여기서 가까운 곳에 백반집 있는데, 그럼 거기로 가서 얘기해요."

"백반집? 알았어요. 주소 찍어요."

즉시 고개를 끄덕인 연우가 내비게이션을 가리키며 속삭였다. 빠르게 손을 뻗어 주소를 입력한 후에야 세희는 아차 싶어 입을 다물었다.

'헉, 실수했다.'

해외로 자주 촬영을 나가는 연우에게 백반집이라니.

너무 평범하고 소박한 식사가 아닐까 싶어 제 선택에 후회가 들었다.

그런 세희의 마음도 모른 채, 어느새 백반집에 도착한 연우는 주차장에 차를 댔다. 한 번 사람들이 우르르 몰렸다가 빠졌는지 주차장 자리도 넉넉했다.

"가죠."

습관처럼 마스크를 쓴 연우가 주변을 살피며 웃었다. 세희도 여유롭게 입꼬리를 올렸지만, 심장은 곧 터질 것처럼 방망이질 쳤다.

"와, 오랜만에 오네요. 이런 백반집."

백반집에 들어간 연우가 그리운 풍경을 마주한 것처럼 환히 웃었다. 긴장으로 굳어진 세희의 몸에서 온통 힘이 빠질 만큼 편안한 미소였다.

'다행이다!'

눈을 굴려 눈치만 보던 세희가 그제야 안도하며 어깨를 축 늘어트렸다.

백반집은 깔끔하고 넓었고, 손님도 평소보다 붐비지 않았다. 주변의 시선을 신경 쓰는 연우에게는 반가운 일이었다.

"사람이 별로 없어서 다행이네요."

두 사람은 자연스럽게 구석진 자리로 가 마주 앉았다. 자리에 앉은 세희가 건넨 말에 마스크를 벗던 연우가 고개를 끄덕였다.

"사진 찍힐 걱정은 안 해도 되겠어요. 좋네."

사진이라니, 평소에 얼마나 자주 찍히면 저런 얘기를 할까?

세희는 새삼 연우의 사회적 위치가 자신과 상당히 동떨어졌음을 느꼈다.

"어릴 적에 자주 왔었는데…… 그때랑 느낌이 참 다르네."

메뉴판을 펼치던 연우가 재차 주변을 살피더니 혼잣말처

럼 중얼거렸다.

"어? 저도. 저는 할머니랑 같이 다녔어요."

공통된 관심사를 찾았다는 기쁨에 세희의 얼굴이 밝아졌다. 연우가 그러냐며 대답하기도 전, 웃음기 섞인 말이 먼저 튀어나왔다.

"의외네요."

실수로 툭 내뱉은 속마음에 앗 하고 입을 막았지만, 때는 이미 늦은 뒤였다.

"뭐가 의외예요?"

사냥 기회를 포착한 여우처럼 생글생글 웃는 연우의 얼굴이 눈앞에 있었으니까.

"그냥요. 저번에 갔던 레스토랑도 그렇고…… 직업도 모델이니까. 이런 곳은 별로라고 생각할 줄 알았어요."

세희가 작은 목소리로 이유를 덧붙였다.

생각보다 진지한 대답에 연우가 머쓱한 얼굴로 볼을 긁적였다. 놀릴 생각이었는데, 너무나 솔직한 세희를 보니 그러지도 못하겠거니 싶었다.

"어릴 적에 엄마랑 자주 왔었어요."

옛일을 떠올리며 대답하는 연우의 시선이 창밖을 향했다. 하얀 구름이 뭉게뭉게 핀 하늘을 보니, 옛날의 풍경이 더욱 선명히 떠올랐다.

고사리 같은 제 손을 잡고 백반집으로 향하던 모친에 관한 기억이었다.

"키가 크려면 골고루 먹어야 한다면서. 백반은 반찬이 여러 종류가 나오니까."

꽤 예전 일이었으나 아직도 그때를 떠올리면 가슴 한구석이 뭉클해졌다.

모친과 단둘이 지내던 유년 시절은 아무리 힘들어도 행복한 기억뿐이었다.

자연스레 미소가 떠오른 연우의 얼굴을 보면서 세희가 눈을 깜빡거렸다.

"방금 좀 소름 돋았어요."

"왜요?"

"우리 할머니가 하시던 말씀이랑 너무 똑같아서."

세희의 대답이 의외였는지, 연우가 소리 죽여 웃었다. 그는 메뉴판을 세희 앞에 놓아 주고, 능숙하게 컵을 당겨 물을 따라 주었다.

"같이 맛있게 먹을 수 있겠네. 잘 골랐어요, 백반집."

"그래요?"

세희가 뒤늦게 수저통으로 손을 뻗었지만, 커다란 손이 그 앞을 막았다.

연우가 대신 수저통에서 수저를 꺼내며 어서 메뉴부터 고르라며 눈짓했다.

"음식부터 골라요. 밥 먹고 얼른 들어가야 하잖아요."

세희는 웃음으로 대답을 대신한 뒤 메뉴판으로 얼굴을 가렸다. 상냥한 배려에 눈치도 없는 가슴이 멋대로 두근거렸다.

'내가 이런 쪽으로는 면역이 부족해서 그런가 봐.'

이토록 다정한 배려를 받아 본 적이 없어서 미처 적응하지 못한 듯했다.

세희가 정식 2인분을 주문한 후, 수저 세팅을 완료한 연우가 드디어 입을 열었다.

"후임자는 제가 소개해 준 거예요."

물 한 모금을 겨우 삼킨 세희가 놀라서 눈을 동그랗게 떴다.

"연우 씨가 소개해 줬다고요?"

"관련 업종에서 3년 가까이 근무하던 사람이니, 당연히 피오레 측에서도 만족하겠거니 싶어서."

"그건…… 맞아요. 인사부장님께서 무척 마음에 들어 하셨으니까."

너털웃음을 터트리며 기뻐하던 인사부장의 얼굴이 다시금 떠올랐다.

경력자가 들어온다는데, 마다할 윗사람이 과연 존재하기나 할까.

"임원진 중에 제 사정을 아시는 분이 계셔서 은밀히 부탁드렸어요."

인사부장의 눈에 찬 사람이니 더더욱 세희를 붙잡을 이유가 없어진 상황이었다. 연우의 소개가 생각보다 큰 도움이 된 셈이었다.

"후임자가 구해진 덕분에 저도 금요일까지 인수인계 끝나면, 퇴사 가능할 분위기예요."

"아, 잘됐네요."

연우가 물컵으로 건배하는 흉내를 내며 축하의 말을 전했다. 환한 미소에 눈이 부실 것만 같아서, 세희는 슬그머니 시선을 피하고 말았다.

이렇게까지 도움을 받아도 되나 싶은 생각에 고마운 한편, 부담스러운 점도 있었다. 연우를 밀어내려고 노력하기는커녕 계속 빚만 지고 있었으니까.

"그런데…… 이직 얘기는 뭐예요?"

아직 더 물어볼 게 남았다는 사실도 그녀에게 부담을 주었다.

씩 웃은 연우가 주머니를 뒤적여서 뻣뻣한 새 명함을 건네주었다. 서둘러 받아 든 명함에는 한샛별 실장의 이름과 낯선 브랜드명이 적혀 있었다.

"픽시(PIXY)?"

"이번에 한 실장님이 새로운 화장품 브랜드를 런칭할 생각인데, 아직 사람을 충분히 못 모았다고 해서……."

연우를 통해 듣게 된 바로, 이야기는 이랬다.

픽시(PIXY)는 뷰티 샛별 산하에서 런칭할 신규 브랜드로, 글로벌 시장을 겨냥할 계획이었다. 한샛별 실장이 자신의 이름을 걸고 새로이 운영할 브랜드인 만큼, 사내에서도 기대가 가득하다고.

4월 전까지 첫 상품을 런칭할 예정이라 다급하게 사람을 모으는 모양이었다.

"제가 넌지시 추천했어요. 세희 씨는 어떠냐고."

"네? 저를 추천했다고요?"

"더 좋은 직장에서 제안이 오면, 피오레에서도 딱히 막을 핑계가 없잖아요."

연우의 말이 맞았다. 실제로 인사부장도 아쉽지만, 어쩔 수 없다며 그녀를 놓아주지 않았는가.

하지만 갑작스럽게 너무 좋은 조건을 눈앞에 들이미니, 그녀로서는 당황할 수밖에 없었다.

"이 말도 꼭 전하라고 하셨어요. 오면, 팀장직을 맡게 될 거라고."

현실감을 느끼지 못하고 멍하니 바라보는 세희를 보며 연우가 쐐기를 박았다.

"티…… 팀장이요?"

순간 모든 소리가 차단된 것처럼, 세희의 귓속에는 두근 거리는 제 심장 소리만이 들려왔다. 그야말로 엄청난 제안이었다.

'그렇지 않아도 승진을 코앞에 두고 그만둬서 아쉬웠는데…….'

한참 유명해지기 시작한 직장으로, 그것도 팀장으로 이직 이라니. 미친 것처럼 날뛰는 세희의 심장을 알 리 없는 연우 가 여유롭게 턱을 괴며 물었다.

"어때요? 나쁘지 않은 제안 같은데."

나쁘지 않은 정도가 아니었다. 아주 파격적인 조건이었다.

세희는 얼떨떨한 표정을 짓다가, 애써 마음을 다잡고 헛 기침했다. 세상에 대가 없는 호의가 있을 리 만무했다.

연우가 자신을 도와주는 것도 분명히 뭔가 목적이 있을 터였다.

"연우 씨, 마음은 고맙지만…… 이렇게까지 도와주실 필요는 없어요. 파티 때 도와주신 것만 해도 충분했는데."

"도와주다뇨?"

연우가 진심으로 의아하다는 듯 단정적으로 물었다. 그의 되물음을 이해하지 못한 세희가 힘없이 입술을 달싹거렸다.

"저는 그냥 한 실장님께 괜찮은 인재를 소개해 드린 것뿐인데."

침묵이 길어지겠다 싶었는지, 그는 세희 쪽으로 어깨를 가까이 기울였다.

"아……."

"제가 세희 씨한테 감사 인사를 받을 이유는 없죠. 한 실장님께 받으면 모를까."

세희의 얼굴이 삽시간에 발갛게 물들었다. 김칫국을 마셨다는 생각에 부끄러움이 몰려왔다.

연우가 특별히 자신을 생각해서 이런 도움까지 베푼 걸지도 모른다는 김칫국. 아니라는 생각에 안심이 되면서도, 또 아쉽기도 한. 무척 이상한 기분이었다.

"제, 제가 오해했네요. 신경 쓰지 마세요. 저기, 그럼……."

그녀는 고개를 푹 숙인 채 중얼거렸다. 뭐라고 더 말하려는 찰나, 직원이 음식이 담긴 쟁반을 들고서 다가왔다.

세희는 테이블에 정갈하게 놓이는 밥과 반찬을 내려다보며 조용히 볼을 붉혔다. 복숭앗빛으로 물든 볼을 물끄러미 구경하던 연우가 웃으며 숟가락을 들었다.

"우선 밥부터 먹을까요? 세희 씨, 배고프잖아요."

연우가 상냥하게 덧붙인 말에 못 이겨 세희도 숟가락을

들었다.

하지만 식사하는 내내, 밥이 코로 들어가는지 입으로 들어가는지 통 집중할 수 없었다. 머릿속에는 오로지 이직에 관한 생각뿐이었다.

'이게 무슨 일이야, 진짜……'

한편으로는 이런 기회를 마련해 준 연우에게 어마어마한 고마움이 피어올랐다.

그 호의를 순순히 받아들이기엔 마음에 걸리는 부분이 너무나도 많았지만 말이다.

"연우 씨! 커피, 커피는 제가 살게요!"

그래서 세희는 식사를 마치고, 바깥으로 나오자마자 커피를 사겠노라고 소리쳤다.

밥도 사 주지 못했으니, 커피라도 사 줘야 직성이 풀릴 듯했다.

"커피요?"

"네, 감사의 표시도 할 겸."

열정적으로 고개를 끄덕이는 세희의 모습에 연우가 꾹 웃음을 참았다.

얼른 커피를 사 주고 이 빚을 갚으려는 열의가 그녀의 까만 눈에 엿보였고, 그게 너무 티가 나서 귀여웠다.

"감사 표시라…… 커피는 좀 그렇고, 식사는 어때요?"

"시, 식사요?"

당연히 알겠다는 대답이 돌아올 줄 알았던 터라, 세희의 눈가에 낭패감이 스쳤다. 연우는 웃는 얼굴로 또박또박 조건을 덧붙였다.

"이직하게 되면 기념으로 밥 한 끼. 그게 좋겠어요."

이 정도까지 도와줬는데 고작 커피 한 잔으로 끝내기엔 치사하다 싶었던 걸까.

하지만 밥 약속을 잡게 되면, 어김없이 또 단둘이 만나야만 했다. 원래대로 결혼했다면 도련님이 되었을 남자와.

"데려다줄게요. 타요."

긴 침묵을 수락으로 받아들인 연우가 차 키를 꺼냈다.

"그럼, 커피는……."

"마음은 고마운데 곧장 이동해야 해서. 다음에 꼭 밥 같이 먹어요."

세희는 한숨과 함께 아랫입술을 꾹 깨물었다.

또다시 연우를 밀어낼 기회를 놓쳤다는 사실에 자괴감을 느끼며.

촬영장은 장비를 옮기며 이리저리 뛰어다니는 사람들로 정신이 없었다.

천장에서 조명의 환한 빛줄기가 폭포처럼 쏟아지고, 카메라 셔터 소리가 끊임없이 들려왔다.

"죄송해요, 제가 전달을 늦게 받아서…… 하필 이런 실수를……."

점심 식사 때를 회상하던 연우가 갑작스러운 사과에 눈을 떴다. 머리를 묶은 여자 한 명이 울먹이면서 연신 고개를 숙였다.

천천히 거울을 응시한 연우가 사태를 파악하고서 아, 짧게 입술을 달싹였다. 파운데이션 제품을 잘못 골랐는지 그의 피부가 울긋불긋하게 달아오른 상태였다.

한 시간 후 촬영인데, 연우를 처음 담당하게 된 신입의 실수였다.

"죄, 죄송합니다. 정말 죄송합니다."

"어머, 연우 얼굴 왜 이래? 현주, 너 뭐 한 거야?"

지나가다가 그의 얼굴을 확인한 한샛별 실장이 비명을 지르며 가까이 다가왔다.

연우는 눈물을 글썽이는 신입에게 괜찮다며 가 보라고 손짓했다.

순하다고 유명한 제품마저 그의 피부에 안 맞을지 그녀가 어떻게 알았을까. 굳이 잘못을 꼽아 보자면, 유난히 예민한 제 피부에 있었다.

"빨리 이리 와서 앉아 봐. 얼른 씻어야겠어."

서둘러 안쪽으로 들어간 연우가 세수로 얼굴의 잔여물을 말끔히 닦아 냈다.

한 실장은 그의 얼굴에 마스크팩을 붙여 주면서 연신 안타까운 표정을 지었다. 어쩜 이렇게 피부가 약하냐는 그녀의 타박에 연우가 멋쩍게 웃었다.

"미안해, 신입 교육이 좀 부족했어."

"저 때문에 늘 메이크업 팀에서 고생하시네요. 죄송합니다."

"아냐, 고생은 무슨."

다행히 마스크팩을 떼어 내자, 연우의 피부는 원래대로 뽀얗게 돌아온 상태였다.

연우는 다시 거울 앞에 앉으면서 뻐근한 어깨를 주물렀다. 한 실장은 신중하게 고른 크림 뚜껑을 열다가 문득 떠오른 생각에 고개를 돌렸다.

"맞다, 세희 씨한테서 연락 왔어."

피로감에 어두워지던 연우의 눈에 순식간에 총기가 맺혔다.

"세희 씨가요?"

"응, 연락받았다고. 퇴사하는 날에 회사 들러서 얼굴 보자고 했지."

"다행이네요. 부담스러워하면 어쩌나 싶었는데."

반가운 소식에 연우의 머리 위로 보이지 않는 귀가 쫑긋 움직이는 것 같은 착각이 들었다.

한 실장은 웃음을 꾹 참고서 보습 크림을 손등에 덜어 냈다.

"연우 씨가 아주 강하게 추천했다는 얘기, 세희 씨도 알고 있어?"

무색투명한 크림을 조심스레 얼굴에 발라 주던 그녀가 짓궂은 물음을 던졌다.

"그건 비밀로 해 주세요."

연우가 웃으면서 절레절레 고개를 흔들었다. 그런 내막까지 알게 된다면, 부담을 느낀 세희가 자신을 피할지도 몰랐다.

"아예 안 알려 준 거야?"

"그냥 넌지시 이야기했다고 전했거든요."

다가오는 붓 앞에서 연우가 지그시 눈을 감았다. 톡톡 쓸어 주는 붓질에 눈가가 간질거렸다.

'최소한의 선을 지키면서 부담스럽지 않게 관계를 이끌어야 더 발전할 여지도 생기겠지.'

지금까지 지켜본 모습으로 보아, 문세희는 상당히 조심성 많은 성격이었다. 예상치 못한 상황을 마주하면 쉽게 굳어지고 손을 떨었다.

어떤 경험들이 그녀를 그토록 깊은 불안으로 몰아갔을까. 아무리 생각해 봐도 마음에 걸리는 건 단 하나, 차진혁뿐이었다.

'갑자기 결혼을 포기한 이유가 뭘까?'

그간 세희의 마음을 배려하느라 쉽게 던지지 못했던 질문이었다.

하지만 미뤄 둔 질문일수록, 끝없이 답이 궁금한 법이었다.

연우는 파티에서 느꼈던 초조함을 상기하면서 가만히 눈을 떴다. 거울 너머로 눈이 마주친 한 실장이 샐쭉 웃으면서 그를 보고 있었다.

"그런데…… 왜 그렇게까지 도와줘?"

슬며시 떠보는 한 실장의 눈에 기분 좋은 호기심이 가득했다. 로맨스 드라마를 자주 본 경험 덕분인지, 상당히 예리한 질문이었다.

"뭐가요?"

"연우 씨가 착한 성격인 건 알았지만, 특별히 누구 한 명한테 잘해 주는 건 본 적이 없어서."

한 실장은 고등학생 시절, 친구의 첫 연애를 구경하던 때를 떠올렸다. 지금이 딱 그때와 비슷했다. 괜히 주변까지 전염되는 설렘이.

"특별한 이유라도 있는 거 아냐?"

"이유라기보다는……."

떠보는 질문임을 알아차린 연우가 픽 웃음을 흘렸다. 거울 속 미소 짓는 제 얼굴이 약간 낯설었다.

"예전에 만났던 것 같은데, 정확히 기억이 안 나서요."

"뭐? 정말?"

크림을 다 바르고, 파운데이션을 섞던 한 실장이 놀라서 목소리를 높였다. 연우가 고개를 위로 살짝 들면서 중얼거렸다.

"계속 얼굴 보다 보면 생각나지 않을까. 그렇게 생각해요, 지금은."

파운데이션을 조심스레 발라 주던 한 실장이 무슨 상상을 했는지 묘한 웃음을 흘렸다.

"어쨌거나 세희 씨 와 주면 나한테도 큰 힘 되겠어. 이번 브랜드 런칭 성공하면, 해외 진출도 더 빠르게 진행될 테니까. 남편이 좋아하겠는데, 호호."

"저도 기대할게요."

"잘되면 전부 연우 씨 덕분이지, 뭐."

가벼운 마음으로 농담을 던진 한 실장이 화장품을 확인하고자 자리를 떴다.

연우는 가만히 거울을 바라보다가 주머니 속 핸드폰을 꺼냈다. 마지막으로 도착한 문자를 확인하던 그의 입가에 은은한 미소가 번졌다.

[고마워요.]

네 글자의 문자를 보내면서 세희는 무슨 생각을 했을까. 혹시 자신을 떠올리지는 않았을까.

온갖 상상 속에서 연우가 핸드폰 화면을 손끝으로 톡, 건드렸다.

다시 세희를 만나 긴 이야기를 나누고 싶었다.

그토록 기다리던 금요일 아침이 밝았다.

세희는 마지막 짐을 가방에 담고서 사무실을 나섰다. 눈물을 글썽이며 배웅해 주는 직원들과도 마지막 인사를 나누었다.

"지혜 씨, 주하 씨. 그동안 고마웠어요."

"대리님……."

"앞으로도 건강하게 잘 지내요."

배웅하는 사람 중에는 무사히 인수인계를 마친 후임자도 있었다. 똑똑한 사람인 데다가 경험도 많으니, 세희의 빈자리를 수월하게 채울 터였다.

세희는 진심으로 감사와 아쉬움을 담아 인사를 건네며 등을 돌렸다. 묵직해진 가방을 들고서 회사 밖으로 나가자 환한 햇살이 그녀를 반겼다.

모든 정리를 마쳤다는 생각에 기분이 홀가분하면서도 헛헛했다.

"잘 있어라, 피오레…… 다시는 보지 말자."

좋은 추억도 많았지만, 차진혁의 존재만으로도 가슴이 무거워지던 직장이었다.

혹시 그가 무리해서 자신을 붙잡으면 어쩌나 걱정했는데, 다행히 아무 일도 없었다.

어쩌면 지난밤 청주로 출장을 떠나는 바람에 아직 소식을 듣지 못했는지도 몰랐다. 어느 쪽이든, 이제 돌이킬 수 없다는 사실에 안심이 되었다.

'파티에서의 일로 충격을 좀 받았다면, 다시 찾지 않겠지.'

차진혁은 자존심이 강한 남자였다. 사랑에서도 마찬가지였다.

언제나 세희보다 일이, 차강 그룹에서 그가 차지하는 위치가 중요했던 남자. 애를 써 가면서 지켜야 하는 자리 하나 때문에 그는 세희도, 자식도 지키지 못했다.

'아냐, 지키지 못한 건…….'

아이를 지키지 못한 건, 차진혁이 아니라 자신이었다. 더 일찍 그를 버리지 못해서. 더 일찍 이 사랑을 끝내지 못해서.

멈춰야 한다는 걸 알면서도 계속 앞서간 탓에 모든 걸 잃었다. 잠시만 생각을 멈춰도, 의식하지 않으면 과거의 잡념이 거품처럼 떠올랐다.

세희는 고개를 가로저으며 생각을 털어 내고 도로 가까이 걸어간 다음, 부랴부랴 손을 뻗어 지나가던 택시를 붙잡아

탔다.

퇴사한 직후라 이른 감이 있었지만, 곧바로 새로운 직장
에 방문해 달라는 한 실장의 부탁 때문이었다.

유명 기업으로 무사히 이직한 것도 모자라, 최연소 팀장
이라니 참 감사한 자리였다.

'서둘러 실적을 쌓아서 믿음에 보답해 드려야지.'

직접 한 실장을 만나 감사 인사를 전할 생각에 가슴이 벅
차올랐다.

✿　　✿　　✿

잠시 후, 뷰티 샛별 본사 앞에 도착한 세희가 환한 얼굴로
택시에서 내렸다. 뷰티 샛별의 본사도 피오레 코스메틱의
사옥 못지않게 거대한 빌딩이었다.

세희는 가벼운 한숨으로 긴장을 쓸어내리며 로비로 다가
갔다. 쾌적하게 넓은 로비 한가운데 안내대가 놓여 있었다.

"저…… 한샛별 실장님과 미팅 진행하러 왔습니다."

안내원은 친절하게 빌딩 꼭대기에 있는 사장실로 세희를
안내했다.

세희는 홀로 엘리베이터에 올라 손끝을 꼼지락거렸다. 어
떻게든 긴장을 풀어 보려고 노력하는 찰나, 별안간 2층에서
엘리베이터가 멈추었다.

"어? 당신……."

문이 열리고 등장한 사람을 본 순간, 세희는 헉 하고 숨을

삼켰다.

하얀 트위드 재킷에 분홍색 코트를 걸친 여자. 모델 유미가 눈을 동그랗게 뜬 채 손을 흔들었다.

"안녕하세요?"

"아, 안녕하세요. 유미 씨."

세희가 서둘러 정신을 차리고 인사를 건넸다. 유미는 눈웃음과 함께 엘리베이터에 올랐다.

그녀는 불이 들어온 층수를 확인하더니, 15층 버튼을 누르며 속삭였다.

"또 뵙네요. 이름이 문세희 씨, 맞죠?"

"맞아요. 기억해 주셨네요."

문이 닫힌 엘리베이터가 다시 위쪽으로 올라가기 시작했다. 고요한 분위기 속에서 유미가 빙글 웃으며 대답했다.

"잊을 수가 없죠. 다른 사람도 아니고, 연우 파트너로 오셨던 분인데."

엘리베이터는 멈추지 않고 조용히 올라갔다. 어색한 공기 속에서 뭐라 답하면 좋을지 고민하던 세희의 눈빛이 흔들렸다.

"연우랑 어떻게 알게 되셨어요?"

곁눈질로 세희를 살피던 유미가 담담히 물었다. 똑바로 쳐다보지도 않고 질문하는 태도에 세희가 눈을 좁혔다.

피오레코르테의 세미나 애프터 파티에서 느꼈던 감정이 또 느껴진 탓이었다. 이유 없는 적의와 불편함, 그리고 약간의 질투.

아마 두 사람의 열애설이 완전한 거짓은 아니었던 모양이었다. 적어도 유미에게는.

"우연히 알게 된 사이예요. 특별한 사이는 아니고요."

"특별한 사이도 아닌데, 연우가 파트너를 부탁했다고요?"

정말 그렇게 믿냐고 묻는 어조였다. 세희가 뭐라 대답하기도 전에, 유미가 짧게 사과를 건넸다.

"공격적으로 느꼈다면 미안해요. 좀 궁금해서."

여전히 불편한 말투였으나 방금 느껴지던 적의는 없었다. 다만 짧게나마 왜 적의가 느껴졌는지는, 이어지는 말을 듣고 알 수 있었다.

"연우는 한 번도 파티에 여자를 데려간 적이 없었거든요. 저만 제외하고요."

그건 명백한 질투였다. 연우와 가까운 사이라는 걸 증명할 자리를 빼앗긴 것에 대한 질투. 어쩌면 굴러온 돌이 박힌 돌을 밀어낸 것처럼 보였을 터였다.

'배유미 씨는…… 연우 씨의 파트너를 한 적이 있었구나. 유일하게.'

그 와중에, 세희는 불편하게 가슴을 찌르는 감정을 느꼈다. 그러다가 문득 자신이 그런 감정을 느낄 자격이 있나 싶어 미간을 찌푸렸다.

"그쪽이 처음이었어요, 문세희 씨."

대책 없는 고민에 휩싸여 있는 동안에도, 유미는 계속 말을 이었다.

"네?"

"나 말고 파티에 데려간 여자 말이에요."

유미의 표정은 진지했다. 비꼬는 말투도 아니었다. 펄 셰도를 덧바른 그녀의 눈꺼풀이 별처럼 반짝거렸다.

"그러니까 특별한 사이가 아니라는 건 문세희 씨 혼자만의 판단이겠죠. 저도 그 판단이 옳기를 바라지만."

그래서 더 불편했다. 악의 없이 진실만 알려 주겠다는 태도여서. 마땅한 대답을 궁리하던 세희가 조심스레 입을 뗐다.

"연우 씨와 가까운 사이신가 봐요."

"남들보다야 조금 더 친밀하죠. 스물다섯부터 알고 지낸 사이니까."

그럼 삼 년 가까이 알고 지낸 셈이었다. 전광판 숫자를 힐끗거린 유미가 툭 내뱉었다.

"뷰티 샛별로 오신 건 환영해요."

깜짝 놀란 세희가 퍼뜩 고개 돌려 유미를 보았다. 유미는 마치 아무 말도 하지 않았다는 듯 무표정이었다.

"어떻게 아셨어요?"

"제가 작년 겨울까지 뷰티 샛별 전속 모델이었거든요. 한 실장님과 제법 친해서……."

즉, 한 실장에게 우연히 들었다는 소리였다.

"멋진 화장품 기대할게요."

때마침 엘리베이터가 15층에 도착했다. 유미는 마지막 인사와 함께 열리는 문밖으로 사라졌다.

"하……."

다시 문이 닫히고, 세희는 저도 모르게 벽을 짚으며 비틀거렸다. 긴장감에 풀린 다리가 멋대로 후들거렸다.

연우와 유미의 관계가 더욱 궁금해졌지만, 누구에게 물어볼 만한 질문이 아니었다. 연우 본인에게 물어보는 것도 마찬가지였다. 괜한 신경을 쓰게 할 게 뻔했다. 무엇보다…….

'내가 무슨 관계라고 그런 걸 물어봐.'

연우는 굳이 말하자면, 잠시 동맹 관계를 맺은 아군에 불과했다. 서로에게 이득이 있어서 계약하게 된 동료.

목표가 해결되면, 미련 없이 서로를 보내 줘야 할 관계였다. 그런 관계에서 사적인 감정은 골칫거리가 될 뿐이었다.

자신을 이렇게까지 도와준 연우에게 그런 민폐를 끼칠 수는 없었다. 설령 제게 어떤 감정의 변화가 일어나더라도.

'게다가 그 사람은…… 차강 그룹 사람이잖아.'

아무리 이복형제라고 하지만, 연우는 진혁과 같은 핏줄이었다.

딩동, 꼭대기에 도착한 엘리베이터 소리가 울렸다. 동시에 차가운 이성이 잡념을 깨트렸다.

'그래, 더 신경 쓰지 마.'

세희는 침착하게 마음을 가라앉히며 엘리베이터에서 내렸다.

5. 시든 꽃, 피는 꽃

## 5. 시든 꽃, 피는 꽃

진혁은 출장을 마치고 돌아온 다음에야 벌어진 상황을 인지했다.

문세희가 기어코 떠났다. 그에게 마지막 인사조차 전하지 않고서.

아니, 사실은 이미 전했다는 걸 알고 있었다. 그만두자는 말도, 헤어지자는 말도 받아들이지 못하고 정체된 건 오로지 그뿐이었으니까.

"부, 부사장님?"

소식을 듣고 무작정 사무실로 달려갔지만, 난처한 얼굴로 일어서는 직원들만 보였다.

놀라서 어쩔 줄 모르는 그들을 뒤로한 채 진혁이 자리를 떴다. 터덜터덜 걸어가던 걸음이 멈춘 건, 넓은 휴게실 앞이었다.

무의식적으로 쳐다본 창가에 익숙한 모양새의 꽃이 놓여 있었다.

"……."

진혁은 멍하니 휴게실 안으로 걸음을 옮겼고, 꽃 앞에 도착하고서 무감한 얼굴로 침묵했다.

열린 창문 너머로 불어온 바람에 리시안서스 꽃잎이 위태롭게 흔들렸다.

끄트머리가 시들기 시작한 꽃잎이 마치 세희의 마음을 대변하는 듯했다. 이미 식어 버렸고, 계속 식어 가는 중인 그녀의 사랑을.

'하지만 세희야, 너는 알고 있을까.'

끝내 꽃을 버리지 못하고 그저 치워 버리는 것으로 그친 네 상냥함을. 혹여 꽃이 시들까 봐 사람이 오가는 자리에 놓은 네 다정함을.

그건 누구나 가진 마음이 아니고, 원한다고 가질 수 있는 마음도 아니었다. 오로지 문세희라는 사람만이 지닌 천성이었다.

그 천성을 탐하여, 세희의 상황을 헤아리지 못하고 무작정 곁에 두었다. 결혼 이후에는 차강 그룹 내 세희의 입지를 다지기 위해, 그에 상응하는 대가를 보여야 했다.

집안이 반대하는 결혼을 억지로 이끈다는 건, 그런 일이었다. 막대한 책임이 뒤따르는 일. 평범히 사는 게 소망이었던 세희를 지키기 위해서라도…… 진혁은 뒤도 돌아보지 않고 달려야 했다.

'그게 너를 절벽 끝으로 떠민 거겠지, 아마.'

그때는 몰랐다. 이를 악물고 달리면, 그 끝에 행복이 놓일 줄로만 알았다.

하지만 세희는 그에게 사죄할 기회조차 주지 않고서 사라졌다. 다시는 붙잡을 수도 없는 곳으로⋯⋯.

다시는, 똑같은 실수로 세희를 잃고 싶지 않았다.

"꽃, 챙길까요?"

곁으로 다가온 비서실장이 넌지시 물었다. 진혁은 대답 없이 무겁게 고개를 끄덕였다.

비서실장이 조심스레 꽃병을 챙긴 후에야, 진혁의 발도 움직였다.

두 사람은 대화를 나누지 않고 부사장실로 올라갔다.

"오셨습니까, 부사장님."

먼저 도착해서 대기하던 이채윤이 꾸벅 허리를 숙였다. 진혁은 그쪽을 돌아보지도 않고 무심히 지나쳐 테이블로 향했다.

그 뒤를 따라서 들어온 비서실장이 테이블에 꽃병을 내려 놓고 물러섰다.

"부사장님, 오후 일정 브리핑 시작하겠⋯⋯."

긴장 속에서 이어지던 채윤의 말을 끊은 건, 비서실장의 날카로운 눈빛이었다.

등을 돌린 채 테이블 위 꽃병만 바라보던 진혁의 손이 느리게 움직였다. 커다란 손바닥이 리시안셔스 꽃송이를 가볍게 쥐는가 싶더니, 이내 그대로 우그러트렸다.

"내가, 곁에 있어야 해."

주먹을 펴자 짓이겨진 꽃잎이 하나둘 떨어져 바닥을 나뒹굴었다. 깜짝 놀란 채윤이 쭈뼛쭈뼛 입을 다물고서 진혁의 눈치를 살폈다. 귓가에는 그의 낮은 목소리가 음울하게 들려왔다.

"그래야 막을 수 있는데……."

유심히 진혁의 중얼거림을 듣던 채윤이 의아함에 눈을 좁혔다. 대체 뭘 막을 수 있다는 걸까. 세희의 퇴사를 뜻하는 줄 알았지만, 그건 이미 벌어진 일이었으니 아닐 터였다.

평소보다 훨씬 초조하고 다급한 그의 말투가 심상치 않았다. 분노한 듯하면서도 눈빛엔 걱정하는 기색이 역력했다.

"제길……."

진혁은 창백한 얼굴로 이마를 짚다가 욕설을 삼켰다. 세희를 다시 피오레로 데려오는 수밖에 없는데, 무슨 방법이 있을까.

'뭐든 좋아, 뭐든지…… 너를 구할 수만 있다면.'

수단과 방법을 가리지 말자고 결심하는 그의 눈빛이 어둡게 일렁였다.

"세희 씨, 어서 와. 오는데 힘들었지?"

한샛별 실장은 사무실에 홀로 앉아 신문을 읽던 중이었다.

"아니에요. 택시 타니 금방 도착했습니다."

저를 보고서 벌떡 일어나는 샛별의 모습에 세희가 차분하게 다가갔다. 문 앞에서 심호흡한 덕분인지, 아까보다 떨림이 가셔 있었다.

"이쪽으로 와요. 커피 괜찮죠?"

한 실장은 세희를 커다란 소파로 안내하면서 비서를 호출했다.

두 사람이 마주 앉고 얼마 지나지 않아 비서가 커피 두 잔을 들고 들어왔다. 김이 모락모락 올라오는 커피를 바라보면서 세희가 작게 웃었다.

"좋은 제안 해 주셔서 감사합니다. 이 말씀, 꼭 드리고 싶었어요."

"감사하기는! 내가 늘 말했잖아. 세희 씨 같은 인재가 있어서 피오레가 잘되는 거라고. 얼마나 부러웠는데."

평소 세희가 얼마나 열정적인 직원인지 잘 알기에 던지는 말이었다.

세희 본인은 모르는 듯했지만, 그녀는 거래처 직원들에게 꽤 인기가 있는 편이었다. 차가운 인상 때문에 가까워지기 어려울 뿐 업무 능력은 누구보다 뛰어났으니까.

오히려 조용하고 빠르게 일을 처리하는 방식이 직원으로서는 아주 매력적인 장점이었다.

"이야기는 대충 들었죠?"

"서연우 씨가 간단하게 알려 주셨지만, 한 번 더 설명해 주시면 감사하겠습니다."

"좋아요, 좋아. 어떻게 된 거냐면……."

한 실장은 조곤조곤 현재 상황과 간단한 목표를 알려 주었다.

현재, 뷰티 샛별은 화장품보다는 메이크업 팀으로 더 유명했다. 제품도 메이크업 위주로 맞춰 색조 라인만 개발했다.

사실상 브랜드의 네임 파워로 판매 실적을 올린다고 볼 수 있었다. 그래서 새로 런칭할 브랜드, 픽시(PIXY)에서는 색조를 포함하여 기초 제품도 제작할 계획이었다.

"그런데 아직 구상한 기획안이 없어요."

한 실장이 한숨과 함께 볼을 짚었다. 막상 브랜드의 네임 파워를 빌리지 않고 새롭게 런칭하려니 어려움이 많았다.

"솔직히 말하면, 백지상태라고 봐도 될 정도예요. 적당히 팀을 꾸렸는데 헤드 맡을 인재가 없어서 고민이었고……."

이야기를 끝까지 들은 세희가 고개를 끄덕이면서 가방을 뒤적였다.

업무 내용을 기록하는 다이어리가 튀어나오자 한 실장이 눈을 반짝였다.

세희는 볼펜 뚜껑을 입술로 벗겨 낸 다음, 다이어리를 펼친 채 물었다.

"그럼 기초 제품 기획부터 시작하면 될까요?"

역시나 예상했지만, 벌써 열의가 넘치는 모습을 보니 안심이었다.

"음, 그리고 기존의 색조 제품도 디벨롭해 주면 좋겠어요."

"알겠습니다."

"세희 씨한테 업무를 부탁하게 되어서 얼마나 다행인지.

그동안 같이 일하면서 봐 왔으니 믿을 만한 사람인 걸 잘 아니까. 정말 안심이야."

따뜻하고 다정한 칭찬이 마구 쏟아졌다. 아마 세희가 칭찬에 익숙했더라면, 농담으로 적당히 대꾸했을지도 몰랐다.

"칭찬 감사해요."

안타깝게도 세희는 칭찬이 익숙지 않은 사람이었고, 그 탓에 어색한 웃음만 흘렸다.

"빈말 아닌 거 알죠? 주변에 세희 씨처럼 오래 근무하면서도 꾸준히 열정적인 사람 드물어."

한 실장의 말대로, 세희는 스물두 살부터 이 일을 시작했다.

대학생 때는 야간 수업을 수강하며 낮에 인턴직을 맡았고, 졸업 후에도 중소기업을 전전하며 경력을 쌓았다.

"이건 재능인 거야. 노력이라는 이름의 재능."

커피 잔을 내려놓은 한 실장이 대뜸 세희의 손을 꼭 붙잡았다. 그간 수고했다고 말하듯이 손등을 토닥이는 행동에 세희의 볼이 발개졌다.

한 실장은 호호 웃으면서 그녀의 손을 놓아주었다. 이런 사소한 칭찬에도 어찌하지 못해 당황하는 그녀가 무척 귀여울 따름이었다.

"나도 아직 현장에서 일하는 게 좋거든. 제품 개발도 재미있지만, 좀 더 전문적인 사람한테 맡기는 편이 안심이잖아요? 그러니까 이게 맞는 거지."

남은 커피를 홀짝 마셔 버린 한 실장이 오른손을 내밀었다.

악수를 청하는 손짓에 세희가 허겁지겁 응했다. 따뜻한

손을 붙잡고 있으니, 직장을 옮겼다는 현실이 비로소 실감 났다.

"월요일부터 바로 출근할 수 있죠?"

"네, 가능해요."

"좋아요! 직원들 소개는 그날 천천히 하고…… 명함도 새로 만들어 줄게요."

한 실장이 환한 미소를 지으며 말했다.

"앞으로 잘 부탁해요, 문 팀장?"

팀장이라는 두 글자에 세희의 가슴이 벅차올랐다. 피오레 코스메틱에서 근무할 때도 늘 바라던 자리였다.

그 자리를 직장을 옮기고서야 선물처럼 얻게 되다니. 세희는 코끝이 찡한 느낌을 애써 누르며 대답했다.

"저도 잘 부탁드립니다."

두 사람은 악수한 손에 힘을 주면서 나란히 일어났다.

세희의 손은 기쁨을 주체하지 못하고 살짝 떨리고 있었다. 그걸 알아챈 한 실장이 귀엽다는 듯 웃으며 물러났다.

붙잡힌 손이 자유를 되찾은 후에야 세희도 깊은숨과 함께 안정을 되찾았다.

"돌아갈 때도 택시?"

"네, 짐이 좀 있어서 그래야 할 것 같아요."

"세희 씨 집이 여기서 좀 멀었나? 우리는 상황에 따라 전세 자금도 대출해 주니까, 한번 알아봐요."

한 실장이 그녀를 문 앞까지 배웅해 주면서 슬그머니 제안했다. 돌려서 표현했지만, 이사를 한번 고려해 보라는 뜻이었다.

'이사라……'

세희는 골똘히 생각에 몰두한 채 문을 나섰다. 한 실장에게 인사를 건넨 뒤, 다시 엘리베이터를 타고 로비까지 내려오는 동안에도 생각은 계속 이어졌다.

'그렇네, 이사도 나쁘지 않겠어.'

확실히 지금 지내는 오피스텔은 뷰티 샛별과 너무 거리가 멀었다. 게다가 그곳의 주소를 진혁이 알고 있다는 사실도 마음에 걸렸다.

설마 한 기업의 수장이, 평범한 사람들이 그러듯 집 앞까지 찾아와 붙잡지는 않겠지만.

'아예 새로운 장소에서, 새로운 삶을 시작한다고 생각하면……'

갑작스러운 선물처럼 얻게 된 두 번째 삶이었다. 이번에야말로 실패하고 싶지 않았다. 누구에게나 보란 듯이 행복하게 잘 살고 싶었다.

"주말에 부동산이라도 가 봐야 하나."

바깥으로 나온 세희가 가방을 고쳐 메며 핸드폰을 찾았다. 가방 밑바닥에 넣어 둔 핸드폰을 잡은 순간, 머리 위로 큰 그림자가 졌다.

뭔가 싶어 고개를 들자마자 커다란 전광판이 시야를 장악했다. 회사 빌딩에 걸린 전광판에 화려한 화보가 아른거렸다.

'연우 씨랑…… 유미 씨?'

세희는 꺼낸 핸드폰을 들고서 딱딱하게 굳었다. 전광판에 뜬 건, 최근 뷰티 샛별에서 메이크업을 진행한 잡지 표지였다.

화면에 크게 나타난 연우의 얼굴이 무표정하여 낯설었다. 그는 제 앞에서 늘 웃고 있었으니까.

'연우 씨는 촬영 중이겠지?'

자연스럽게 생각의 방향이 연우에게 향했다. 세희는 멋쩍게 핸드폰을 만지작거렸다.

연우 덕분에 이직도 무사히 마쳤는데, 이대로 입을 씻기엔 마음이 불편했다.

'정말 식사라도 대접해야 하나.'

고민은 잠깐이었고, 결심은 빨랐다. 세희는 길어져 봤자 의미 없는 고민을 끝내고서 문자를 입력했다.

[연우 씨, 식사 언제가 좋아요? 시간 될 때 답장 부탁할게요.]

고르고 골라 적은 문자를 보낸 후, 묘한 긴장감이 맴돌았다.

'답장이 과연 언제 올까? 내일 아침? 아니면 저녁?'

그러나 주머니에 넣기도 전, 핸드폰이 가볍게 진동했다. 세희는 곧바로 핸드폰 화면으로 시선을 고정했다.

[서연우]

연우의 전화였다. 화면에 뜬 연우의 이름을 봤을 뿐인데, 벌써 기분이 들떴다.

세희는 눈치도 없이 두근거리는 심장을 책망하며 통화 버튼을 눌렀다.

떨리는 마음에 인사를 건네지도 못하는데, 웃음기 섞인 목소리가 귓속을 파고들었다.

―세희 씨, 퇴사는 잘했어요?

산뜻한 목소리를 듣는 순간, 내내 긴장하던 온몸의 근육이 이완되었다. 듣는 것만으로도 묘한 안정감을 주는 목소리였다.

세희는 간질간질한 기분에 괜히 구두 끝으로 바닥을 톡톡 두드렸다.

"네, 덕분에 잘 마무리 지었어요."

—다행이네요.

"연우 씨는 아직 촬영 중이에요?"

귀를 기울였지만, 연우의 목소리 외에 특별한 소음은 들리지 않았다. 만약 촬영 중이었다면 분주한 발소리나 카메라 소리가 들렸을 터였다.

—이제 막 촬영 끝났어요.

세희의 예상이 맞는지, 연우가 경쾌하게 답했다.

"촬영은 어디서 했어요?"

—서울이에요, 지금. 오늘 스튜디오 촬영이라서.

그렇다면, 지금이 기회가 아닐까. 세희는 기회를 놓칠 수 없다는 생각에 반짝 눈을 빛냈다.

"그럼 식사, 오늘 할까요?"

지금 만난다면 아슬아슬하게 늦은 저녁 식사가 가능했다. 수락을 기다리던 세희에게 뜻밖의 제안이 돌아왔다.

—식사 말고, 다른 건 어때요?

"다른 거라뇨?"

—세희 씨, 지금 어디에 있어요?

오히려 그녀의 위치를 물어보는 연우의 목소리에 즐거움

이 묻어났다.

세희는 핸드폰을 귀에 댄 채, 당황하여 잠시 하늘을 올려다보았다.

질문의 의도를 몰라 당황했으나 그녀의 입술은 성실하게 답을 흘리기 바빴다.

"저…… 뷰티 샛별 본사요."

아, 하고 짧은 대답이 이어졌다. 이미 뷰티 샛별 본사의 위치를 알고 있는지 빠른 응답이었다.

—내가 그쪽으로 갈 테니까 기다려요.

곧바로 이어진 건, 더욱 황당한 선언이었다. 세희는 매우 놀라서 하마터면 핸드폰을 떨어트릴 뻔했다.

"네?"

—금방 갈게요. 어디 가면 안 돼, 기다려요!

"여, 연우 씨? 잠깐만요! 연우 씨!"

세희는 맥없이 전화가 끊어진 핸드폰을 바라보면서 눈을 끔뻑거렸다. 눈에 보이지 않았지만, 연우는 아마도 의미심장한 미소를 지었을 듯했다.

마지막으로 외친 목소리마저도 웃음기 가득했으니까.

잠시 후, 연우는 택시를 타고 도착했다.

"세희 씨!"

창문을 내리고 자신을 부르는 소리에 깜짝 놀란 세희가

달려갔지만, 그는 택시에서 내리지 않았다.

대신 연우는 문을 열어 세희의 손을 당겨 옆자리에 태우고 목적지를 알려 주었다. 그 목적지란, 바로 한강이었다.

"와, 오늘은 금요일인데도 사람이 적네요."

어느새 어두워진 하늘 아래서 강물이 그보다 더 검게 일렁였다.

세희는 코트 자락을 단단히 여미면서 연우를 따라 걸었다.

갑작스러운 연우의 제안에 얼떨결에 따라오긴 했지만, 막상 도착하니 나쁘지 않았다. 우선 적적하니 고요한 분위기가 무척 마음에 들었다.

"정말 조용하네요. 달리는 사람도 없고, 술 마시는 사람도 없고……."

두리번거리던 두 사람이 걸음을 멈춘 건, 으슥한 벤치 앞이었다.

연우는 세희를 먼저 앉히고서 씩 웃었다. 촬영이 끝나자마자 달려와서 그런지 그의 얼굴이 오늘따라 무척 근사했다.

"세희 씨, 잠깐만 여기서 기다려요."

대꾸할 틈도 없이, 그는 긴 코트를 펄럭이면서 어딘가로 달려갔다.

세희는 홀로 벤치에서 어둠에 잠긴 풍경을 빤히 응시했다.

정신없이 지나간 하루를 회상하고 있을 때쯤, 드디어 연우가 돌아왔다. 마스크를 내리며 웃는 연우의 손에 까만 봉지가 매달려 있었다.

"편의점 갔다 온 거예요?"

"네, 가볍게 마실까 해서."

봉지에 캔 맥주가 들어 있었다. 연우가 그중 하나를 꺼내 직접 따 준 다음, 아무렇지도 않게 건네주었다.

그 모습을 지켜보던 세희가 머쓱한 얼굴로 캔을 받아 들었다.

"갑자기 한강이라니, 이상하죠."

제 몫의 맥주를 꺼내던 연우가 불쑥 중얼거렸다.

"엉뚱한 얘기였을 텐데, 같이 와 줘서 고마워요."

"아니에요."

세희가 캔 맥주를 만지작거리다가 서둘러 답했다. 뜻밖의 제안에 좀 놀라긴 했지만, 막상 와 보니 분위기가 괜찮았다.

"저도 좋아하거든요, 이렇게…… 탁 트인 장소."

"그래요? 다행이다."

연우는 픽 웃으면서 별안간 코트 주머니를 뒤적였다. 커다란 주머니에서 곧 하얀 목도리 하나가 튀어나왔다.

저게 뭔가 싶어 바라보는 가운데, 연우가 불쑥 손을 내밀었다. 그제야 세희는 연우가 제게 목도리를 둘러 주려 한다는 걸 깨달았다.

"저 괜찮은데……."

"내가 안 괜찮아요. 여기까지 데려온 건 내 고집이었으니까. 따듯하죠?"

손을 내저었지만, 이미 목도리에 칭칭 감긴 이후였다. 세희는 자신이 그토록 추워 보였나 싶어서 코를 살짝 훌쩍였다.

'정말 괜찮은데.'

마주한 연우의 눈매가 부드럽게 휘어졌다. 따듯한 목도리에 마음이 포근해져서, 세희는 살짝 웃었다.

맥주 한 모금을 삼키며 강을 바라보니 저절로 감성적인 기분이 되었다. 두 사람은 잠깐 침묵을 지키며 강을 주시했다.

"어릴 적에……."

먼저 정적을 깨트린 건 세희의 속삭임이었다.

"할머니랑 같이 살았는데, 하늘을 올려다보면 별이 다 보였어요."

처음 듣게 된 이야기에 연우가 물끄러미 그녀를 보았다. 가로등 불빛이 스며든 세희의 옆얼굴에 홍조가 드러났다.

"밤하늘이 꼭 바다 같았어요. 검은 바다. 그때 생각했어요. 별 박힌 하늘은…… 밤에 보는 바다랑 색이 비슷하구나."

가만히 듣던 연우가 그녀를 따라 고개를 높이 들었다. 까만 밤하늘을 올려다보니, 익숙한 풍경이 떠올랐다.

연우는 망설이지 않고 세희에게 한 가지 사실을 알려 주었다.

"내 집에도 옥상 있는데. 별이 다 보여요."

마음에 걸리는 부분이 너무나도 많은 말이었다. 지난번 기억을 떠올린 세희가 시선을 끌어 내렸다.

"연우 씨 집은 아파트잖아요?"

"그 집 말고 한 채 더 있어요."

"한 채가 더 있다고요?"

"가끔 집까지 쫓아오는 팬들이 있어서……."

연우는 대수롭지 않은 이야기를 꺼내듯, 맥주를 마시며

말을 이었다.

"비밀리에 하나 더 구해 둔 집인데. 아예 푹 쉬고 싶을 때는 거기서 지내고 있어요."

쉽게 공감할 수 없는 이야기에 세희의 표정이 풀어졌다. 이럴 때면, 정말 연예인이구나 싶었다.

자신이 살고 있는 세계와 전혀 다른 세계에서 사는 사람. 연예인이라고 생각하니, 또 다른 누군가의 얼굴이 떠올랐다.

"오늘 회사에서 유미 씨를 만났어요."

약간의 거리감 속에서 세희가 캔에 맺힌 물방울을 털어 냈다.

유미라는 말에 돌아보는 연우의 시선이 느껴졌다. 생각보다 덤덤한 반응이었다. 눈에 띄게 반가워하지 않는 그의 모습을 보니 이상하게 마음이 안정되었다.

"잠깐 만났는데, 저를 기억해 주셨더라고요. 대화도 짧게 나눴어요."

"어떤 대화요?"

"연우 씨 얘기요. 두 사람, 오래 알고 지냈다고."

연우의 눈매가 가늘어졌다. 그는 별말 없이 맥주를 마셨지만, 침묵이 오히려 호기심을 불러일으켰다. 세희는 궁금한 얼굴로 슬그머니 질문을 꺼냈다.

"정말로 배유미 씨랑 스물다섯 때부터 알고 지냈어요?"

"맞아요."

연우는 맥주 캔을 살살 흔들며 고개를 끄덕였다. 이미 유미에게 들었던 사실인데도, 괜히 가슴에 무거운 돌덩이가 쿵 떨어지는 듯했다.

세희는 왜 이런 기분이 드는 건지 몰라 당황해하면서 입을 다물었다.

"제가 에이전시를 막 차렸을 무렵이었을 거예요. 전부터 이름은 익히 들었지만, 직접 만난 건 화보 촬영할 때가 처음이었어요."

그사이, 연우는 차분하게 과거를 되짚으며 속삭였다. 그건 세희도 처음 알게 된 이야기였다.

"혼자 대기실에 앉아 있길래 먼저 말을 걸었어요. 제가 뉴욕에서 처음 활동 시작했을 때랑 비슷한 상태처럼 보였거든요."

"비슷한 상태요?"

"아는 사람 아무도 없는 곳에서 혼자 있는, 그런 상태요."

누군가 다가오는 것도, 자신이 다가가는 것도 거부하는 상태. 스스로 타인에게 벽을 치고 지내던 유미의 모습은 연우에게 어린 시절을 떠올리게 했다.

그래서 그냥 지나칠 수가 없었다. 불과 몇 년 전의 자신을 보는 듯해서.

"배유미는 미국에서 오래 지낸 탓에 한국말이 어눌했어요."

"정말요? 대화했을 때는 전혀 못 느꼈는데……."

"지금은 방송에 출연할 정도로 완벽하지만, 예전에는 어색했죠."

처음 한국에서 만났을 때만 해도, 유미는 지금과 전혀 다른 모습이었다. 그때의 유미를 떠올리던 연우의 눈가에 안타까움이 짧게 스쳤다.

동정받는 걸 싫어하는 유미의 성격상, 자신이 이런 생각을 했다는 것조차 싫어할 터였다. 연우는 담담한 목소리로 화제를 바꾸었다.

"성격은 까칠해도 실력 좋고 멋진 모델이에요."

"그럴 것 같았어요. 유미 씨만의 분위기가 있더라고요."

세희가 맥주를 한 모금 삼키더니, 지나가는 말처럼 속삭였다.

"그때 보니까, 연우 씨랑…… 잘 어울리기도 했고."

"저는 잘 모르겠는데."

이번 대답은 단칼에 돌아왔다. 세희는 바닥으로 떨어트렸던 시선을 다시 끌어 올렸다. 기다렸다는 듯 마주친 연우의 눈동자가 말간 갈색으로 일렁였다.

"우리 파티 때, 지나가던 사람들 눈빛 못 봤어요?"

의미심장한 연우의 질문에 세희가 맥주 캔을 조심히 내려놓았다. 농담이겠거니 싶었지만, 연우는 진지한 표정이었다.

"우리가 잘 어울려서 다들 부러워했는데."

"아뇨, 그건…… 그냥 연우 씨가 연예인이니까 신기해서……."

"그 파티장에 있던 사람들은 연예인이라면 질릴 만큼 마주치는 사람들이에요."

얄궂은 눈웃음이 그녀를 유혹하듯 아른거렸다. 세희는 시선을 피할 타이밍을 놓쳤다는 생각에 아차 싶어 굳어졌다.

"오히려 나는 다른 사람하고 어울린다고 생각했는데."

다른 사람이라니, 그게 누굴까.

순간 긴장한 세희가 마른침을 꿀꺽, 삼켰다. 그의 대답이 궁금하면서도 귀를 막고픈, 스스로 생각해도 이상한 심리였다.

"그게…… 누군데요?"

세희는 바싹 마르는 입술을 달싹이면서 그를 보았다. 진지한 물음에 연우가 해사한 미소를 지으며 휙 어깨를 기울였다.

세희는 깜짝 놀라 벤치에 등을 바싹 붙이며 물러났지만, 한계가 있었다. 커다란 손바닥이 어깨 옆 벤치를 짚더니, 서서히 고개가 가까워졌다.

"누구겠어요?"

피할 틈조차 주지 않고서 이마가 닿았다. 더 시선을 피할 수도 없을 만큼 가까운 거리였다.

세희는 눈을 크게 뜨고서 숨을 죽였다. 요란하게 두근거리는, 자신의 심장 소리가 그에게 들리지 않기를 바라며.

'분명 일부러 이러는 거겠지.'

연우의 의도를 알면서도 밀어내지 못하는 건 어째서일까. 폐부까지 스며드는 향기 때문일까. 아니면 간질간질하게 입술을 스치는 숨결 때문일까.

그것도 아니라면…….

"문세희, 당신일 게 뻔하잖아."

연우의 행동 하나하나에 의미를 찾는, 무의식적인 설렘 때문일까. 가까워진 연우의 얼굴이 시야에 가득 들어왔다.

투명하게 흰 피부, 가로등 불빛 아래서 밝아진 밤색 눈동자. 뚜렷한 이목구비와 가늘고 깔끔한 얼굴선. 보기 좋게 근사한 입술까지…….

어디를 봐도 마음을 진정시킬 요소가 없었다.

'연우 씨가…… 나랑 어울린다고?'

말도 안 되는 소리라고 생각했다. 길지 않았지만, 그와 몇 번 만나면서 알아차린 사실이 있었다.

연우가 무척 밝고 긍정적이며, 사고가 건강한 사람이라는 점이었다. 매사 자신감이 넘치고 당당해서 보고만 있어도 기분이 좋아지는 사람.

'어울리기는, 말도 안 돼. 오히려 나랑 정반대의 사람이 잖아.'

세희는 그와 달랐다. 밝음보다는 어둠, 웃음보다는 눈물이 더 익숙했다. 어린 시절부터 그녀를 좀먹은 외로움조차 이제는 대수롭지 않을 정도로.

벤치에서 떨어진 그의 손이 천천히 세희의 볼을 감쌌다. 단단하고 곧은 손가락이 하나둘, 여린 목덜미에 내려 앉았다.

마주한 시선과 함께 가까워진 입술이 막 닿으려던 찰나.

"!"

툭, 움찔한 세희의 손끝에 닿아 아슬아슬하게 세워 둔 캔이 쓰러졌다. 깜짝 놀라 고개를 돌리자 벤치 아래로 줄줄 흐르는 맥주가 보였다.

세희가 재빨리 손을 뻗어 캔을 붙잡았고, 자연스레 연우와 거리가 벌어졌다. 심장은 입 밖으로 튀어 나갈 것처럼 요란하게 뛰었다. 쓰러진 맥주 때문만은 아니었다.

'키, 키스할 뻔했어.'

세희는 연우에게서 등을 돌리고 거칠어진 호흡을 잠재웠다. 조금만 늦었더라면, 분명 입술이 닿았을 터였다. 매혹적으로 일렁이는 그의 눈에 홀려서.

그녀는 차마 옆을 돌아보지 못하고 굳어 버렸다. 캔을 붙잡은 세희의 손이 파르르 떨렸다.

"……."

곁에서 그 모습을 지켜보던 연우의 고개가 비스듬히 기울었다.

표정은 보이지 않았지만, 세희의 마음을 짐작하기는 쉬웠다. 머리칼 사이로 빠져나온 귓불이 불타는 고구마처럼 빨개졌으니까.

'정말 귀엽다니까.'

세희의 얼굴에서 유일하게 솔직한 부분이 있다면, 아마도 귀일 터였다. 무표정한 평소라면 모를까. 부끄러워할 때만큼은 참 알기 쉬운 사람이었다.

당장에라도 손을 뻗어 발갛게 물든 귀를 건드려 보고 싶었다. 그리하여 세희의 감정을 알고 싶었다. 정말 부끄럽기만 한 것뿐인지.

"?"

발간 귓불을 빤히 쳐다보는데, 별안간 묘한 두통이 느껴졌다.

연우는 인상을 찌푸리고서 자세를 고쳤다. 무언가 떠오를 듯 말 듯 머릿속을 맴돌았다.

그건 강렬한 기시감이었다. 어디서 지금과 비슷한 광경을 본 것만 같은.

"자, 잠깐만요. 캔 좀 버리고 올게요."

죄 쏟아져서 비어 버린 캔을 든 세희가 허겁지겁 몸을 일으켰다. 조금 떨어진 거리에 마침 쓰레기통이 있었다.

세희가 쪼르르 달려가자 목도리가 바람에 나부꼈다. 그녀의 모습이 멀어진 후에야 연우의 두통도 자취를 감추었다.

연우는 손바닥으로 얼굴을 크게 쓸어내렸다. 숨을 내뱉자 하얀 김이 어두운 밤하늘 위로 아른거렸다.

'뭐지? 방금⋯⋯.'

정체 모를 기시감이 알게 모르게 크기를 키워 갔다.

첫 출근을 시작한 날.

아침부터 쌀쌀한 바람이 세희를 맞이했다.

세희는 연우가 준 목도리를 부적처럼 두르고 집을 나섰다. 따뜻한 목도리 덕분인지, 추위에도 힘이 불끈 솟았다.

'돌려줄게요.'

'선물이에요. 아직 춥잖아. 편하게 써요.'

세희는 긴장 가득한 얼굴로 8층에 도착했다. 복도 끝에 기획 팀이라고 적힌, 누가 봐도 새로 설치한 문패가 보였다.

"들어와요!"

문을 똑똑 두드리자 한 실장의 경쾌한 목소리가 들려왔다.

반가운 마음에 안으로 들어서자 사무실의 풍경이 한눈에

들어왔다. 일찍 출근한 직원들이 삼삼오오 모여 있었다.

"안녕하세요, 실장님."

"좋은 아침, 세희 씨! 이쪽으로 와."

한 실장은 직원들을 소개해 주려고 일부러 세희를 기다리던 중이었다.

"다들 인사해. 이쪽은 앞으로 픽시 라인에서 수고해 줄 문세희 팀장."

"반갑습니다, 문세희라고 합니다. 잘 부탁드려요."

세희는 고개 숙여 바르게 인사를 건넸다. 예쁜 얼굴과 부드러운 목소리, 차분한 태도가 완벽한 삼위일체를 이루었다.

"안녕하세요, 팀장님."

"저희도 앞으로 잘 부탁드려요."

세희에게 좋은 인상을 품은 팀원들이 하나둘 인사를 건넸다. 새 팀장을 반기는 이들이 대다수였지만, 뚱한 표정으로 응시하는 사람도 있었다.

'저 사람이구나. 피오레 코스메틱에서 이직했다는……
흥, 얼마나 잘하는지 두고 봐야지.'

기존의 개발 팀에서 BM으로 근무하던 직원, 오선영이었다.

그녀는 본래 메이크업 팀의 막내로 들어왔으나 적응하지 못해 색조 제품 기획 팀이 신설되면서 부서를 이동했다. 그렇지만, 별다른 성과를 거두지 못했다. 심지어 점점 제품의 인기가 떨어지면서 초조함에 휩싸였다.

그러던 와중에 갑자기 팀장이라며 세희가 들어왔으니 반가울 리가 없었다. 하루아침에 세희에게 주도권을 전부 빼앗긴 상황이었으니까.

"부족하지만, 열심히 하겠습니다."

세희는 그런 선영에게도 고개를 숙이며 활짝 웃었다.

상냥하게 맞이해 주는 눈빛들이 고마웠다. 다만, 역시 아직은 어색하고 주눅이 들었다.

"오늘 법인 카드 빌려줄 테니까 기획 팀 첫 회식 하도록해. OT라고 생각하고!"

서먹한 분위기를 깨트린 건 한 실장이었다. 한 실장과 몇 년간 동고동락한 팀원들이 밝게 웃으며 호응했다.

"와, 실장님 최고!"

확실히 회식만큼 사람과 가까워지기 좋은 자리도 없었다. 술이 들어가서 흥겨워지면, 자연히 경계가 허물어지기 마련이었다.

"팀장님도 시간 괜찮으시죠?"

"네, 좋아요."

세희가 선뜻 수락하자 다들 즐겁게 환호했다.

한 실장은 그녀를 맨 끝자리로 안내했다. 창가와 가까워 따스한 볕이 드는 자리였다. 두근거리는 마음으로 가방을 내려놓자 비로소 이직한 실감이 났다.

"참, 한 실장님."

"응? 왜?"

"지난주 이야기 듣고 기획한 안건, 간단하게 서류로 작성해 보았는데요."

세희는 자리에 앉자마자 익숙하게 자신이 세운 계획을 줄

줄 읊었다. 그녀에게는 새로운 프로젝트를 성공시켜야 할 책임이 있었다.

"이 부분도 서류로 정리해서 보내 드릴게요. 검토해서 피드백 주시면, 곧장 업무 분담하여 팀원들에게 공유하겠습니다."

그 모습을 지켜보던 팀원들은 조용히 감탄했고, 한 실장은 환하게 웃었다. 능숙하게 일을 진행하는 그녀의 모습에 기대감이 샘솟았다.

드디어 이 엉성한 팀에 체계라는 게 잡힐 모양이었다. 새로운 팀장에게 기대가 큰 건, 다른 팀원들도 마찬가지였는지 다들 방긋 웃고 있었다.

"좋아! 회사 소개는 저기…… 선영 씨! 선영 씨가 좀 해 줘, 알았지?"

멍하니 지켜보던 선영이 갑작스러운 명령에 놀라 돌아섰다. 세희와 눈이 마주친 다음에는 애써 표정을 관리하기 바빴다.

"네, 알겠습니다."

"좋아, 그럼 오늘도 다들 수고해 줘!"

한 실장은 웃으면서 세희의 어깨를 두드렸다. 기대와 신뢰로 똘똘 뭉쳐, 오늘따라 묵직하게 느껴지는 응원이었다.

"안건 올려 주면 검토해서 금방 보내 줄게. 오후에는 샵으로 나가야 하니까."

"번거로우시면 퀵으로 보내 주셔도 괜찮아요."

"고마워, 세희 씨…… 아니지, 문 팀장! 이제는 문 팀장으로 불러야지."

한 실장은 크게 웃다가 호칭을 수정했다. 한쪽 눈을 찡긋, 찡그리고 돌아서는 그녀의 표정에서 큰 기쁨이 느껴졌다.

"다들 수고해!"

한 손을 신나게 휘두르며 사라지는 그녀의 모습에 다 같이 허리를 숙였다. 마지막까지 그녀를 배웅하고 돌아온 세희의 얼굴에도 생기가 넘쳐흘렀다.

"팀장님, 업무는 어떻게……."

곧장 팀원 한 명이 세희의 곁으로 다가왔다. 세희는 친절하게 그녀의 궁금증을 해결해 주었다.

"조금만 기다려 주세요. 금방 메일로 작성해서 알려 드릴게요. 메일 주소는 테이블에 붙은 메모지 참고하면 되나요?"

"네, 그게 가장 최신 목록이에요."

"고마워요."

자리에 앉은 세희가 머리핀으로 머리칼을 깔끔하게 올려 묶었다. 새까만 모니터에 비장한 표정이 고스란히 비쳤다. 새로운 시작이라고 생각하자 기분 좋은 떨림이 손끝까지 전해졌다.

'긴장하지 말자. 어차피 백지에 설계도를 그리는 과정이야, 하는 일은 똑같아.'

전원을 켜자 모니터에 파란 불이 들어왔다. 세희는 문서 창을 열고, 기획서의 초안을 작성하면서 계획을 세웠다.

목표는 간단했다. 픽시의 첫 색조 제품과 기초 제품을 나란히 기획하는 것이었다. 그 후 한 실장이 최종 결정을 해 주면 제작에 착수하면 될 듯했다.

뷰티 샛별에도 자체적인 연구소가 존재하여 검수 과정에는 어려움이 없었다.

'아직 직원이 적어 팀을 나눌 수 없으니까, 두 가지 제품 모두 기획해 보자.'

팀원은 총 열 명이었고, 그중 경력이 쌓인 직원은 세 명 정도였다. 즉, 아직 팀을 분리하기엔 복잡한 단계였다.

한 실장이 어째서 세희를 데려오고자 애를 썼는지, 쉽게 알 만한 부분이었다.

'좋아, 힘내자.'

세희는 서랍을 열었다가 명함을 발견하고 입술 끝을 올렸다. 픽시라고 적힌 브랜드 밑에 자신의 이름과 직함이 적혀 있었다.

[팀장, 문세희.]

은색으로 반짝이는 글자를 읽자 저절로 어깨에 힘이 들어갔다.

"문 팀장님?"

한참 명함을 바라보는데, 선영이 불쑥 옆으로 다가와 말을 걸었다. 세희가 곧장 고개를 들자, 그녀의 명함을 곁눈질하던 선영이 떨떠름하게 입을 열었다.

"회사 내부 구조 설명해 드릴게요. 이쪽으로 오세요."

"네, 고마워요."

세희는 솔직하게 감사를 전하며 벌떡 일어났다. 선영은 퉁명스러웠으나 다행히 질문에는 성실히 대답해 주었고, 꼼꼼하게 회사를 소개했다.

덕분에 세희도 손쉽게 새로운 직장의 구조를 파악할 수 있었다.

다 둘러보고 돌아와 일을 시작하니 시간이 물처럼 빠르게 흘렀다.

"팀장님, 점심은 어떻게 하시겠어요?"

"오늘은 구내식당 이용해 보려고요."

"그럼 같이 가요. 저희도 자주 이용하거든요."

점심 역시 팀원들과 구내식당을 이용하여 간단히 챙겼다. 잠깐 잡담을 나누며 식사했을 뿐인데, 분위기는 더욱 좋아졌다.

다들 화장품을 좋아하는 사람들이다 보니 관심사도 비슷했다. 세희가 피오레 코스메틱에서 개발했던 제품 이야기를 꺼냈을 때도 흥미진진하게 들어 주었다.

그렇게 반나절이 정신없이 흘러갔고, 어느새 바깥은 어둑해졌다.

세희가 마지막 업무 분담을 마치고 고개를 들었을 때. 퇴근 준비를 마친 팀원들이 들뜬 얼굴로 그녀를 기다리고 있었다.

"팀장님, 이제 나가요!"

그새 친해진 팀원들이 가방을 멘 세희의 팔을 잡아끌었다. 세희는 파도에 휩쓸린 것처럼 순식간에 사무실을 나섰다.

'아, 맞아. 오늘……'

그제야 세희는 퇴근 후의 일정을 깨달았다.

드디어 픽시 개발 팀의 첫 회식이 시작되는 순간이었다.

회식 장소는 본사 근처의 횟집으로 정해졌다.

　　열 명 정도의 팀원이 들어갔는데도 개인실은 꽤 넉넉하니 넓었다.

　　팀원들은 마음껏 회와 술을 주문했고, 분위기는 서서히 들뜨기 시작했다. 한두 잔 주고받은 술이 큰 도움이 되었는지 어색함도 빠르게 사라졌다.

　　"응?"

　　그렇게 술자리가 무르익을 즈음, 별안간 한 팀원의 핸드폰이 요란하게 울렸다. 서둘러 화면을 확인한 눈이 휘둥그레 커졌다.

　　"여, 여러분. 지금 실장님 오신대요!"

　　들려온 소식은 가히 충격적이었다.

　　"실장님? 실장님이 오신다고요?"

　　모든 팀원이 젓가락질을 멈추었다. 세희 역시 얼떨떨한 얼굴로 대답을 기다렸다.

　　"근처 스튜디오에서 촬영이 생각보다 일찍 끝났다고, 잠깐 들르신다는데…… 모델 몇 명도 같이 오나 봐요. 합석해도 괜찮냐는데?"

　　"뭐라고요?"

　　누군가 꽥 소리를 질렀다. 세희는 조심스레 컵을 내려놓았다. 아무리 분위기가 좋아도, 상사가 회식 자리에 나타난다는 건 불편한 걸까.

"그걸 뭘 물어봐, 당연히 괜찮죠!"

하지만 그녀가 오해했다는 걸 알기까지 그리 긴 시간이 필요하지 않았다.

"모델 누구요? 누가 온대요? 남자?"

"얼른 오라고 해, 주소 보내 드려요! 빨리!"

순식간에 시끌벅적해진 분위기 속에서 여러 요구가 오갔다.

세희도 긴장을 풀고서 찬물을 벌컥벌컥 들이켰다. 그렇지만 곧 다른 생각에 사로잡혀 마른침을 삼켰다.

'정확히 누가 오는 거지?'

한 실장과 함께 온다는 모델들이 괜히 신경 쓰였다. 혹시 그들 중에 연우도 있을까 싶어서.

'연락은 없었는데……'

테이블 밑으로 핸드폰을 살펴보았으나 특별한 연락은 없었다.

세희는 음식을 추가 주문하는 팀원들을 보다가 멋쩍게 미소 지었다.

"짠! 다들 즐겁게 회식하고 있었어?"

정확히 삼십 분 후, 한 실장이 미닫이문을 열어젖히며 나타났다. 그녀의 뒤로 키 큰 모델 세 명이 서 있었다.

"실장님! 여기 앉으세요."

"얼른 들어오세요. 날씨가 춥죠?"

훤칠한 남자 모델을 발견한 팀원들의 목소리가 단번에 높아졌다. 반기는 목소리에 한 실장이 웃으면서 가장 끝자리로 향했다.

그녀를 따라서 들어오는 남자들의 정수리가 천장에 닿을 듯 까마득했다.

이리저리 둘러보는 팀원들 사이로 활짝 웃음꽃이 피어났다. 세희의 시선도 그들 틈에서 조용히 연우의 얼굴을 찾았다.

'아…….'

그러나 연우는 보이지 않았다. 전부 모르는 얼굴뿐이었다. 티 내지 않고 실망하는 세희의 옆에서 작은 웃음소리가 들렸다.

"세희 씨, 표정이 왜 그래?"

깜짝 놀라서 돌아보자 한 실장이 묘한 눈웃음을 보냈다.

"네? 제 표정이 왜, 왜요?"

"좀 실망한 것 같아서. 누구 기다리던 사람이라도 있었나 하고."

짓궂은 목소리를 들은 순간, 세희는 알아차렸다. 방금 짧게 실망하던 자신의 모습을 그녀에게 들키고 말았다는 걸. 또한, 한 실장이 그 장면을 그냥 넘어갈 사람이 아니라는 사실도.

"그냥 다들 멋져서요. 모델은 정말 키가 크구나, 싶고."

"정말 그것뿐?"

한 실장은 그냥 넘기지 않고 실실 웃었다. 장난을 좋아하는 그녀의 성격을 떠올리자 낭패다 싶었다.

곤란함에 말문이 막혀 버린 사이, 주변의 시선이 그녀에게 쏟아졌다.

"왜요, 실장님?"

"문 팀장님, 모델 중에 알고 지내는 분이라도 있어요?"

설상가상으로 맞은편에서 대화를 지켜보던 팀원의 질문까지 날아왔다.

세희는 조용히 입을 다물었다. 지금은 침묵을 택하는 게 최선이었다. 예상치 못한 건, 근처에 앉은 모델들의 시선까지 그녀에게 향했다는 점이었다.

"연우 씨는 다른 촬영 있어서 오늘 못 왔어. 세희 씨한테도 전해 달래."

"아, 그, 그래요?"

뭐라고 변명할까 고민하는 찰나, 한 실장의 속삭임이 은밀하게 퍼졌다.

얼떨결에 대답해 버린 세희의 반응에 갑자기 테이블에 정적이 찾아왔다.

세희는 그게 서서히 다가오는 태풍의 눈과 비슷하다고 생각했다.

"문 팀장님! 모델 연우랑 친한 사이예요?"

"헉, 진짜? 그 서연우요?"

세희의 예상은 적중했다. 폭죽이 터지듯 사방에서 탄성이 들려왔다.

단번에 시끄러워진 테이블을 돌아보면서 세희가 연신 손사래를 쳤다.

분위기가 마음에 들지 않아 인상을 찌푸린 건, 오로지 선영뿐이었다. 그녀는 세희가 관심의 대상이 된 후부터 쭉 적의 섞인 눈빛을 보내고 있었다.

"아니요! 아니에요! 그냥 업무상 몇 번 마주친 게 전부……."

"마주쳤다고요? 와, 진짜 부럽다!"

파격적인 한 실장의 발언 이후, 방은 열광의 도가니가 되었다.

"연우 실물은 어때요? 정말 눈이 부실 정도로 잘생겼어요?"

"피부는! 피부요? 실제로도 사진처럼 하얗나요?"

세희는 쏟아지는 관심의 파도 속에서 허우적거리며 고개를 저었다.

아무 관계도 아니라고 거듭 설명해도 소용이 없었다. 취해 버린 팀원들의 눈빛은 그야말로 먹잇감을 노리는 매와 같았으니까.

"연우 선배랑 친하세요?"

그때, 세희의 오른쪽에 앉은 누군가의 한마디에 분위기가 가라앉았다.

세희는 우선 사방이 고요해졌다는 점에 안심하며 그쪽을 돌아보았다.

"궁금해서요. 연우 선배랑 친한 여자라고는 배유미 선배밖에 못 봤거든요."

남자 모델 하나가 턱을 괸 채, 그녀의 얼굴을 뚫어지게 응시했다.

그는 요즘 부쩍 인기를 끌고 있는 스물다섯의 모델, 한재섭이었다. 유명한 서바이벌 오디션 프로그램으로 데뷔했으며 무쌍에 눈물점이 특징이었다.

"아뇨. 그냥. 일하다가 알게 된 정도예요. 특별히 가깝지도 않고요."

덕분에 설명의 기회를 얻게 된 세희가 서둘러 입을 열었다.

종알종알 이야기하는 세희의 볼에 발그레한 홍조가 돌았다. 고양이처럼 새침한 인상과 달리, 제법 귀엽다는 생각에 재섭이 씩 웃었다.

"저기요. 그럼……."

"내가 너무 놀렸지? 미안해. 분위기 좀 띄워 보려고."

재섭이 말을 더 섞기 직전, 한 실장의 즐거운 목소리가 훼방을 놓았다.

"자, 우리 기획 팀! 오늘 한번 코가 삐뚤어지게 달려 볼까?"

한 실장이 세희의 어깨를 툭툭 두드리면서 소주병을 들었다.

무언의 압박에 세희가 부랴부랴 잔을 가져갔다. 콸콸 쏟아지는 술에 다른 사람들도 재빨리 잔을 채웠다.

"문 팀장의 첫 출근을 위하여!"

"위하여!"

세희는 질문이 더 길어지지 않았음에 안도하며 잔을 부딪쳤다.

🌿      🌿      🌿

"으음, 문 팀자아앙, 우리 소중한 문 팀장!"

"네, 실장님. 조심해서 들어가세요."

"고마워, 오늘도. 다음에 또 회식하자!"

거나하게 취한 한 실장이 택시 창문 너머로 손을 마구 흔들었다.

세희는 그 손을 도로 집어넣으며 마지막 배웅을 마쳤다. 팀원들도, 모델들도 돌아가 한산해진 횟집 앞이 조용했다.

"휴."

가방을 고쳐 메는 세희의 다리가 살짝 비틀거렸다. 너무 많이 마셨는지, 균형 감각이 조금 위태로웠다.

겨우 중심을 잡고 걸어가려는데 눈앞으로 그늘이 졌다.

"팀장님, 괜찮아요?"

주머니에 양손을 꽂은 남자가 슬쩍 고개 숙이며 말을 걸었다.

"한재섭 씨? 아직 안 돌아갔어요?"

세희는 의아한 얼굴로 눈을 좁혔다. 재섭은 능청스럽게 거짓말을 내뱉으며 인도 쪽으로 고갯짓했다.

"담배 한 대 피웠어요. 막 돌아가려고 했는데…… 잘됐다. 같이 가요."

그는 사실 사람들이 하나둘 떠날 때, 몰래 근처를 맴돌며 기다리던 중이었다. 홀로 남은 세희와 단둘이 집으로 돌아가기 위해서.

"데려다줄게요. 집이 어디예요?"

겸사겸사 연락처와 집 주소를 알아낸다면, 그야말로 생각지 못한 소득이었다.

사람 좋은 척 물어보는 그의 앞에서 세희가 단호히 고개를 가로저었다.

"아뇨, 저 혼자 갈 수 있어요. 그렇게 안 취했어요."

분명 취해서 볼이 빨갛게 물들었는데, 묘하게 사리 분별을 확실히 하는 모습이었다.

"에이, 그러지 말고요. 여자 혼자 어떻게 보내요? 밤길도 위험한데."

평소 재섭이 이 정도로 말하면 상대는 수줍게 웃으며 수락하곤 했다. 당연히 세희도 그러리라 믿어 의심치 않았다.

"택시 타고 가면 돼요."

하지만 그가 한 가지 간과한 사실이 있었는데, 바로 세희가 취하면 지나치게 솔직한 성격으로 변모한다는 점이었다.

"그래도, 천천히 걸어가면 술도 깰 텐데."

"택시 타고 얼른 들어가는 편이 더 좋아요. 재섭 씨도 조심해서 가세요."

세희가 무 자르듯 깔끔히 대답하며 돌아섰다. 재섭은 당황했지만, 애써 아무렇지 않은 척 옆으로 따라붙었다.

"팀장님, 눈치 없다는 말 자주 듣죠?"

묘하게 비꼬는 말투에 세희가 대답 없이 쳐다보았다. 그 표정이 너무 싸늘해서, 재섭은 도리어 깜짝 놀라 아무 말이나 쏟아 냈다.

"아니, 이 정도로 신호를 줬으면 알아들으셔야죠. 좀 답답해서 그러지."

"죄송해요."

무표정한 얼굴에 순순한 사과가 돌아왔다. 드디어 말이 통하나 싶었는지 재섭이 빙글 웃었다.

"이미 택시 불러서요."

물론 그의 판단이 착각임을 알리듯, 세희의 대답에는 변화가 없었다. 동시에 거짓말처럼 두 사람 앞으로 택시가 섰다.

"티, 팀장님?"

세희는 재빨리 재섭을 등지고서 뒷좌석에 올라탔다. 어이가 없어 굳어진 재섭의 얼굴이 창밖으로 보였다.

"그럼, 조심해서 가세요."

창문을 살짝 내려 속삭인 목소리를 마지막으로, 택시는 재섭의 앞에서 빠르게 사라졌다.

"뭐 저런 여자가 다 있어."

순식간에 홀로 남겨진 그가 하, 짜증 섞인 웃음을 뱉어 냈다. 이내 포기하고 돌아서는 재섭의 모습이 백미러 끄트머리에 비쳤다.

"……."

마침내 골칫거리가 사라지자 세희는 기다렸다는 듯 핸드폰을 꺼냈다. 바쁘게 연락처를 찾아 통화 버튼을 누르니, 상대가 금방 전화를 받았다.

─여보세요? 세희 씨?

연우였다. 목소리를 듣자 자연스레 미소가 지어졌다.

수화기 너머로 카메라 셔터 소리가 들린 순간, 묘한 감정이 그녀를 덮쳤다. 설마 이 늦은 시간까지 촬영을 끝내지 못했으리라고는 생각도 못 했다.

"오늘…… 왜 안 왔어요?"

안쓰러운 생각과 달리 충동적인 돌직구가 튀어나왔다. 그녀답지 않은 질문이 의아스러웠는지 연우의 목소리가 살짝 높아졌다.

─세희 씨?

"회식 자리, 연우 씨도 올 줄 알았는데……."

아, 연우가 작게 중얼거렸다. 세희가 무슨 말을 하는지 알 아차린 눈치였다.

─회식은 잘 끝냈어요? 한 실장님께 들었는데, 촬영이 안 끝나서. 미안해요.

"다음에는…… 꼭 와요."

슬쩍 중얼거린 말에, 연우가 귀를 의심하듯 되물어 보았다.

─꼭 오라고요?

"응, 으응."

투정 부리듯 답하는 게 귀여웠는지, 부드러운 웃음소리가 귀를 간질였다.

세희는 괜스레 고개 숙여 구두만 노려보았다. 어색하게 구두 끝끼리 톡, 톡 두드리는데 낮은 속삭임이 들렸다.

─왜? 나 보고 싶어서?

농담처럼 던진 말이었는데, 세희의 대답이 빛처럼 빠르게 돌아왔다.

"네."

이번에는 연우도 당황했는지, 깊이 숨 삼키는 소리가 났 다. 길어지는 침묵에 뻘쭘해진 세희가 작게 중얼거렸다.

"농담 아닌데……."

─농담 아니면, 더 위험한데.

차분하지만, 낮아진 음성이 평소와 달랐다. 세희는 술기운이 몰려오는 와중에도 본능적으로 흠칫 몸을 떨었다.

등을 움츠리고서 물어보는 그녀의 모습이 꼭 한 마리 토끼처럼 가냘팠다.

"화…… 났어요?"

―당장 만날 수도 없는데 이러면 어떡해요, 세희 씨.

"지금 내 탓 하는 거예요?"

다정한 웃음에 부드러운 목소리가 감겼다.

―그게 아니라…….

한껏 투덜거리는 세희의 태도에도 연우는 그저 즐거운 모양이었다.

"음……."

출근 첫날에 긴장한 상태로 술까지 마신 탓일까. 뭐라 더 따져 보고 싶었지만, 서서히 졸음이 몸을 덮치고 있었다.

"자꾸 이러면…… 나 연우 씨 안 볼 거야."

핸드폰을 쥔 세희의 손이 천천히 흔들렸다.

―왜 안 봐요? 보고 싶다면서.

"그냥 말한 거예요. 농담이야, 농담."

―이미 늦었는데.

나긋한 연우의 어조 때문인지 졸음은 점점 더 거세게 밀려왔다. 눈꺼풀은 묵직한 바위를 올려놓은 듯 무거워졌다.

끝내 졸음에 저항하지 못한 세희의 고개가 앞으로 크게 기울었다. 그 상황을 모르는 연우의 목소리가 조곤조곤 이어졌다.

―나중에 잊으면 안 돼. 꼭 기억해요.

"……."

―세희 씨? 자요?

뚝, 예고 없이 끊어진 전화에 연우가 눈을 크게 떴다.

뭘까 싶어 핸드폰을 내려다보았으나 전화는 다시 걸리지 않았다.

'집까지 조심히 들어가야 하는데. 괜찮으려나.'

걱정되는 마음에 화면을 주시하는데 문자 한 통이 도착했다.

[방금 택시ㅣㅣ에서내렸ㅇ요.]

[집들어ㅓ갈게요 통화고맙ㅇ요]

오타투성이로 입력한 문자였지만, 다행히 잘 들어간 모양이었다.

안심하며 의자에서 일어나려는 순간 핸드폰이 또 진동했다. 반사적으로 화면을 살핀 연우의 입매가 딱딱하게 굳었다.

[보고 싶ㅎㅏ 진짜ㅏ로]

엉성하게 적은 마지막 문자가 시야에 콕 박혔다.

연우는 어정쩡하게 일어난 자세로 핸드폰에서 눈을 떼지 못했다. 그의 상태를 알아차리지 못한 사진작가가 카메라를 들고서 다가왔다.

"자, 수고했어. 이제 두 컷만 더 찍어 보고…… 연우야?"

놀라서 이름을 부르는 목소리에 연우의 너른 등이 움찔거렸다.

그가 조용히 고개를 돌리자, 눈이 마주친 사진작가의 얼굴이 더욱 경악으로 물들었다.

"너 얼굴이 왜 이렇게 빨개졌어? 괜찮은 거야?"

"아…… 괜찮습니다."

"촬영장 덥니? 물 줄까?"

"아뇨, 진짜 괜찮습니다. 어서 찍죠."

걱정하는 사진작가의 등을 장난스레 밀어내던 연우의 시선이 거울을 스쳤다.

작가의 말대로 그의 얼굴은 사과처럼 붉게 익은 상태였다. 그를 모르는 사람이 보더라도 누구나 이상하다고 느낄 만큼, 새빨개진 상태.

'……미치겠네.'

연우는 거울 속 얼굴을 노려보다가 손을 들었다. 커다란 손바닥으로 애써 가려 보았지만, 붉어진 목덜미까지 숨길 수는 없었다.

세희가 술김에 보낸 문자 한 통의 위력은 그야말로 엄청났다.

시간은 붙잡을 틈도 없이 빠르게 흘러갔다.

처음 과거로 돌아온 때가 엊그제 같건만, 어느새 1월도 끝이 났다.

2월로 접어들면서 겨울 추위가 빠르게 가시기 시작했다. 봄을 맞이하는 나무들도 서서히 싹을 틔웠다.

"문 팀장님."

창밖의 나무를 구경하던 세희가 빠르게 돌아섰다.

두둑한 상자를 챙겨 온 연구소 직원들이 하나둘 테이블 앞에 앉았다. 함께 앉은 팀원들도 싱글벙글한 얼굴로 소중한 제품을 바라보았다.

"제품 목록 적어 두었습니다. 서류 비교하면서 확인하시기 편할 거예요."

오늘은 뷰티 샛별의 연구소에 방문하여 감리를 진행하는 날이었다. 연구소에서 생산한 제품과 최종 샘플을 비교하기 위해서였다.

대량 발주 전에 테스트가 필요하여, 즉석에서 피드백하는 작업이었다.

"오늘 립스틱 컬러 픽스해 주시면, 곧장 진행하도록 계획 잡았습니다."

"음…… 로트(lot) 편차 때문인지 최종 색감이 달라졌네요. 저희가 가져온 샘플하고 차이가 있는데, 한번 확인해 볼게요."

세희의 지시에 따라 팀원들이 바쁘게 파우치를 열고 샘플을 꺼냈다. 제품과 샘플을 일일이 비교하는 작업이 상당히 고될 법도 한데, 다들 열의가 넘쳤다.

바쁘게 오가는 대화 사이에 즐거운 농담도 간간이 섞였다. 나란히 고개를 맞대고 회의에 전념하는 동안, 시간은 빠르게 흘러갔다.

"끝!"

마침내 마지막 제품을 비교한 순간, 막내 팀원 정아가 크게 외쳤다. 다들 그녀만큼이나 후련한 표정이었다.

"수고했어요."

"팀장님도 수고하셨어요!"

세희는 싱긋 웃으며 서류를 정리하고, 연구소 총책임자에게 오른손을 내밀었다. 상대도 뿌듯한 얼굴로 악수를 받아주었다.

"오늘 수고하셨어요. 타정할 때 다시 방문하겠습니다. 확실하게 잡힌 모양도 보고 싶어서요."

"네, 나머지는 퀵으로 보내 드릴 테니 색감 확인 부탁드리겠습니다."

"저희도 잘 부탁드릴게요."

정신없이 오전 일과를 끝내자, 어느새 점심시간이 코앞이었다.

식사부터 챙기라며 대다수를 돌려보내자 총 네 명이 자리에 남았다. 세희는 선영과 함께 서류를 분류했고, 가은과 정아는 짐을 옮겼다.

"우리는 이 작업만 마무리하고 같이 식사해요. 괜찮죠?"

세희가 조심스레 물어보자 흔쾌히 대답이 돌아왔다.

"네, 팀장님. 저희 뭐 먹을까요?"

"근처에 맛있는 돈가스집 있는데. 돈가스 어떠세요?"

재잘재잘 떠드는 가은과 정아의 눈빛에 즐거움이 가득했다. 선영만이 뚱한 얼굴로 앉아서 묵묵히 서류를 분류했다.

"저도 돈가스 좋아해요. 괜찮아요."

"그럼 그 가게로 가요! 돈가스가 진짜 부드럽고, 서비스로 가끔 새우튀김도 주시거든요. 진짜 맛있어요."

정아가 신나게 설명하는 동안, 가은은 부산스럽게 가방을 뒤적거렸다.

하지만 한참을 찾아도 중요한 서류 봉투 하나가 보이지 않았다. 가은은 창백하게 변한 얼굴로 일어나더니, 구석으로 달려가 짧은 통화를 마쳤다.

"팀장님, 죄송해요……."

이윽고 테이블로 돌아온 그녀가 우물쭈물 말문을 열었다.

"네? 무슨 일 있나요?"

갑작스러운 사과에 세희가 의아한 목소리로 되물었다.

"저희 발주서, 아무래도 다른 봉투와 섞인 모양이에요."

발주서는 당장 필요한 서류 중 하나였다. 세희는 아차 싶은 얼굴로 멈칫했다. 지금 팩스로 요청하기엔, 직원들이 점심으로 자리를 비울 시간이었다.

"혹시나 해서 스튜디오로 외근 간 직원한테 물어봤는데…… 지금 거기 있는 것 같아요. 정말 죄송해요."

가은의 실수로 수정을 마치지 못한 서류들이 사장실로 올라간 모양이었다.

그 후, 급하게 출근한 한 실장의 가방에서 다 섞이고 말았다고. 막 팀을 꾸린 단계라서 아직 업무 실수가 잦을 때였다.

"아, 그럼 다행이에요."

세희는 일단 서류를 잃어버리지 않았다는 사실에 안도의 한숨을 내뱉었다. 혹시라도 서류의 행방을 찾지 못했다면, 그야말로 큰일이었으니까.

"어차피 샘플 목록도 실장님한테 검토받을 계획이었으니까, 제가 직접 스튜디오로 가 볼게요. 여러분들은 점심 먹고 사무실로 돌아가세요."

마지막 서류 검토는 이동 중에 택시에서 해결해도 될 듯했다.

세희가 부랴부랴 짐을 챙기는 동안, 맞은편의 선영은 내심 기쁜 얼굴로 눈치를 보았다. 세희와 함께 식사하기 불편했던 터라 차라리 이 상황이 잘됐다 싶었다.

"팀장님, 그럼 저는 먼저 돌아……."

선영이 적당한 인사말로 자리에서 일어나려던 그때.

"저희도 갈게요, 팀장님!"

"맞아요, 같이 가세요."

가은과 정아가 살갑게 속닥거렸다. 표정 관리를 실패한 선영이 뒤통수가 따갑도록 두 사람을 노려보았다.

"네? 아니에요, 여러분은 따로 식사해도 괜찮은데."

짐을 챙기다가 당황한 세희도 서둘러 고개를 가로저었다.

"다 같이 가서 빨리 끝내고 점심 먹으면 되죠."

가은은 죄책감 때문에라도 꼭 동행하고픈 눈치였다. 그제야 선영도 못마땅한 얼굴로 조용히 고개를 끄덕였다.

"그렇게 하죠, 문 팀장님."

"선영 씨, 괜찮아요?"

"네, 괜찮아요."

느린 대답에 약간의 불편함이 느껴졌다. 그러나 손이 부족한 건 사실이었으니, 거절할 이유는 없었다. 세희는 고맙다는 말과 함께 다 같이 짐을 챙겨 움직였다.

네 사람은 차례차례 스튜디오로 향하는 택시에 몸을 실었다. 촬영장은 연구소에서 그리 멀지 않아, 20분 만에 도착할 수 있었다.

"한 실장님은 어디 계신가요?"

"저쪽에 계세요. 이쪽으로 오세요!"

도착하자마자 깔끔한 셔츠 차림의 직원이 세희를 맞이했다.

세희는 서류 봉투를 옆구리에 단단히 낀 채로 걸음을 옮겼다. 스튜디오는 의상과 메이크업을 점검하는 작업으로 한참 분주했다.

"한 실장님? 한 실장님! 직원분들 오셨어요!"

직원의 외침에 멀리서 한 실장이 달려왔다. 방금까지 일을 하던 도중이었는지, 그녀의 이마에 송골송골 땀이 맺혀 있었다.

"문 팀장, 연락받았어. 저쪽 테이블에 보면 가방 있는데…… 봉투가 섞여서 찾아봐야 해."

"네, 제가 찾아볼게요. 실장님께서 검토하실 서류도 같이 올려 두겠습니다."

세희는 황급히 테이블 앞으로 달려가 서류 봉투를 찾았다. 다행히 라벨링을 꼼꼼히 해 둔 터라 금방 찾아낼 수 있었다.

안도하면서 봉투를 교환하고 돌아서는데, 갑자기 누군가 앞을 막아섰다.

"안녕하세요, 문 팀장님."

깔끔한 청바지에 흰 스웨터를 걸친 모델, 한재섭이었다.

아는 얼굴을 발견한 세희가 짧게 아, 하고 대답을 흘렸다. 무덤덤한 반응에 재섭의 눈썹이 꿈틀 휘었다.

"그날 잘 들어가셨어요?"

"아아, 네."

"좀 취하신 것 같아서 걱정했는데, 다행이네요."

재섭의 너스레에 세희가 소리 없이 웃었다. 누가 봐도 서둘러 대화를 마무리하려는 사람의 표정이었다.

"오늘은 시간 괜찮으세요? 저 촬영 금방 끝나는데."

그에 오기가 생겼는지, 재섭은 끈질기게 대화를 이었다.

"아니요, 저 근무 중이라서 얼른 사무실로 가 봐야 해요."

"그럼 퇴근한 다음은 시간 괜찮아요?"

어떻게든 대화를 끝맺으려는데, 상대는 너무나 완고했다.

세희가 곤란한 표정으로 말끝을 흐렸다. 더 확실하게 거절해야 하나 고민하던 순간.

"여기서 뭐 해요, 다른 남자랑."

등 뒤에서 익숙한 목소리가 들렸다. 깜짝 놀란 세희는 물론이고, 재섭도 아연실색하며 돌아보았다. 한 뼘은 더 큰 상대의 키 탓에 재섭의 얼굴에 그늘이 졌다.

"어, 연우 선……."

툭, 허공을 어정쩡하게 맴돌던 재섭의 손이 갑작스러운 타격에 멀어졌다.

"여, 연우 씨?"

"세희 씨, 오랜만이에요."

어쩔 줄 몰라 당황해하는 세희의 어깨에 따듯한 손이 닿았다. 연우는 보란 듯 그녀의 어깨에 손을 올리고 천천히 돌아섰다.

"한재섭."

무감한 시선이 아직도 허공에 떠돌던 재섭의 손을 가만히 응시했다. 재섭은 적의 섞인 눈빛에 놀라 등 뒤로 손을 숨겼다.

"비켜."

서서히 올라온 시선이 재섭의 굳은 얼굴을 꿰뚫었다. 태연한 얼굴과 어울리지 않게 싸늘한 음성이었다.

웃지 않은 연우의 모습에 당황한 건, 재섭도 마찬가지였다. 여태 적당한 거리감을 유지하며 알고 지내던 선배였으니까.

심지어 그가 서바이벌 오디션을 통과할 때, 제일 동경하던 선배이기도 했다.

"죄, 죄송합니다."

머리털이 쭈뼛 서는 서늘함에 재섭이 허겁지겁 고개를 숙였다.

우물쭈물 건넨 사과에 연우가 오른쪽을 눈짓했다. 재섭의 시선도 같은 방향으로 향했다.

"재섭아, 너 거기서 뭐 하냐! 빨리 안 와?"

한 손을 열심히 휘적대는 사진작가가 보였다.

'아…… 곧 촬영이라고 알려 주신 거구나. 나는 또 뭐라고.'

재섭은 안타깝게도 눈치가 부족했다. 그는 크나큰 오해와 함께 샐쭉 웃었다.

"알려 주셔서 감사합니다, 선배님. 먼저 가 보겠습니다."

연우는 대답하지 않았고, 재섭은 부리나케 사라졌다. 엉겁결에 단둘이 남게 된 세희만이 살짝 긴장한 채 숨죽였다.

얼굴을 확인하지 못했지만, 들리는 목소리만으로도 알 수 있었다. 현재 연우의 기분이 평소보다 가라앉은 상태라는 걸.

'하지만…… 왜?'

대충 이유를 따져 보면 당연히 한재섭의 존재가 제일 그럴싸했다.

자신과 함께 있던 한재섭을 대하는 그의 태도가 차갑기 그지없었다. 그렇지만 그 행동의 동기를 따져 보면, 너무나 어이없는 해답이 도출되었다.

'질투라니, 무슨…… 김칫국 들이켜는 생각이야. 문세희.'

연우가 왜 한재섭을 질투할까. 그에게는 그럴 만한 이유가 없었다.

연우에게 자신은 그저 하룻밤을 공유하고 부탁을 들어준 여자, 딱 그 정도였다. 덩달아 수상한 계약까지 맺어 버린 관계.

진혁을 통해 사실은 더 복잡한 관계였음을 알게 되었지만, 첫 만남의 계기는 그대로였다.

"세희 씨."

생각이 더 깊어지려는 찰나, 따뜻한 손가락이 볼에 닿았다.

"오랜만에 보는데…… 계속 바닥만 볼 거예요?"

나직한 음성이 다정하게 귓가를 울렸다.

6. 눈을 뜨고 보는 악몽

## 6. 눈을 뜨고 보는 악몽

어라, 세희는 얼떨떨한 표정으로 고개를 올렸다.

언제 싸늘한 인상을 풍겼냐는 듯 원래대로 돌아온 연우의 모습이 눈에 들어왔다. 아니, 돌아온 것도 모자라서…….

"내 얼굴 봐야지. 언제는 보고 싶다며."

그는 심각하게 귀여운 여우처럼 고개를 갸웃거렸다.

"아, 드디어 봤다."

보슬보슬한 볼을 간질이던 손가락이 이내 머리카락을 넘겨 주었다. 부드럽게 웃는 표정까지 다정하고 따스한, 평소의 연우였다.

"보려고 했어요. 안 그래도……."

"진짜?"

"진짜로요."

달가운 대답이었는지 연우의 입꼬리가 슬쩍 올라갔다.

"목소리만 들어도 알아차렸는데, 왜 안 보겠어요."

"목소리만 들어도 알았어요? 기쁘네."

"뭐가 기뻐요?"

"우리가 그만큼 가까워졌다는 증거니까."

방해꾼이 사라지자 연우는 완전히 반가움을 드러내며 웃었다.

"하긴, 술김에 전화도 할 정도면 많이 가깝기는 해. 그렇죠?"

방심한 사이, 뼈 있는 농담이 훅 들어왔다. 세희는 앗 하고 입을 벌린 채 진땀을 흘렸다.

'그러고 보니까, 그날 이후로 처음 보는 거였네.'

술김에 실수로 연우에게 전화를 걸었던 다음 날.

세희는 부랴부랴 자신의 실수를 깨닫고 이불을 걷어찼다. 연우에게 보낸 문자 기록을 확인했을 때는, 그야말로 접시 물에 코를 박을 지경이었다.

전화로 무얼 말했는지 기억나지 않는다는 점도 부끄러움에 한 몫을 차지했다. 연우에게 자신의 마음을 들켰을까 싶어 걱정되었고, 이상하게 볼까 봐 두려웠다.

결국, 복잡 미묘한 마음에 며칠간 연락을 피하고 말았다. 수습할 방도가 없어 선택한 최선책이었다.

"그날 일 깊게 생각하지 마요. 나 괜찮으니까. 사과도 했고, 다 지난 일이잖아요."

그런 세희의 마음조차 다 알아챘다는 듯 연우가 씩 미소 지었다.

세희는 두근거리는 마음으로 다시 그의 얼굴을 찬찬히 뜯어 살폈다. 오늘은 앞머리를 내려서 이마를 가린 탓인지 소년미가 돋보였다.

"촬영…… 중이었어요?"

고개를 끄덕인 연우의 눈매가 반달처럼 휘어졌다.

"한 실장님이 세희 씨 왔다고 귀띔해 줘서 알았어요. 이제 메이크업 수정하고 다시 촬영 들어갈 거예요."

"아, 그렇구나."

그럼 일부러 자신이 방문했다는 말을 듣고서, 확인하려고…….

괜한 기대를 안겨 주는 말에 세희의 볼이 발그레 물들었다. 연우도 세희를 다정히 내려다보며 공연히 미소 지었다.

"어?"

우연히 멀리서 다가오던 선영이 이 모습을 발견하고서 우뚝 멈추었다. 당연했다. 그 유명한 모델 연우가 서 있었으니까.

하지만 더 놀라게 한 건, 그와 마주 선 문세희의 존재였다.

'뭐지? 설마…… 모델 연우랑 진짜 아는 사이인 거야?'

두 사람의 모습을 몰래 지켜보던 선영이 와락 얼굴을 구겼다. 당연히 술자리에서나 오가는 농담이라고 넘겨짚었던 이야기였다.

그런데 지금, 세희는 정말로 연우와 단둘이 오손도손 대화를 나누는 중이었다.

'술자리에서는 그렇게 아니라고 하더니, 뭐가 있긴 했네. 참나…….'

선영은 두 사람을 매섭게 주시하다가 걸음을 돌렸다.

"나 이제 메이크업 마저 받아야 하는데."

분주한 스튜디오의 분위기를 살피던 연우가 가만히 고갯 짓했다.

"얼른 가서 받아요."

"같이 가요."

연우는 얼떨떨한 얼굴의 세희를 자연스레 이끌었다.

"심심하니까 대화 상대 좀 해 줘요."

결국, 정신을 차려 보니 화장대 앞이었다. 심지어 근처에 정아와 가은도 있었다.

"앗, 문 팀장…… 님?"

두 사람은 회식 때 이야기를 믿었는지, 연우를 발견하고 서 초롱초롱한 눈길을 보냈다.

"아, 안녕하세요, 연우 씨! 저희는 문 팀장님이랑 같이 일 하는 팀원들이에요."

"엄청 팬이에요. 혹시 시간 되시면, 나중에 사인이라도 좀……."

세희가 이렇다 할 변명을 내뱉기도 전에 두 사람이 다가 와 인사를 건넸다. 기대 가득한 목소리에 세희도 차마 말리 지 못하고 머뭇거렸다.

"지금 해 드릴게요. 종이 있나요?"

"헉, 진짜요? 종이 있어요, 바로 드릴게요!"

거울 너머로 세희의 표정을 살핀 연우가 싱긋 웃었다. 이 정도는 괜찮다는 뜻이었다.

세희는 고맙다는 뜻으로 살짝 고개를 숙였다. 그사이, 어디선가 종이를 가져오는 두 사람의 대화가 들려왔다.

"문 팀장님, 연우하고 정말 가까운 사이셨구나. 한 실장님이 말씀하셨을 때는 긴가민가했는데……."

"그런데 연우 실제 성격 진짜 좋다. 방송 이미지랑 크게 차이 없네."

"맞아, 어리고 잘생기고 다정하고…… 돈도 많겠지? 다 가졌네, 다 가졌어."

몰래 나누는 대화랍시고 목소리를 낮췄겠지만, 다 들렸다. 세희가 조심히 눈치를 살폈지만, 다행히 연우는 아무렇지 않은 표정이었다.

"여러분, 그럼 이제 가 볼까요? 연우 씨도 곧 촬영……."

"와, 연우 씨는 정말 피부가 좋네요!"

가은이 불쑥 감탄했다. 도저히 대화를 쫓아갈 수 없는 속도였다.

"맞아요, 엄청 하얗고 잡티도 없고. 진짜 부럽다."

갑자기 이야기꽃을 피우는 세 사람의 모습에 세희가 꾹 입을 다물었다. 그냥 연우가 촬영에 들어가기 전까지 기다리는 편이 나을 듯했다.

"저희는 매번 테스트할 때마다 뒤집히더라고요. 뭐 비결이라도 있으세요?"

"피부과 자주 가는 게 비결이라면 비결이죠."

연우가 머쓱하게 웃으며 입을 열었다. 처음 듣는 이야기에 세희도 반사적으로 시선을 옮겼다.

"피부가 약한 편이라서 자주 가거든요."

"앗, 그래요? 이렇게 보면 모르겠는데."

"잘 맞는 화장품이 별로 없어서…… 잘못 쓰면 빨개지고 금방 부어올라요. 괜히 선생님들 힘들게 하니까 죄송스럽기도 하고."

마침 연우의 눈썹을 살펴보던 직원이 슬쩍 한마디를 얹었다.

"하긴, 색조 화장품이 대부분 안 맞으니까…… 연우 씨를 위해서라도 순한 제품 좀 많이 나오면 좋겠어."

"늘 감사해요."

뒤편에서 대화를 지켜보던 세희가 가만히 팔짱을 꼈다. 확실히 피부가 예민한 편이라면, 색조 화장품을 고를 때 까다로울 터였다.

그렇지만 모델이라는 직업상 연우에게 화장품은 늘 마주쳐야 하는 존재였다.

'남성용 색조 화장품이 있으면 어떨까?'

세희는 곧바로 가방에서 다이어리를 꺼내 들었다. 볼펜을 들고서 마구 적기 시작한 모습을 연우가 거울로 지켜보는 줄도 모르고.

'피부 톤을 균일하게 맞추는 정도라면, 수요가 있을지도 몰라. 남자 연예인들도 다 메이크업을 받으니까. 이 부분을 세일즈 포인트로 삼고…… 성분은 순하게, 향기는 부담스럽지 않게.'

열중한 세희의 눈빛이 반짝거렸다. 열의에 가득 찬 눈이 평소보다 더 까맣게 일렁였다. 키스하기 직전, 마주했을 때만큼이나 까맣게.

세희의 얼굴을 빤히 응시하던 연우가 미소를 머금고 속삭였다.

"문 팀장님이야말로 피부가 좋지 않나요?"

그제야 세희가 펜을 움직이던 손을 멈추었다.

"맞아요, 맞아. 저희도 팀장님 처음 뵙고 놀랐잖아요. 피부가 정말 희고 예뻐서."

"팀장님은 비결이 뭐예요? 저희한테만 살짝 알려 주세요."

"비, 비결 같은 건 없는데……."

맞장구치면서 웃는 팀원들의 말에 세희가 수줍게 답했다. 연우는 그 귀여운 얼굴을 마음껏 감상하다가 눈을 깜빡였다.

웃고 떠드는 동안, 어느새 메이크업이 끝나 있었다.

"세희 씨, 나 오늘 저녁에 파리로 화보 촬영 가요."

사진작가의 부름에 달려가기 직전, 세희를 붙잡은 연우가 다급하게 참았던 말을 쏟아 냈다.

갑작스러운 이야기에 세희가 답할 틈도 없이, 그가 아쉬운 얼굴로 소곤거렸다.

"사흘 정도 못 볼 테니까, 이 말 하고 싶어서."

남몰래 세희의 손을 붙잡은 그의 어조가 조심스러웠다.

"다시 편하게 연락해요, 우리. 알았죠?"

하지만 세희에게는 그런 게 전혀 느껴지지 않았다. 손이 붙잡힌 순간, 이미 온 신경을 그쪽에 빼앗겼으므로.

"여, 연우 씨. 나는……."

"그날 일 잊어도 돼. 그러니까 연락 피하지 마요."

술김에 벌인 실수로 괜히 어색해지고 싶지 않은 건, 세희도 마찬가지였다. 하지만 먼저 말하기도 부끄러워서 어쩔 줄 모르고 있었다.

연우는 이 점을 먼저 알아챈 것도 모자라 운을 띄워 준 것이었다. 다시 사이를 가깝게 좁힐 기회를 주고자.

"연우 씨!"

세희는 이 기회를 그냥 놓치면 안 된다고 생각했다. 아무리 그에게 복잡한 마음을 느끼고, 묘한 관계로 시작했다고 하더라도.

"파리에서 돌아오면…… 같이 식사해요."

연우에게 끌리는 마음을 당장 가라앉힐 자신은 없었으니까.

"우리 같이 밥 먹기로 했잖아요."

그러니까, 그날의 식사로 마음의 무게를 가늠할 생각이었다.

"연우 씨?"

당차게 꺼낸 선언이었건만, 상대는 아무 말이 없었다.

세희가 슬그머니 붙잡은 손을 놓으면서 고개를 들었다. 연우가 반대편 손으로 얼굴을 반이나 가리고 있었다.

"왜 그래요? 눈에 뭐 들어갔어요?"

"미안해요, 잠깐…… 내 얼굴 좀 보지 말아요."

그답지 않게 엉성한 변명이었다. 그러고 보니 목소리도 좀 떨렸다. 잠자코 기다리는데, 나직한 음성이 귓속을 파고들었다.

"세희 씨 덕분에…… 처음으로 한국에 빨리 돌아오고 싶을 것 같아."

눈이 마주친 연우가 환하게 미소 지었다.

"응, 좋아요."

"……."

"같이 밥 먹어요, 우리. 꼭."

기다란 손가락 사이로 사과처럼 빨개진 볼 언저리가 보였다. 그걸 본 순간, 세희도 조용히 시선을 떨구었다.

열이 올라서 똑같이 빨개진 제 볼을 숨기기 위해.

피오레 코스메틱의 부사장실.

차진혁의 비서실장인 김규태가 굳은 얼굴로 뒷짐을 진 채, 상사를 빤히 응시했다.

진혁은 이른 아침부터 두통으로 괴로운 표정을 짓고 있었다.

요즘은 약을 먹어도 효험이 적은 모양인지, 유독 힘들어했다. 특히 그의 연인이 이별을 선언한 다음부터는 더욱더.

"김 실장."

결국, 진혁은 자리에서 일어나며 일정 수정을 요구했다.

"오후 라운딩은 내일 오전으로 미루겠습니다. 회장님께 말씀 전하세요."

원래는 차강태 회장과 함께 골프 라운딩을 갈 계획이었다. 하지만 지금 같은 상황에서는 채를 잡아 봤자 집중하지 못할 터였다.

"네, 알겠습니다."

비서실장이 꾸벅 고개를 숙이며 사무실을 떠났다. 홀로

남은 진혁이 사무실을 서성이다가 테이블 앞으로 향했다.

테이블 아래, 맨 마지막 서랍의 잠금을 풀자 자그마한 상자가 튀어나왔다.

진혁이 조심스럽게 상자 뚜껑을 열었다. 그 안에는 낡은 은시계 하나가 들어 있었다. 가늘고 얇은 시곗줄과 시계 표면에 깨진 자국이 가득했다.

"……."

날카로운 시선이 실금 가득한 표면과 멈춰 버린 시침에 닿았다.

진혁은 더는 움직이지 않는 시침이 자신과 같다고 생각했다. 흘러가지 않고, 고여서 썩어 가는 과거의 기억에 갇힌 자신과.

*'안 돼, 세희야!'*

떨리던 그의 손끝이 살며시 유리 표면을 쓸어내린 순간, 다양하고 요란한 소음이 귓가에 폭풍처럼 몰아쳤다.

난생처음 간절하게 내지른 비명. 허공을 찢는 바퀴 소리, 가드레일과 충돌하는 소음. 붕 떴다가 힘없이 추락하는 누군가의 그림자. 바닥을 흠뻑 적시고 물들며 번져 가던…… 핏자국.

"……헉."

진혁은 갈라진 신음을 토해 내며 손끝을 떨어트렸다. 귓속을 가득 메우던 소음이 안개처럼 사라졌다.

여전히 그는 아무 일 없이 평온한 사무실에 서 있었다. 그 풍경을 눈으로 확인하고도 심장의 두근거림은 쉽게 가라앉지 않았다.

"제길……."

쾅, 거칠게 테이블을 내려친 주먹이 가늘게 떨렸다. 며칠 밤잠을 설쳐 실핏줄 터진 눈동자가 형형하게 빛났다.

진혁은 미간을 구긴 채, 시계를 도로 상자에 올려놓았다.

'대체 어떡해야…… 우리 관계를 되돌릴 수 있지?'

오로지 그와 시계만을 남기고 모든 게 변해 버린 지, 벌써 한 달째였다. 악몽은 매일같이 그를 찾아왔고, 한 번도 멈춘 적이 없었다. 세희와 마지막으로 마주했던 파티에서도 똑같 았다.

'네 얼굴을 그 누구에게도 보여 주기 싫으니까.'

'뭐라고요?'

'얼굴뿐만이 아냐. 손, 발, 그 어떤 곳이라도…… 함부로 너를 쳐다보는 새끼마다 그 눈을 다 도려내고 싶을 정도였 거든.'

진혁은 사람이 두 눈을 똑바로 뜨고서도 악몽을 꿀 수 있 다는 걸, 그날 깨달았다.

'나를 사랑하지도 않으면서 집착했다니, 정말…… 우습네요.'

아주 단순하고 치졸한 이기심이었다. 사랑하는 여자를 그 누구에게도 보여 주고 싶지 않다는, 유치한 소유욕.

그걸 들키기 싫었기에 일부러 제 마음을 밝히지 않았다. 대신 자신을 사랑하는 세희의 마음을 인질 삼고서 잔인한 요구나 들이밀었다. 한때는 그게 사랑을 지키는 방식이라고 생각했으니까.

'저는 오늘 연우 씨 파트너로 온 거예요. 차진혁 씨 파트너가 아니라.'

그 결과가 지금 이 꼴이었다. 더 실망할 구석도 없다는 듯이 뇌까리던 세희의 음성이 떠올랐다. 그가 처음 마주하는 눈빛과 표정, 말투. 문세희의 필사적인 싸늘함에 숨통이 조여 왔다.

"이대로는…… 안 돼."

진혁의 눈빛이 표적을 찾아 헤매듯이 기민하게 움직였다. 상자를 도로 서랍에 넣어 단단히 잠그는 손길도 위태롭게 흔들렸다.

그는 떨리는 자신의 손을 무심히 응시하다가 문 쪽으로 돌아섰다. 가만히 있다가는 세희를 또다시 빼앗길 뿐이었다.

시간에, 혹은…… 사람에게.

'퇴근하고 기다려요. 집까지 데려다줄게요.'

촬영이 끝난 직후, 연우는 곧장 세희의 곁으로 달려왔다.

간단하게 샌드위치로 점심을 해결한 세희와 팀원들은 막 돌아가려던 찰나였다.

다가오는 연우의 모습에 가은과 정아가 소리 없이 탄성을 질렀다. 선영만이 못마땅한 표정으로 세희를 곁눈질했다.

'아니에요, 저녁에 출국한다면서요.'

확실히 시간이 아슬아슬했는지, 연우의 눈빛에 고민이 스

쳤다. 세희는 혹시라도 연우가 고집을 부릴까 봐 다급하게
만류했다.

'저도 오늘 야근할 수도 있어서…… 그냥 다음에 같이 식
사해요.'

거듭 거절한 후에야 돌아가던 연우의 표정이 생각났다.
마치 포옹을 거절당한 강아지처럼 시무룩하던 눈빛. 근사한
얼굴로 그런 표정을 짓는 게 묘하게도 더 매력적이었다.

"아…… 또."

세희는 무의식중에 또 연우를 생각했다는 걸 깨닫고 마구
고개를 저었다.

이 정도면 중증이었다. 떡 줄 사람은 생각하지도 않을 텐데.

세희는 하품과 함께 가로등 아래를 터덜터덜 걸어갔다.
사무실로 돌아간 후, 열심히 집중한 탓인지 피로감이 몰려
왔다.

'연우 씨 먼저 돌려보내서 다행이다. 하마터면 곤란하게
할 뻔했어.'

연우는 그녀가 퇴근하기 한 시간 전, 이미 비행기를 탔다.
지금쯤 파리를 향해 떠나는 비행기에서 잠이라도 청하고 있
을 터였다.

연락을 주고받을 수 없다는 아쉬움이 뒤늦게 밀려왔다.
텅 빈 거리를 홀로 걸어가니 더더욱 적적했다.

"……?"

막 대로변을 벗어나 골목으로 접어든 찰나였다.

묵묵히 걷던 세희가 한 박자 늦게 이상함을 감지하고 눈

살을 찌푸렸다. 분명 혼자 걷고 있는데, 발소리가 겹쳐 들리는 느낌이었다.

슬그머니 바닥을 곁눈질했으나 그림자 방향이 반대라 뒤쪽까지 확인하긴 어려웠다.

'돌아볼까?'

꿀꺽, 마른침을 삼키는 소리가 괜히 더 크게 들렸다.

좁은 골목을 밝히는 가로등 불빛이 오늘따라 스산하게 다가왔다. 입술을 달싹이자 흐릿한 김이 어둠 속으로 사라졌다.

'설마…… 누가 쫓아오고 있나?'

불길한 예감이 가슴을 스쳤다. 세희는 힐끔힐끔 옆만 돌아보면서, 조금 더 속도를 높였다. 빠르게 걸으면 걸을수록 수상한 소리도 그만큼 따라붙었다.

'몰래 쫓아올 만한 사람이 대체 누가 있다고…….'

연우는 이미 파리로 떠났고, 절대 이런 짓을 할 사람이 아니었다. 하지만 그가 아니라면 딱히 생각나는 인물도 없었다.

진혁도 마찬가지였다. 그의 성격상 비겁하게 몰래 뒤를 쫓을 리 없었다. 차라리 당당하게 나타난다면 모를까.

'일단 오피스텔 앞까지 가자.'

상대가 누군지 모르니 두려움이 더욱더 강해졌다.

만에 하나 정말로 이상한 목적이 있어서 쫓아오는 사람이라면? 지켜 줄 가족 하나 없는 자신이…… 여기서 무슨 일을 당한다면, 그럼 어떻게 되는 걸까.

'들키지 않게 핸드폰을 미리 들고, 위험하면 바로 경찰서로 연락할 수 있도록…….'

세희는 조용히 코트 주머니에 손을 넣었다. 혹시나 괜한 의심을 사지 않도록, 버튼을 누르는 손길이 은밀하게 움직였다.

집 앞에 도착하자마자 뒤를 돌아보고, 불청객의 정체를 확인할 계획이었다. 그저 같은 방향으로 가는 행인이기를 바라면서.

"……아."

벗어날 수 없는 발소리에 신경을 빼앗긴 사이.

세희는 마침내 도착한 오피스텔 앞에서 처음으로 걸음을 멈추었다. 입구에서 익숙한 차를 발견했기 때문이었다.

차에 기대어 서 있던 남자 역시 세희의 인기척에 고개를 돌렸다. 허공에서 마주친 시선이 어색하게 서로를 향했다.

"늦었네."

새카만 코트 차림의 차진혁이 그곳에 있었다.

"무작정 찾아와서 미안해."

"……."

"정신을 차려 보니 이미 여기였어."

진혁의 입가에 고요한 미소가 맺혔다. 놀라움이 강했지만, 그보다 안도감이 앞서서 찾아왔다. 적어도 등 뒤의 불청객보다 익숙한 사람이었으니까.

"하……."

세희는 가쁜 숨을 내뱉으며 목도리를 움켜쥐었다. 연우의 향기가 났다. 그 향기를 맡으며 진혁의 눈을 보았다. 맹목적인 애정이 오롯이 들어찬 그의 까만 눈이 낯설었다.

"추워? 떨고 있는데."

진혁의 시선도 그새 붉어진 세희의 손끝에 닿았다. 손의 떨림을 확인한 진혁의 눈빛이 가늘게 흔들렸다.

'이제는…… 내가 무서운 지경에 이른 건가.'

진혁은 씁쓸한 마음을 곱씹으면서도 물러나지 않고 자리를 지켰다.

세희는 그를 올려다보기만 할 뿐, 아무 말이 없었다. 침묵하는 그녀의 얼굴을 씁쓸하게 주시하던 진혁이 미간을 좁혔다.

그리움을 녹이느라 눈치채지 못한 점을 뒤늦게 발견한 탓이었다.

"세희야."

그는 낮은 목소리를 내뱉으며 성큼 다가왔다. 더욱 가까워진 세희의 얼굴을 확인하자 의문은 더 확실해졌다.

하얗게 질린 낯에 식은땀 맺힌 얼굴, 공포에 질린 눈빛. 세희는 지나치리만큼 두려워하는 얼굴로 그를 보고 있었다.

"왜 그래, 너."

커다랗고 단단한 손이 가늘게 떨리는 어깨를 짚었다. 그 손바닥의 무게를 느낀 순간, 세희는 참았던 숨을 짧게 토해 냈다.

긴장이 풀린 몸에 조금씩 떨림이 멎자, 세희의 시선도 천천히 진혁의 손에 닿았다.

얼음장처럼 차가운 그의 손끝이 세희보다 훨씬 붉었다. 아주 오래도록 이 자리에서 그녀를 기다렸다는 증거였다.

"손, 놔줘요……."

한때 그와 부부였다는 기억이 몸에 밴 걸까. 빠르게 차오르는 안도감이 오히려 불쾌했다.

"무슨 일인지부터 설명해."

진혁은 단호하게 그녀의 요구를 거절했다. 겁에 질려 붉어진 세희의 눈가를 본 순간, 가슴속에서 뜨거운 불덩이가 타오르는 듯했다. 그런데 이 상태로 놓아 달라니, 그 요구를 들어줄 리 만무했다.

"얼굴이 창백하잖아."

"……."

"대체 무슨 일인데."

진혁이 바싹 마른 입술을 움직이며 그녀를 달랠 때였다.

바스락. 풀숲에서 들리는 자그맣지만 분명한 소리가 신경을 낚아챘다.

그의 시선이 재빠르게 소리가 들린 방향을 정확히 꿰뚫었다. 어둠 너머로 누군가 힉, 놀라서 숨을 삼키는 소리가 들렸다.

진혁이 그대로 어둠을 향해 땅을 박차고 달려갔다. 분노로 눈앞이 시뻘겋게 물드는 찰나, 드디어 불청객의 멱살을 움켜쥐는 데 성공했다.

"악!"

불청객이 통증에 못 이겨 새된 비명을 내질렀다. 그제야 세희의 다리에도 힘이 풀렸다.

그녀는 비틀거리다가 근처에 세워 둔 진혁의 차에 등을 기댔다. 겨우 앞을 돌아보았을 때, 진혁의 손에 붙잡혀 무릎

끓은 불청객이 보였다.

"지금……."

여유를 잃은 진혁의 음성이 거칠게 갈라졌다.

"뭐 하는 거야."

목을 조르는 손에 힘을 주었는지, 불청객이 잔기침을 연거푸 뱉어 냈다. 그 바람에 얼굴을 가리던 모자가 완전히 벗겨졌다.

"다, 당신은……."

가로등 불빛 아래 선명해진 얼굴을 확인한 세희가 새하얗게 질렸다. 그는 한재섭이었다.

"이, 이거 놔! 당신이야말로 뭐 하는 거야!"

세희는 재섭의 얼굴을 확인하고 놀라 그 자리에서 굳었지만, 곧 정신을 차리고 빠르게 달려갔다.

진혁은 아무 말 없이 묵묵하게 재섭의 목을 짓누르고 있었다. 점점 빨개지는 재섭의 얼굴이 잘 익은 토마토 같았다.

그는 한껏 발버둥을 쳐 보았지만, 도통 진혁의 손아귀에서 벗어나지 못했다.

"진혁 씨, 안 돼!"

가까스로 세희의 손이 진혁의 팔에 닿았다. 재섭이 안간힘을 써도 떨쳐 내지 못했던 팔이었다.

그러나 세희의 손이 닿았다는 이유만으로 너무나도 쉽게 풀어졌다.

"기다려, 잠깐만요."

물론 재섭을 완전히 놓아준 건 아니었다. 당장에라도 내리칠 듯 치켜든 주먹에 세희가 기겁하며 만류했다.

"몰래 너 쫓아온 새끼야."

분노를 다스리지 못하고 갈라진 음성이 스산하게 울려 퍼졌다. 적의가 가득한데도 냉랭한 그의 얼굴이 세희는 오히려 소름 끼쳤다.

느슨하게 풀린 팔 밑에서 캑캑거리던 재섭이 마른침을 삼켰다. 숨이 부족한 탓인지 눈앞이 빙빙 돌았다.

"알아, 아는데…… 모르는 사람이 아니라서 그래요, 아는 사람이에요."

"아는 사람이라고?"

세희가 거듭 설명한 후에야 진혁이 완전히 팔을 떨어트렸다.

"큭, 콜록!"

재섭은 성마른 기침을 마구 뱉어 내다가 바닥에 한쪽 무릎을 꿇었다. 급하게 숨을 들이마시는 그의 어깨가 간헐적으로 경련했다.

부끄러움을 느낄 새도 없이 발갛게 변한 눈가에 눈물이 맺혔다. 갑자기 막혔던 숨통이 자유를 되찾자 속에서 쓴 물이 올라왔다.

"쥐새끼처럼 쫓아온 이유가 뭔지, 당장 설명해."

진혁이 경멸의 눈빛을 숨기지 않고서 일갈했다. 귀에 익숙지 않은 명령조에 재섭이 주춤주춤 일어났다.

그의 목에는 진혁의 팔에 짓눌렸던 자국이 벌겋게 부어오르고 있었다.

"그쪽이 누, 누군데? 세희 씨 애인이라도 돼?"

올려다보는 재섭의 낯에 불만이 가득했다. 진혁의 짙은 눈썹이 꿈틀 움직였다. 아직도 정신을 못 차렸나 싶었는지, 쏘아보는 눈빛이 형형했다.

"한재섭 씨."

진혁이 뭐라고 한마디 더 던지려는 찰나, 세희가 한 걸음 내디뎠다.

두 사람 사이로 끼어든 세희의 표정이 냉정하고 엄격했다. 차가운 시선 앞에서 쭈뼛거리던 재섭이 벌떡 몸을 일으켰다.

"이런 식으로 쫓아오신 거, 굉장히 이상하게 보여요. 본인도 아시죠?"

문제점을 짚어 주는 세희의 말투는 상황에 어울리지 않게 차분했다. 그게 못마땅했는지 지켜보던 진혁의 입술이 가볍게 달싹였다.

"아니, 집 가다가 우연히 그쪽이 보여서……."

하지만 그가 끼어들 틈도 없이, 주절거리던 재섭이 별안간 버럭 소리쳤다. 욱하는 마음이 들었는지 얼굴도 시뻘게진 상태였다.

"내가 무슨 짓 했어요? 그냥 말 한번 걸어 보려고 따라온 건데, 무슨 그런 눈으로 봐?"

"집까지 따라오셨잖아요."

"그쪽 걸음이 너무 빨라서 늦게 따라잡은 것뿐이라니까."

재섭은 투덜거리며 코트에 묻은 흙먼지를 털었다. 구겨진 자국을 살펴보면서 나지막이 욕설을 내뱉기도 했다.

세희는 더 대화가 통하지 않으리라는 걸 직감하고서 미간을 구겼다.

"대체 언제부터 쫓아오셨는지 모르겠지만, 굉장히 불쾌하니까 다시는 이러지 마세요."

"아, 예! 안 그래도 그럴 생각입니다."

잔뜩 비꼬는 말투에 가시가 돋쳐 있었다. 재섭은 짜증 섞인 얼굴로 머리카락을 넘기더니, 세희를 위아래로 훑어보았다.

"이제 보니까…… 다 내숭이었네요, 세희 씨? 안 그렇게 생겨서 뒤로 남자 다 만나고."

공격적인 말에 진혁의 얼굴이 서서히 일그러졌다. 그와 다르게, 세희의 마음은 더욱 침착하게 얼어붙었다.

그녀의 분노는 늘 차갑게 타오르고 늪처럼 가라앉았다. 직접 항변해도 상대가 변하는 경험을 단 한 번도 겪어 본 적이 없었기에.

"그럼 연우 선배는 뭐야, 그냥 가지고 노는 건가?"

"이 새끼가……."

평온한 세희의 반응에 더 약이 오르는지 재섭이 낮게 씩씩거렸다. 같잖은 시비에 진혁이 주먹을 그러쥐면서 이를 갈았다.

"이러다 치겠네? 어?"

금방 덤벼들 기세에 재섭이 흠칫하며 새파랗게 질렸다. 방금 진혁의 힘을 온몸으로 체감했기에 밀릴까 걱정하는 느낌이 여실했다.

세희는 진혁이 나서기 전, 보란 듯 핸드폰을 꺼내 들었다.

"그쪽한테 제 이름 불러도 된다고 말씀드린 적 없어요."

대뜸 112를 누르고 들이미는 세희의 행동이 지나치게 자연스러웠다. 이런 일을 한두 번 겪어 본 게 아닌 사람처럼.

그 능숙한 모습을 지켜보는 진혁의 눈빛이 가늘게 흔들렸다.

"또 이러시면 경찰에 신고하든, 직장에 알리든 할 테니까 그렇게 아세요."

"뭐…… 신고? 내가 뭘 했다고 신고를 해?"

재섭의 얼굴이 붉으락푸르락 달아올랐다. 그는 진심으로 억울함을 토로하는 표정이었다.

관심이 생긴 여자를 몰래 쫓아왔다고 이 정도 취급을 받는 걸 이해할 수 없다는 태도였다.

"지금 나 유명인이라고 협박하는 거지? 그런 거야?"

'유명인은 무슨, 소개 듣기 전까지는 누군지도 몰랐는데.'

어이없음에 조용히 혀를 차던 세희가 그를 노려보았다.

재섭은 무언가 더 말하려다가, 뒤편에서 줄기차게 쏘아보는 진혁을 발견했다. 몇 마디라도 더 내뱉으면 가만두지 않겠다는 듯한 눈초리였다.

"쯧……."

이윽고 재섭이 반대편 방향으로 몸을 돌렸고, 적당히 멀어지자 아예 달려서 도망치기 시작했다.

세희는 그 비굴한 모습을 한심하게 지켜보았다. 적어도 이 정도에서 상황이 마무리된 게 다행이었다.

'빨리 이사 갈 집부터 구해야겠네. 이게 무슨 일이야…….'

한재섭의 등장으로 한층 더 피곤해졌다. 세희는 손바닥으로 크게 얼굴을 쓸어내리며 한숨을 내쉬었다. 느리게 돌아서는 그녀의 앞에 진혁이 굳은 얼굴로 서 있었다.

'아, 정리할 게 하나 더 남았구나.'

표정을 보아하니, 간단한 대화로는 돌려보내기 힘들 듯했다.

신혁은 거리를 좁히며 다가오다가 한 걸음을 남겨 두고 멈추었다. 더 다가오지 말라는 듯 눈앞으로 뻗어 온 세희의 손 때문이었다.

"이제…… 정리되었잖아요. 돌아가요."

"지금 이 꼴을 보고도 나한테 돌아가라는 말이 나와?"

난감했다. 진혁의 말대로, 지금 이 상황이 아무렇지 않은 건 아니었다.

그러나 걱정하는 그 태도마저도 위선으로 느껴진 터라, 세희의 목소리는 공연히 날카로워졌다.

"이게 내 탓이라는 거예요?"

"그 뜻이 아니잖아. 지금 들어가는 건 위험하다고. 저 새끼가 다시 돌아오면 어떡할 건데."

"경찰에 신고하면……."

"신고할 때면 늦어!"

답답한 마음에 언성을 높였으나 세희는 미동조차 없었다. 물끄러미 올려다보는 눈동자에 그를 향한 신뢰라곤 보이지 않았다.

총기 맺혀 반짝이던 그녀의 시선을 낱낱이 기억하던 진혁에게 가혹한 풍경이었다.

"방금도 나 아니었으면…… 무슨 일이라도 당했으면. 그때는 어떡하려고 이렇게 담담해, 너."

아랫입술을 꽉 깨문 진혁의 눈빛이 불안하게 흔들렸다.

"담담한 게 아니라 익숙할 뿐이에요."

"뭐?"

"이런 일이 처음도 아니니까요."

더없이 차분하던 세희의 말투가 조금씩 뾰족해졌다.

"그럼 돌봐 주는 사람 하나 없는 여자애가 뭐 얼마나 순탄히 살아왔을 것 같은데요?"

"세희야."

재섭을 향한 분노가 사라지자 그 자리에 부끄러움이 스멀스멀 찾아왔다.

하필 진혁의 앞에서 이런 모습을 보이다니, 최악이었다. 정말 그가 없었다면 어떻게 되었을까.

재섭에게 악의가 없었더라도 이건 충분히 무서운 일이었다. 특히 어릴 적부터 자주 이런 일을 겪었던 세희에게는.

"나는 이런 일 익숙해요."

그러나 세희는 제 두려움을 내색하지 않았다. 그 여린 부분을 진혁에게 들키고 싶지도, 그가 알아주기도 원하지 않았다.

이제 진혁은 세희에게, 자신의 여린 부분까지 모두 품어 주길 바라는 상대가 아니었으므로.

"그러니까 진혁 씨한테 아무것도 부탁할 생각 없어요."

진혁은 그저 남이었다. 이번 생에서는 남편조차 아니었

다. 아무런 부산물도 남기지 않고 끝나 버린 연애의 결말이 후련했다.

그 역시 후련할 터였다. 진혁에게 자신은 그냥, 운 좋은 시기에 눈에 띈 여자였을 뿐이니까.

차강태 회장이 후계자를 독촉할 때에 맞춰 그를 사랑한 것도 모자라 아무런 대가도 바라지 않은, 멍청하고 미련한 여자.

"그만 돌아가요. 오늘처럼 찾아오지도 말고."

매몰차게 무시하고 지나치려는데 손목이 붙잡혔다.

"가자."

세희가 억센 힘에 놀라서 고개를 돌리자, 진혁이 무작정 걸음을 옮겼다. 질질 끌려가며 방향을 확인하니 그가 주차한 세단 쪽이었다.

세희가 다급히 발끝에 힘을 주며 버텼지만, 진혁도 완고했다. 그녀는 질질 끌려가면서 당혹스럽게 따져 물었다.

"가다니, 어디를……."

"어디겠어. 우리 집이지."

단호한 대답에 조소가 그려졌다. 우리 집이라니, 우스운 표현이었다.

세희가 홱, 그의 손을 세게 뿌리치면서 물러섰다. 거칠게 숨을 몰아쉬는 세희의 입술 너머로 하얀 입김이 흐트러졌다.

"아뇨. 틀렸어요. 우리 집이 '될 뻔했던' 장소겠죠. 결혼했다면."

"문세희."

"하지만 결혼 얘기도 없어지고, 이제 남남인데…… 내가 그 집으로 갈 이유, 없어요."

고집스레 버티는 태도에도 진혁은 물러서지 않았다.

"이유가 왜 없어."

"무슨 이유가 있는데요."

"내가 아직 너를 사랑하잖아."

하, 짧은 비웃음이 세희의 입술에서 흘러나왔다.

"그게 뭐요."

"……."

"차진혁 씨, 당신이 나 사랑하는 게 뭐 얼마나 대단한 일이라고요?"

가시 돋친 말투에 적의가 일렁였다.

"선심 쓰듯 말하지 마요. 나 당신 도움, 하나도 필요 없어."

"문세희!"

"대체 당신이 언제부터 내 걱정을 했다고 이러냐고요!"

분노에 못 이겨 흔들리는 세희의 목소리가 위태로웠다. 화를 낼수록, 속이 뜨거워지다 못해 까맣게 타들어 갔다.

진혁을 상대할 때면, 쓸데없는 기억까지 몰려와 도저히 냉정해질 수 없었다.

'우리가 왜 이렇게 되었을까.'

붉어지는 세희의 눈가에 진혁이 입을 다물었다. 그 질문에 대한 답은 이미 알고 있었다. 모든 게 자신의 탓이라는 걸.

알면서도, 한 톨의 미련을 버리지 못해서 세희의 곁을 찾게 된다는 걸.

"……."

길어지는 침묵 앞에서 서로의 시선이 부딪쳤다. 팽팽하게 당겨진 침묵이 언제 터질지 모를 폭탄과 같았다.

진혁은 나직한 한숨을 뱉어 내며 표정을 굳혔다. 그는 무슨 수를 써서라도 세희 곁을 지키고 싶었다. 지금은 감정보다 이성적인 판단에 손을 들어 줄 때였다.

"차연우도 알아?"

여태껏 평온하던 세희의 얼굴에 처음으로 놀란 표정이 떠올랐다.

"무슨……."

"차연우도 아느냐고. 너한테 쥐새끼 붙은 거."

진혁의 새카만 눈이 어둠 속에서도 형형하게 빛났다.

"연우 씨한테…… 쓸데없는 말 하지 마요."

눈에 띄게 변한 표정과 말투, 떨리는 목소리.

인정하고 싶지 않지만, 세희는 연우라는 이름 앞에서 흔들리고 있었다. 그 모습을 직시한 순간, 괜한 질문을 꺼냈다는 생각이 들었다.

"네가 잊었을까 봐 다시 알려 주는 거야."

물론 내뱉은 말을 주워 담을 방법 따위 없으니, 진혁은 담담히 말을 이었다.

"나와 차연우는 이복형제고, 피가 섞였다는 걸."

진혁은 그녀가 애써 무시하려고 노력했던 점을 친절하게도 알려 주었다.

한번 시작된 생각이 꼬리를 물면서 이어졌다. 세희의 낯은 점점 어두워졌다.

어쨌든, 진혁의 말은 사실이었다. 두 사람의 아버지가 같다는 점에서.

"둘이 특별한 관계가 된다면, 우리도 어떤 식으로든 다시 만날 수밖에 없어. 그러니까 잘 생각해."

"생각이라니, 뭘……."

"차연우와 특별한 관계가 되는 건, 너한테도 별로 좋은 생각이 아니야."

차연우, 차진혁. 둘 중 하나를 만나면, 나머지 하나도 마주칠 수밖에 없었다.

세희도 그 점을 모르지 않았기에 내내 고민하고 흔들렸다. 다만 연우를 만날 때면, 그 고민마저 사라질 정도로 즐거웠다.

그래서 잠시 잊었다. 차진혁과 자신의 옛 기억을. 그사이에 느꼈던 고통과 슬픔을. 차강 그룹 사람과 얽히면, 얼마나 고된 생활이 이어지는지도.

"이런 식으로 나랑 가족이 되는 건, 너도 원치 않잖아."

"대체 나한테 왜 이래요?"

무기력하던 세희의 목소리에 바짝 힘이 들어갔다. 그녀는 발악하고 싶었다. 어째서 이러는지 따져 묻고 싶었다.

"너를 지키고 싶어서."

하지만 돌아온 대답 앞에서 이번에는 비웃음조차 나오지 않았다.

허탈했다. 이미 끊어진 인연을 붙들고서 왜 돌아가지 않느냐고 따져 봤자 무슨 의미가 있다고. 이제는 차진혁이 가없을 지경이었다.

"지킨다니, 너무…… 늦었어요."

다른 사람도 아니고, 차진혁이 불쌍하게 보이는 날이 오다니.

가만히 그를 지켜보던 세희의 시선이 무의식중에 아래로 옮겨졌다. 납작한 배를 내려다보니 들어 본 적도 없는 아이의 울음이 귓가를 맴돌았다.

"다 끝났다고요."

지긋지긋한 환청에서도 막 벗어날 시기였다. 그런데, 왜 하필 지금…….

"세희야."

"나는 진혁 씨랑 다시 잘해 보고 싶은 마음이 하나도 없어요."

진혁의 태도가 절절할수록 세희의 마음은 혼란스러웠다. 간단하게 말하자면, 그의 태도는 이별을 말한 직후부터 너무나 많이 변해 버렸다.

대체 무슨 깨달음을 얻고 이러는지 모르겠지만, 진작 변했다면 좋았을 터였다.

그럼 적어도 아이를 잃고 비통함에 스스로 목숨을 버리는 일이 생기지 않았을 테니.

"그러니까 여기까지만 해요, 제발."

세희의 목소리에 간절함이 묻어났다. 그녀의 밤하늘 같은 눈이 진혁을 응시했다. 슬픔이 응어리진 눈빛에 진혁이 이를 악물었다.

"내가 지금보다 더 진혁 씨를 미워하게 하지 말아요."

진솔한 대답에 세희의 마음이 오롯이 담겨 있었다. 연우에게 이 일을 숨기려 하는, 필사적인 마음이.

결과적으로 그 마음은 진혁을 더욱 깊은 절망으로 빠트렸다. 그게 애정을 포함한 걱정이라는 걸 알고 있었으니까. 한때 세희가 제게 그랬던 것처럼.

"……이만 들어갈게요."

세희는 그의 눈을 외면하면서 오피스텔 입구로 들어섰다. 냉랭한 뒷모습에 진혁도 차마 더 붙잡지 못하고 손을 떨구었다.

멀어지는 발소리가 완전히 사라질 때까지 그는 움직이지 않았다. 세희가 들어간 후에도 안심하지 못해 한참 제자리를 서성였다.

그렇게 몇 분이 흘렀을까.

"……."

손끝이 다시 차갑게 얼어붙을 즈음, 그는 차로 돌아왔다. 운전석에 올라 핸들을 붙잡은 손이 작게 떨렸다.

"지금보다 더…… 미워하게 하지 말라고."

홀로 남겨지자 세희가 했던 말이 자꾸만 떠올랐다.

오늘은 기필코 고백할 생각이었다. 자신에게 어떤 일이 일어났는지, 왜 이토록 필사적으로 구는지. 세희를 붙잡아 제 곁에 둬야만 하는 이유까지도.

아마 쓸데없는 방해꾼이 등장하지만 않았더라면, 전부 다 밝혔을 터였다.

'하지만, 세희야.'

차라리 지금은 네가 날 미워했으면 좋겠어. 그래서 내 존재를 잊지 않았으면 좋겠어. 차연우와 있을 때조차 내가 생각날 만큼……

'그렇게 만들 수 있다면, 나는 뭐든지 할 거야.'

핸들을 움켜쥔 그의 손등에 푸른 핏줄이 돋았다.

❀　　❀　　❀

삼 일이 지나고, 연우가 돌아오는 날이 되었다. 길고도 짧게 느껴진 시간이었다.

세희는 아침부터 붉게 충혈된 눈을 손거울로 유심히 살폈다. 밤새 신제품 프로젝트 준비에 신경을 쓴 탓이었다.

더불어 다른 이유도 있었다. 삼 일 전의 소동 때문에.

[나 스튜디오 도착했어요. 시간 괜찮을 때 전화해요.]

휴게실에서 커피를 가져와 자리로 돌아오니, 테이블 위 핸드폰이 짧게 진동했다.

마침 도착한 문자를 보며 세희가 반갑게 미소 지었다. 연우는 새벽에 공항에 도착하자마자, 곧장 다음 촬영을 위해 스튜디오로 이동한 모양이었다.

'돌아온 지 얼마나 되었다고 바로 일이라니.'

새삼 그의 인기가 실감이 났다.

세희는 따뜻한 아메리카노 한 모금을 삼키면서 핸드폰을 응시했다. 도착한 내용을 보고 또 봐도 떨리는 마음이 도통 진정되지 않았다.

연우가 파리에 머무는 동안, 두 사람은 가볍게 메시지를 주고받았다. 다만 재섭의 이야기는 일절 꺼내지 않았고, 다행히 그동안 재섭과 마주친 적도 없었다.

'이대로 지나가 준다면 고마울 텐데.'

차라리 서로 없던 일로 넘어간다면, 마음이야 편하겠거니 싶었다. 문제는 재섭이 진혁의 얼굴을 기억했을지도 모른다는 점이었다.

세희는 그게 마음에 걸렸다. 그날은 어두워서 몰랐다 치더라도 진혁은 그보다 훨씬 유명한 재벌 2세였으니까.

'괜히 연우 씨 귀에 들어가면 귀찮아질 이야기니까.'

세희는 이 일을 필사적으로 숨기고 싶었다. 재섭이 자신을 쫓아온 일도, 진혁이 집 앞에서 기다렸다는 일도 전부.

연우에게 괜한 걱정을 안겨 주고 싶지 않았다. 게다가 자신도 필요 없는 일에 일일이 신경을 빼앗기고 싶지 않았다.

'오늘 원래 식사하려고 했지만, 어쩔 수 없지.'

세희는 그날 이후 이사를 진지하게 고려하기 시작했다. 당장 오늘도 퇴근 후, 부동산에 들러 매물을 찾아볼 계획이었다.

"음……."

핸드폰에서 시선을 뗀 사이, 옆쪽에서 앓는 소리가 들렸다.

세희가 커피를 책상에 올려 두고서 그쪽을 보았다. 머리를 질끈 올려 묶은 정아가 유심히 거울을 보고 있었다.

새로 개발한 틴트를 사용하던 중인지 책상에 물티슈가 가득 쌓여 있었다.

"밀착력이 괜찮네. 체크, 발색은 나쁘지 않은데…… 좀 더 촉촉하면 좋겠다."

정아는 연신 중얼거리며 물티슈로 입술을 꼼꼼하게 닦았다. 그녀의 손가락 사이사이에 틴트 자국이 고스란히 남았다.

종이에 보완해야 할 내용을 적어 내려가는 손길이 빨라졌다. 하도 덧바르고 지우던 통에 튼 입술이 아파 보였다.

"정아 씨."

세희는 서랍을 뒤적여 예전에 피오레 코스메틱에서 개발했던 립밤을 꺼냈다. 틴트를 내려 둔 정아가 활짝 웃으며 고개를 돌렸다.

"네, 팀장님!"

곧장 발랄하게 대답하는 모습이 꼭 병아리 같았다. 세희는 포장을 뜯은 립밤을 건네주면서 웃었다.

"이거 써 보세요. 보습력 괜찮거든요."

"앗, 감사해요. 피오레에서 일하실 때 개발하신 제품이에요?"

"맞아요."

정아의 눈빛에 존경하는 기색이 깃들었다. 그녀는 신나게 뚜껑을 열더니, 입술에 립밤을 부드럽게 문질렀다.

"테스트도 좋지만, 입술 안 트게 조심해요. 따끔하니까."

"네, 팀장님."

촉촉해진 입술을 보니 그제야 마음이 놓였다.

안도한 세희가 다시 모니터를 보려는데, 립밤을 내려 둔 정아가 다시 고개를 돌렸다.

"참, 한 실장님께서 오후에 스튜디오로 사람 좀 보내 달라고 연락하셨어요."

"네? 사람이요?"

"자세한 얘기 적어 뒀는데…… 아, 여기요."

정아가 급하게 적어 둔 메모지를 그녀에게 전달했다. 세희는 고맙다는 대꾸와 함께 서둘러 메모를 확인했다.

스튜디오에서도 샘플을 테스트해 볼 생각이니, 설명이 가능한 직원을 하나 보내 달라는 내용이었다.

이왕이면, 세희가 직접 오는 편이 좋겠다는 문장도 마지막에 적혀 있었다. 공교롭게도 세희에게는 상당히 곤란한 요구였다. 왜냐하면…….

'한재섭이 오늘도 촬영 중이면 어떡하지?'

괜히 그와 마주쳤다간 또 시비가 붙을 터였다. 그날의 일로 불만이라도 품었다면 큰일이었으니까.

다행히 지난 며칠간 자신을 찾아오거나 하지는 않았지만 말이다.

그렇다고 한재섭이 오늘 그곳에 왔는지, 한 실장에게 연락해서 물어볼 수도 없었다. 괜히 쓸데없는 질문이나 듣게 될 테니까.

"왜 그러세요, 팀장님?"

고민하는 세희의 모습이 낯설었는지 정아가 힐끗 쳐다보았다. 세희는 멋쩍게 볼을 긁적이며 대꾸했다.

"아뇨, 외근하기엔 일정이 복잡해서요. 으음…… 어떻게 해야 할지 고민이네요."

아랫입술을 잘근거리는 세희의 표정에서 초조함이 드러났다. 열의 넘치는 막내 직원답게, 정아가 슬그머니 고개를 기울였다.

"제가 갈까요?"

"정아 씨, 샘플 효과 다 외웠어요? 실장님께 일일이 설명도 드려야 할 것 같은데."

"……."

"괜찮아요. 일한 지 얼마 안 되었으니까 어쩔 수 없어. 원래 다 그래요."

세희는 풀이 죽은 정아를 위로하며 머쓱하게 웃었다. 마땅히 또 부탁할 사람이 있나 고민하는데, 두 사람의 머리 위로 그늘이 졌다.

"제가 갈게요."

갑자기 끼어드는 목소리에 두 사람이 휙 고개를 들었다. 등 뒤에 무덤덤한 얼굴의 선영이 서 있었다.

"샘플 목록 주세요. 보고서 준비하면서 효과도 다 외웠고, 어차피 외근 나가니까 가다가 들를게요."

선영이 옆구리에 낀 지관을 내려놓으며 오른손을 내밀었다. 듣던 중 반가운 소리에 세희의 목소리가 높아졌다.

"선영 씨, 외근 나가요?"

"연구소 쪽에서 샘플 확인해 달라고 연락이 와서요."

선영은 지관 뭉텅이를 대뜸 정아의 품으로 넘겼다. 얼떨결에 받아 든 정아의 안경이 삐뚤어졌다.

"정아 씨가 나 대신 지관 분류 좀 해 줄래? 손이 부족하네."

"아, 네, 제가 할게요."

정아가 안경을 급하게 고쳐 쓰며 대답하는 동안, 세희가 그녀의 품에서 지관 반절을 빼앗았다.

"같이해요, 정아 씨."

"괜찮아요, 팀장님! 저 금방 할 수 있는데……."

"양이 많아서 힘들 거예요. 같이하면 더 빨리 끝날 거고."

"헤헤, 그럼 감사합니다."

다정하게 웃는 세희를 내려다보던 선영이 자그맣게 코웃음 쳤다.

'착한 척하기는.'

선영은 아무리 지켜봐도 세희가 탐탁지 않았다. 그녀에게 자리를 빼앗기지만 않았더라면, 팀장님 소리를 듣는 건 자신이었을 테니까.

선영이 못마땅하게 지켜보는 줄도 모르고, 세희는 서랍에서 샘플이 담긴 봉투를 꺼내 전달했다.

"그럼, 부탁드릴게요."

"네, 다녀오겠습니다."

세희는 조마조마한 마음으로 사무실을 나서는 선영을 지켜보았다. 분명 잘 해결되었는데, 어째선지 모르겠으나 기분이 찝찝했다.

'내 착각이겠지.'

불안한 예감이 스멀스멀 퍼졌지만, 짧게 울리는 핸드폰 진동에 모든 생각이 날아갔다.

요란하게 진동하는 핸드폰 화면에 연우의 번호가 떠 있었다.

스튜디오의 모델 대기실.

옷을 갈아입은 연우가 소파에 앉아 신중히 핸드폰을 들여다보았다. 핸드폰 화면에는 세희의 연락처가 크게 떠 있었다.

'지금 전화해도 괜찮겠지.'

그는 약간의 망설임 끝에 버튼을 눌렀다. 다행히 얼마 지나지 않아 상대가 전화를 받았다.

—여보세요? 연우 씨?

연우는 반가움과 기쁨에 못 이겨 활짝 미소를 지었다.

"세희 씨, 통화 괜찮아요?"

—네, 잠깐 휴게실로 왔어요.

"일하느라 바쁜데 방해한 건 아니죠? 기다릴 생각이었는데, 곧 촬영 들어가서."

—괜찮아요. 아직 이른 시간이라…….

중얼거리는 목소리 뒤에 가벼운 웃음이 뒤따랐다.

귀를 간질이는 웃음이 이토록 반가운 일이던가. 연우는 공연히 미소 지으며 머리칼을 넘겼다.

세희를 알게 된 후부터, 그녀와 연락할 때면 웃음을 감추기 어려웠다. 가만히 목소리를 들을 뿐인데도 마찬가지였다.

"오늘 퇴근하고 식사 어때요?"

흠흠, 목소리를 가다듬은 그가 본론을 꺼냈다. 파리로 떠나던 날, 세희의 제안에 두근거렸던 기억이 떠올랐다. 가슴이 설레서 벅찰 만큼 반가운 제안이었다.

"세희 씨가 좋아하는 음식 먹으러 가요. 나는 다 괜찮으니까."

—저기, 연우 씨.

"저번에 갔던 그 레스토랑, 다시 갈까요? SNS 보니까 새로운 파스타도 나왔던데."

연우는 머릿속 기억을 뒤적이면서 들뜬 목소리로 설명했다. 공항에서 스튜디오로 돌아오는 길에서도 세희와 어디서 식사하면 좋을지 고민하던 참이었다.

후보를 하나둘 들려주면서도 심장이 두근거려서 목소리가 떨렸다.

"끝나면 제가 회사 앞으로 갈게요. 같이……."

—연우 씨, 잠깐만요!

그때, 세희가 다급하게 연우의 말을 가로막았다. 열심히 설명하던 연우가 움찔하며 입을 다물었다.

겨우 되찾은 침묵 앞에서 가벼운 한숨 소리가 내려앉았다. 이윽고 세희가 침착하게 사정을 설명했다.

—정말, 정말 미안한데…… 오늘 저녁은 좀 힘들어요.

"네?"

—갑자기 추가된 업무가 있어서요. 다른 날은 안 될까요?

조심스럽게 물어보는 세희의 목소리도 살며시 떨렸다. 그녀 역시, 연우가 오늘만 기다렸다는 사실을 알기에 더 조심스러운 모양이었다.

"늦어도 괜찮은데. 기다릴게요."

연우는 벽에 걸린 시계를 곁눈질하며 싱긋 웃었다.

—네? 아, 아니에요!

세희의 목소리가 더욱 빨라졌다. 어떻게든 오늘만은 피해야겠다는 의지가 담긴 목소리였다.

언우는 처음으로 당황하여 귓가에서 핸드폰을 살짝 떨어트렸다. 뭐지 싶은 순간, 세희의 초조한 권유가 이어졌다.

—기다릴 필요 없어요. 오늘 돌아와서 연우 씨도 힘들잖아요? 나중에 먹어요.

"저 그렇게 힘들지 않은데."

—그, 그래도…….

그제야 뭔가 이상하다는 걸 깨달았는지, 연우의 눈이 가늘어졌다.

'안 된다는 이유가 단순히 업무 때문일까?'

의심이 피어올랐으나 연우는 내색하지 않고 서운한 척 속삭였다.

"돌아오는 날 같이 식사하자고 했으면서."

—정말 미안해요. 이번 주말은 어때요?

눈에 보이지 않았지만, 어깨를 축 늘어트렸을 세희의 모습이 머릿속에 아른거렸다.

—아니지, 피곤할 텐데 더 오래 쉬는 게 좋겠죠? 그럼 다음 주……?

안절부절못하는 어조에 연우가 끝내 참지 못하고 풋, 웃음을 흘렸다.

연우는 세희를 곤란에 빠트릴 생각 따위 추호도 없었다. 그저 세희도 자신만큼 이 만남을 기대했는지, 그게 궁금했을 뿐이었다.

그걸 확인하니 날짜에 큰 의미가 없어졌다. 보고 싶은 마음이 더 강해졌다는 부작용이 존재했지만.

"농담이에요."

―네?

"꼭 오늘 아니어도 좋아요. 같이 식사한다는 사실이 중요하니까."

다정다감한 대꾸에 세희가 흡, 숨을 들이켜는 소리가 들렸다. 이런 반응에 익숙지 않았는지 살짝 당황한 눈치였다.

"일 열심히 하고 조심해서 퇴근해요. 마음 바뀌면 연락해도 괜찮고."

연우는 시계를 확인하며 몸을 일으켰다. 슬슬 촬영에 들어갈 시간이었다. 안도했는지 세희의 목소리는 한결 부드러워진 상태였다.

―이해해 줘서 고마워요.

"이해라니, 당연한 일인데. 크게 신경 쓰지 마요."

오늘 일도 힘내요.

진솔한 응원의 한마디를 마지막으로 전화가 끊어졌다. 꺼진 핸드폰 화면을 바라보는 연우의 눈길에 미련이 어렸다.

사실 꽤 아쉬웠지만, 완전히 취소된 것도 아니니 괜찮았다. 차라리 그동안 뭘 먹을지 더 깊이 고민해 보는 것도 나쁘지 않을 것 같았다.

"연우야, 가자!"

벌컥, 문이 열리고 스태프 한 명이 허겁지겁 그를 찾았다.

연우는 핸드폰을 주머니에 넣고 문 쪽으로 달려갔다.

문밖으로 나와 복도를 지나가는 동안, 먼저 촬영을 마친 후배들이 옆으로 지나쳤다.

"!"

그중에서 눈이 마주친 후배, 한재섭이 멈칫하며 그 자리에서 굳었다.

재섭은 초조한 시선으로 연우를 보는가 싶더니 별안간 입술을 달싹였다. 그에게 말을 붙이고 싶어서 안달이 난 눈치였다.

"아……."

하지만 눈이 마주친 순간, 연우는 그를 무시하고서 곧장 직진했다.

어정쩡하게 입을 열다가 굳어진 재섭의 낯이 조금씩 일그러졌다. 세희로 인해서 미운털이 박혔다는 걸, 전혀 눈치채지 못한 얼굴이었다.

오히려 이상한 오해가 쌓여 가는 재섭의 눈길이 사나워졌다.

"선배, 안녕하세요."

"그래, 수고해."

심지어 재섭의 옆에 있던 석현이 인사했을 때는 씩 웃어주었다. 대놓고 차별한다고 느낀 재섭의 얼굴이 부끄러움으로 확 달아올랐다.

재섭은 연우가 자리를 뜨자마자 석현의 소매를 당겼다.

"왜?"

"따라와. 할 말 있으니까."

휴게실로 향하는 동안, 재섭은 연신 분노를 감추지 못했다. 무슨 일인지 알 리 없는 석현이 휴게실로 뒤따라 들어가며 문을 닫았다.

"열 받네, 진짜."

단둘이 남겨지자마자 재섭이 머리를 마구 헝클어트리며 욕설을 내뱉었다. 석현은 주머니에서 동전을 꺼내 자판기에 집어넣으며 물었다.

"뭐가?"

"서연우 말이야. 뭐가 잘났다고 저렇게 사람을 무시하냐?"

뜻밖의 이야기에 석현이 눈썹을 찡그렸다. 서연우가 누구를 무시한다니, 생전 처음 듣는 험담이었다.

동의할 구석이라곤 조금도 보이지 않았으므로, 석현은 고개를 갸웃거렸다.

"음…… 선배가 잘나시긴 했지. 우리 중에 돈도 제일 많이 받고."

정확히 사실만을 말하자, 재섭의 표정에 강한 균열이 생겼다. 그는 잔뜩 일그러진 얼굴로 자판기를 쾅 걷어찼다.

"누가 몰라서 하는 소리야? 그렇다고 사람 막 무시해도 되냐고."

막 음료수를 뽑아 몸을 일으키던 석현이 흠칫 놀라서 물러섰다.

"연우 선배가 대체 누구를 무시했는데?"

대뜸 일방적인 주장만 펼쳐 대니 이해할 수 있을 리가 없었다. 석현은 영문을 모르겠다는 얼굴로 되물으며 음료수

캔을 땄다.

그가 기억하는 서연우의 모습은, 차분하고 인상 좋은 선배일 뿐이었다. 심지어 다정하고 배려가 몸에 밴 사람.

"아까 다 같이 먹으라고 커피도 사 주셨는데. 저런 선배가 어디 있다고 그러냐, 너는. 복 받은 줄 알아라."

"복은 무슨."

"너 못 들었어? 선배 중에 기합 주는 인간들 얼마나 많은데. 괜히 군기 잡고…… 모르면 됐다."

쯧쯧, 혀를 찬 석현이 음료수를 한 모금 마시며 고개를 흔들었다. 실제로 모델 사이에서는 아직도 군기를 잡는 사람들이 적지 않았다.

그러나 연우는 모델로 활동할 당시에도, 루비노 에이전시를 차렸을 때도 늘 한결같았다.

그는 절대로 사람을 쓸데없는 이유로 무시하거나 깔보지 않았으며 항상 겸손했다. 후배들에게는 그야말로 동경의 대상이 될 수밖에 없는 사람이었다.

"너는 모르면 가만히 있어."

재섭은 초조하게 제자리를 빙글빙글 돌면서 중얼거렸다.

"내가 특별히 정보 하나 알려 주려고 했는데, 저렇게 나오면 곤란하지……."

"무슨 정보?"

돌아다니던 발걸음이 우뚝 멈추었다. 음료수를 마시던 석현이 그를 돌아보았다.

"연우 선배가 요즘 좋아하는 여자 생긴 것 같은데, 그거랑 관련된 정보."

재섭은 비밀로 하라는 듯 한껏 목소리를 낮추었다.

"여자?"

뜬금없는 말에 석현이 미간을 찌푸렸다.

"선배도 남자인데, 여자 만날 수도 있지. 그게 왜?"

"그냥 평범한 여자면 내가 이러겠냐?"

잠시 뜸을 들이던 재섭이 곧 기세등등한 태도로 돌변했다. 마치 연우의 약점이라도 쥔 것처럼 당당한 모습이었다.

석현이 미심쩍은 눈빛으로 쳐다보는 가운데, 그가 입을 열었다.

"아무래도 그 여자가…… 양다리를 걸친 것 같아. 확실해."

"양다리?"

이건 또 무슨 소리인가.

석현은 재섭이 기어이 질투로 미쳤나 싶었는지, 오른손을 휙휙 내저었다.

시야를 가리는 손바닥에 재섭이 뭐 하냐며 성질을 부렸다. 석현은 의심 가득한 눈빛으로 재섭을 위아래로 훑었다.

"그 여자가 누군데?"

"문세희."

"문세희?"

적당히 대꾸하던 석현이 코웃음을 쳤다.

"우연인가, 내가 아는 사람이랑 이름이 똑같네……."

석현이 실없이 대꾸하며 음료수를 마셨다. 반면, 재섭은 번뜩이는 눈으로 그를 쳐다보았다.

"아는 사람? 누구?"

"피오레 코스메틱에서 일하는 친구가 있는데, 저번 달에 들은 얘기가 있거든. 부사장하고 사귀던 여자가 파혼했는데, 사내 연애였대."

"뭐?"

"파혼하고 직장 옮겼다던데…… 하긴, 나라도 그랬을 듯."

석현이 잽싸게 검색한 핸드폰 화면을 재섭의 눈앞으로 들이밀었다.

"이게 부사장 얼굴."

핸드폰 화면에 최신 기사가 나타났다. 기사에 찍힌 건, 근사한 남자의 얼굴이었다. 남자의 얼굴을 단번에 알아본 재섭이 두 눈을 크게 떴다.

"이 사람이야……."

"뭐?"

"이 사람이었다고, 그 여자랑 있던 남자!"

엄청난 사실을 발견한 것처럼 흥분한 재섭이 목소리를 높였다. 석현이 목소리를 낮추라는 눈짓을 보냈으나 소용이 없었다.

"뭔 소리야? 아까는 연우 선배가 좋아하는 여자 같다며."

"그러니까 같은 사람이라고. 아니, 애초에 파혼했다면서…… 왜 계속 만나지? 뭔가 이상한데?"

"네가 잘못 본 거겠지."

"아니라니까!"

재섭은 답답하다는 얼굴로 가슴을 퍽퍽 두드렸다. 고개를 절레절레 흔든 석현이 그를 무시하고 문으로 다가갔다.

"쓸데없는 말 그만하고 나가자, 슬슬. 나 약속 있어."

"내 말 못 믿겠냐?"

"그래, 못 믿겠……."

쾅!

석현이 벌컥 열어젖힌 문에 작은 충격이 전해졌다. 그는 깜짝 놀라 시선을 내렸다.

이마를 감싸고 바들바들 떠는 여자가 보였다. 아무래도 문 앞에 서 있다가 부딪친 모양이었다.

"헉! 괜찮으세요? 제가 문을 너무 세게 열어서……."

여자의 시선이 빠르게 한재섭의 얼굴을 스쳤다가 멀어졌다. 그녀는 필사적으로 얼굴을 가린 채, 오른손을 마구 휘저었다.

"괘, 괜찮아요."

괜찮다는 말만 반복하던 여자가 이윽고 반대 방향으로 달려갔다.

"앗, 잠깐만요!"

여자를 놓친 석현이 찝찝한 마음에 머리를 긁적였다. 설마 다 들은 건 아니겠지 싶었지만, 달려가 붙잡기엔 이미 늦었다.

'이 녀석 목소리가 좀 크긴 했지만…… 에이, 못 들었겠지. 문도 닫혀 있었고.'

이내 대수롭지 않게 넘긴 석현이 문밖으로 빠져나왔다.

한편, 멀찍이 도망친 여자가 이마를 쓱쓱 문지르면서 고개를 들었다.

'무슨 소리야, 이게 다?'

문 너머에서 대화를 몰래 들은 사람은 다름 아닌 선영이었다.

선영은 황당하다는 표정을 감추지 못하고 엿들은 대화를 곱씹었다. 가방을 든 손이 놀라움으로 세차게 떨렸다.

'문 팀장이 양다리를 걸친다고?'

지나가던 도중, 큰 소리에 놀라 귀를 대 본 게 문제였을까.

선영은 갑자기 알게 된 사실에 이리저리 눈을 굴렸다. 놀라움이 가신 자리에 황당함이 들어섰다.

'뭐야, 그럼 연우 씨는?'

아무도 모르는 비밀을 알아챘다는 사실에 심장이 쿵쿵 뛰고 있었다.

'설마, 진짜로 연우 씨를 가지고 노는 거야?'

이미 선영의 머릿속에 세희는 양다리를 걸치는 불여우로 둔갑한 상태였다. 선영은 헛웃음을 내뱉으면서 가방끈을 단단히 붙잡았다.

"간도 크지, 참나…… 이제 보니까 완전 선수네?"

단단히 오해한 선영의 눈빛이 음험하게 반짝였다.

[미안, 선약이 있어.]

방금 도착한 문자의 내용은 퍽 단호했다.

유미는 일말의 여지도 주지 않는 문구를 들여다보다가 혀를 찼다. 아쉬움에 뾰로통해진 입술이 참새 부리처럼 톡 튀어나왔다.

"벌써 몇 번째야. 그놈의 선약, 선약."

버튼을 누르고 기다리는 그녀의 표정에 불만이 맴돌았다.

엘리베이터는 한참 로비에서 머물며 올라올 생각을 하지 않았다. 공사라도 하나 싶었지만, 전광판은 느긋하게 깜빡일 뿐이었다.

"되는 일이 없어, 되는 일이……."

유미는 괜히 구두 끝으로 바닥을 걷어차며 중얼거렸다. 연우가 파리 출장을 다녀온 지 하루가 지났다.

마침 그녀도 중요한 화보 촬영을 끝마쳐서 오랜만에 그와 식사라도 할 생각이었다.

'그 여자에 관한 것도 물어볼 생각이었는데.'

파티 이후로 틈틈이 기회를 노렸지만, 연우는 쉽게 시간을 내주지 않았다.

게다가 요즘은 다른 데 완전히 신경이 팔린 눈치였다. 그녀에게도 알려 주지 않은 무언가에.

그건 유미에게 상당한 자괴감을 안겨 주었다. 그동안 그녀는 연우와 자신의 사이가 남들보다는 가깝다고 자부했으니까.

'연우한테 나는…… 뭘까.'

아마도 고마운 소속 모델, 그 이상 이하도 아니리라.

유미는 자조적인 생각에 잠겨 실망감을 곱씹었다. 세희의 존재가 신경 쓰여서 최근에는 일할 때 집중도 떨어졌다.

'얼른 이야기를 해 보고 싶은데. 지금 아니면, 또 언제 시간이 날지도 모르는데.'

S/S 시즌에 맞춰서 패션쇼도 진행하는 터라 마주칠 기회도 점점 줄어들고 있었다.

에이전시 대표가 된 이후로 연우는 패션쇼장에는 잘 나타나지 않았다. 그나마 출연하던 방송도 최근에는 어째서인지 잘 나서지 않았다.

'뭔가 수상해.'

여자의 감이라는 걸까. 유미는 수상쩍은 생각에 휩싸여 입술을 잘근거렸다.

동시에 딩동, 경쾌한 소리와 함께 엘리베이터 문이 열렸다. 목에 사원증을 건 여자 한 명이 내리더니 복도로 사라졌다.

유미는 서둘러 빈 엘리베이터에 올라탔다. 층별 안내판 꼭대기에 뷰티 샛별의 브랜드 마크가 떡하니 자리를 잡고 있었다.

오늘은 뷰티 샛별과 광고 계약 논의를 한 참이었다. 전속 모델 기간이야 종료되었지만, 신제품 모델 제안이 들어왔기 때문이었다.

"시간이 좀 남았네. 근처 백화점이라도 들러 볼까."

유미가 핸드폰을 만지작거리는 동안, 엘리베이터가 5층에 멈추었다.

문이 열리고 짐을 든 직원들이 우르르 다가오더니, 안쪽에 선 유미를 보고 멈칫했다.

표정을 보아하니 엘리베이터 공간이 작아서 곤란한 눈치였다.

"타세요."

"아, 감사합니다."

답답함을 못 이긴 유미가 흔쾌히 엘리베이터에서 내려 주었다.

다음 엘리베이터를 타고자 기다리는데, 문득 구겨진 옷자락이 신경 쓰였다. 마침 엘리베이터 근처에 화장실이 있었다.

'화장도 고치고, 옷 상태도 좀 봐야지.'

백화점에 간다면, 혹시 팬을 마주칠 수도 있었다.

이내 화장실로 들어간 그녀가 거울 앞에서 간단히 화장을 고쳤다.

이윽고 옷차림도 가다듬을 겸 구석 칸으로 들어가 문을 닫는데, 요란한 발소리가 들려왔다.

"그게 진짜예요, 선영 씨?"

"그렇다니까요. 어이없죠? 기획 팀 사람들한테도 말했는데, 아무도 귀담아 안 들어요. 짜증 나게."

발소리와 함께 화장실로 들어온 불청객들이 수다를 떨기 시작했다. 한 명은 재무 팀 직원, 나머지 한 명은 기획 팀의 선영이었다.

# 7. 헛소문과 믿음

## 7. 헛소문과 믿음

선영은 오늘 출근하자마자 지금까지 열심히 헛소문을 지어내기 바빴다.

"다들 그새 가까워졌는지, 오히려 제 말을 의심하더라고요. 어디서 들었냐고."

"진짜 어디서 들은 거예요, 근데?"

"스튜디오 방문했다가 들었어요. 한 실장님 부탁 때문에 갔다가 우연히. 모델끼리 떠드는 걸 들었거든요."

선영은 순진한 연우가 속았다고 지레짐작하고서 지저분한 소문의 뼈대에 살을 덧붙였다.

기획 팀 직원들은 이미 세희에 대한 신뢰가 확실해졌는지, 그녀의 말에 넘어오지 않았다.

그래서 평소 가깝던 타 부서의 직원들에게나마 소문을 퍼트리던 중이었다.

'모델?'

치마의 구겨진 부분을 손보던 유미가 미간을 찌푸리며 고개를 들었다.

별 관심이 없어서 무시하려고 했는데, 예상치 못한 단어가 튀어나와 귀를 사로잡았다.

유미의 존재를 알 리 없는 선영과 직원은 희희낙락 대화를 이어 갔다.

"그 모델은 어떻게 안 거지?"

"그 사람도 지나가다가 우연히 본 모양이더라고요. 문세희 팀장이 다른 남자랑 있는 모습을."

문세희 팀장. 낯설지 않은 이름을 듣는 순간, 유미의 눈이 번뜩였다.

"회식 자리에서는 뭐, 모델 연우랑 그렇고 그런 사이라고 했다면서요?"

"대체 언제 양다리를 걸쳤는지 모르겠다니까. 이직하자마자 참 대단해, 안 그래요?"

"진짜면, 좀…… 문제가 있는 사람이네."

"확실하다니까! 그 모델이 직접 목격했다잖아요."

신나게 이어지는 수다에 귀를 기울여 보니, 내용이 가관이었다. 연우의 이름이 거론되었다는 점부터 상당히 불쾌했다.

유미는 문고리를 붙잡고서 소리 없이 돌려놓았다. 허튼소리를 내뱉는다면, 곧장 발로 걷어차며 나설 생각이었다.

"어쩌면 문 팀장이 연우를 가지고 노는 걸지도 모르고요.

뭐, 그럴 주제나 되는지 모르겠지만."

하지만 그 소리를 듣는 순간, 유미의 표정이 싸늘하게 식었다.

자신이 그토록 원하던 연우를 상대로 가지고 논다니, 용납할 수 없는 표현이었다.

'단순한 파트너가 아니라…… 만약 연우가 정말 마음에 둔 상대라면?'

그렇다면 더더욱 가만히 있을 수 없었다. 괜히 이상한 소문이라도 퍼지면, 연예계에도 발 담근 연우에게는 최악이었다.

유미는 애써 차분하게 마음을 가다듬으며 문을 노려보았다. 곧 깔깔대며 맞장구를 치는 직원의 웃음이 점점 멀어졌다.

발소리가 완전히 사라지고서야 유미가 화장실 문을 세게 걷어찼다. 큰 소리와 함께 열린 문 너머로 팔짱을 낀 그녀가 신경질적으로 중얼거렸다.

"하, 이게 다…… 뭔 소리야?"

유미는 아직도 세희의 얼굴을 똑똑히 기억했다. 파티에서 한 번, 뷰티 샛별 본사에서 한 번. 총 두 번이나 마주쳤으니까.

게다가 파티에서 연우의 파트너로 참석했던 여자였으니 쉽게 잊을 수 없었다. 내심 그녀와 연우 사이가 궁금하고 신경 쓰이던 참이었다.

'그 여자가 연우를 가지고 논다고? 주제도 모르고, 연우를?'

다시 생각해도 말도 안 되는 추측이었다. 연우는 여태껏 특정한 누군가에게 애정을 보인 적이 없었다.

유미가 그를 짝사랑하면서도 늘 안심했던 건, 바로 그런 점 때문이었다. 자신뿐만 아니라 누구에게나 공평한 다정함을 선사하는 그였기에.

"어디서 이런 개뼈다귀 같은 소문이 돌기 시작한 거야?"

유미는 화려한 한국말을 구사하면서 거울을 노려보았다.

정체불명의 직원들끼리 잡담하던 내용으로 보아, 소문의 근원지는 모델인 듯했다. 아마도 세희와 연우를 모두 알고 있는 모델.

그게 누군지 고민해 봐도 딱히 떠오르는 인물이 없었다.

'아, 몰라. 이런다고 답이 나와? 직접 물어보는 게 더 빠를 텐데.'

결국, 유미는 다른 곳에서 해답을 마련하기로 했다.

그녀는 화장실을 나서자마자 곧장 엘리베이터 앞으로 향했다. 마침 해당 층수에 도착한 엘리베이터가 그녀를 반겨 주었다.

엘리베이터에 오른 그녀의 시선이 구석에 붙어 있는 층별 안내판으로 향했다.

"아까…… 분명 기획 팀이라고 그랬지."

버튼을 누른 유미가 표정을 관리하며 문을 응시했다.

목적지에 도착한 후, 엘리베이터 밖으로 걸음을 내디딘 그녀의 눈빛이 싸늘하기 이를 데 없었다. 복도를 지나치던 그녀의 눈길이 사무실 문패에 닿았다.

막 사무실에서 머리를 올려 묶은 직원 한 명이 파우치를 챙겨 나오던 중이었다.

"저기요."

다가간 유미가 무작정 그녀에게 말을 걸었다.

"네, 네?"

갑자기 붙잡힌 정아가 화들짝 놀라며 걸음을 멈추었다. 느닷없이 유명한 모델이 나타나 말을 거는데 놀랄 수밖에 없었다.

"문 팀장님, 지금 어디 계신가요?"

그러거나 말거나 유미는 평온하게 질문을 던졌다.

"문세희 팀장님이요? 팀장님이라면 휴게실에 계실 텐데, 혹시 무슨 일로 찾아오셨어요?"

정아가 부랴부랴 이유를 물었지만, 이미 원하는 내용을 들은 유미의 귀에 들리지 않았다.

유미는 미련 없이 등을 돌리고 반대편으로 향했다. 사무실과 반대 방향에 휴게실이라고 적힌 문패가 보였다.

서둘러 다가가는 동안, 자그맣게 통화하는 목소리가 들려왔다.

"……아뇨, 야근 잘했어요. 안 피곤해요……."

기억에 있는 목소리였다. 파티에서 대화를 나누었던 목소리.

유미는 목소리가 들리는 곳으로 더 빨리 걸음을 재촉했다. 그렇지만 마침내 도착한 휴게실 앞에서, 그녀는 움찔 걸음을 멈추었다.

"네, 연우 씨. 오늘은 괜찮아요. 식사하기엔 빠듯하겠지만, 잠깐 얼굴 보는 정도는."

창가에 기댄 여자가 커튼을 만지작거리면서 통화를 하고 있었다. 찬란하게 햇빛이 비치는 가운데, 수줍게 웃는 세희의 얼굴이 보였다.

"주말이요? 주말은 완전 괜찮죠."

그 순간, 유미는 할 말을 잃고 세희를 응시했다.

화사한 그 모습이 너무나 행복해 보여서. 갓 사랑에 빠졌던 자신의 모습을 빼닮아서. 무엇보다 세희의 입에서 튀어나온 이름에 놀라서 얼어붙었다.

"저는 다 좋은데…… 파스타도 좋아하고, 피자도 좋아요. 연우 씨는요? 파리에서 실컷 먹었으면, 한식이 괜찮지 않아요?"

다정하게 통화하는 그녀를 보면서 조금씩 속이 들끓었다. 내용을 들으면 들을수록 기분은 더 가라앉았다. 질투와 분노가 한데 얽히며 새카만 공처럼 뭉쳤다.

'선약이라는 게, 그럼……'

제게는 선약이 있다며 선을 긋던 연우의 문자가 떠올랐다. 유미는 참지 못하고 그대로 다가가 손을 뻗었다.

"일단 저 퇴근하고…… 앗!"

별안간 손목을 잡아채는 힘에 놀란 세희가 뒤를 돌아보았다. 그 후, 유미를 알아본 눈동자가 서서히 크기를 키웠다.

"배…… 유미 씨?"

"안녕하세요, 문 팀장님."

반갑다는 듯 싱긋 미소 지은 유미의 눈빛이 매서웠다.

"잠깐 저랑 대화 좀 할까요?"

"무슨 일로 그러시는…… 아!"

억센 힘이 그녀의 손바닥에서 핸드폰을 낚아챘다.

당황하여 손을 쭉 뻗었지만, 유미는 이미 얄밉게 두 걸음 이상 물러난 상태였다.

유미의 내리깐 시선이 핸드폰 화면으로 향했다. 새카만 화면 너머로 익숙한 남자의 목소리가 흘러나왔다.

—여보세요, 세희 씨? 무슨 일이에요?

그토록 원했지만, 자신은 듣지 못했던 연우의 목소리였다. 유미는 인상을 찌푸리더니 그대로 통화 종료 버튼을 눌렀다.

'나한테는 문자 한 통만 보내 놓고…… 이 여자랑 통화까지 했어?'

비참하고 부러웠다. 이런 꼴사나운 감정 따위, 알고 싶지 않았다.

"지금 연우랑 통화한 거죠?"

유미는 다소 앙칼진 목소리로 따져 물었다. 세희는 당혹스러운 눈빛으로 그녀를 멍하니 응시했다.

퇴근 준비를 끝마치고서 잠시 통화하던 것뿐이었다. 오늘은 꼭 식사하자는 연우에게 거절의 말을 전해야 했으니까.

부동산 일정을 조율하지 못해서, 오늘 역시 만남이 어려울 듯했다.

"배유미 씨. 갑자기 왜 이러세요? 핸드폰, 이리 주세요."

갑자기 휴게실로 들이닥친 유미 때문에 통화가 끊어졌으니 황당할 따름이었다. 당황하던 세희도 이내 침착함을 되찾고 손을 뻗었다.

기분이 상했지만, 제대로 이유를 설명한다면 들어줄 용의가 있었다. 애초에 왜 이곳까지 유미가 찾아왔는지도 궁금했고.

"단도직입적으로 물어볼게요. 제가 돌려 말하는 재주가 없어서."

하지만 유미는 세희의 질문을 무시하고 일갈했다. 소문의 내용을 따지기에 앞서, 먼저 궁금한 것부터 해결하고 싶었다.

연우와 통화하는 모습을 목격한 직후이다 보니 평정심을 찾기 어려웠다.

"연우한테 관심 있어요?"

"네?"

"관심이 있다면, 주변 사람부터 제대로 정리하는 게 먼저 아닌가요?"

날카롭게 공격하는 목소리가 높아졌다. 어떤 부분부터 지적하면 좋을지 의문이었다.

세희는 쏘아보는 유미의 눈을 마주하면서 짧게 헛숨을 들이켰다. 다짜고짜 찾아와서 연우니 뭐니, 이해할 수 있는 부분이 하나도 없었다.

"무슨 말씀이신지 전혀 모르겠어요."

"방금 여기 화장실에서 웃긴 얘기를 들었거든요."

유미는 핸드폰을 돌려주면서 코웃음 쳤다. 너무나 황당하다는 어조였다.

세희는 미간을 좁힌 채, 손에 쥔 핸드폰을 만지작거렸다. 갑자기 끊어진 통화에 당황했는지 연우가 계속 전화를 걸고 있었다.

유미가 불만스러운 시선으로 핸드폰을 응시했고, 세희는 조용히 전화를 무시했다.

"자세히 설명해 주세요. 그렇지 않으면, 저도 그냥 못 넘어가겠어요. 유미 씨의 무례한 행동."

"무례하다고요?"

유미는 기가 막힌다는 얼굴로 한 걸음 성큼 다가왔다. 갈색 단발 사이로 은색 귀고리가 반짝반짝 흔들렸다.

"빨리 대답부터 해 줘요. 당신, 정말로 연우 가지고 노는 거예요?"

"가지고 놀다니, 무슨…… 그럴 리 없잖아요."

하도 어이가 없어서 말문이 턱 막혔다. 가지고 논다면, 그 자격은 제가 아니라 연우에게 있을 터였다. 자신이 어디 그를 가지고 놀 만한 위치이긴 했던가.

"진짜?"

"네, 진짜요."

세희는 아랫입술을 꾹 깨물고서 살짝 열린 문을 곁눈질했다.

'누가 듣기라도 하면 어쩌려고.'

세희는 우선 유미를 지나쳐 문을 단단히 닫고 돌아왔다.

퇴근할 시간대라 조금 있으면, 사람들이 복도로 우르르 몰려나올 터였다.

세희의 대답에 기분이 조금 풀렸는지 유미가 팔짱을 끼고 서 빤히 응시했다. 여전히 의심 가득한 눈길이었으나 아까보다는 덜했다.

"유미 씨, 일단 진정해요. 회사 화장실에서 무슨 얘기를 들었는데요?"

"그쪽이 연우랑 다른 남자 사이에서 양다리를 걸치고 있다는 얘기."

돌려 말하는 재주가 없다는 게 사실이었는지, 시원시원하게 대답이 돌아왔다. 유미는 머리칼을 귀 뒤로 넘기면서 자세한 내용을 들려주었다.

"아마도 그쪽이랑 같은 팀 직원인 모양이던데. 기획 팀이라고 했으니까."

그새 세희의 목에 걸린 사원증을 확인한 유미가 속삭였다. 세희는 사원증을 손끝으로 툭, 건드리며 시선을 떨구었다.

"기획 팀 사람이라면……."

대체 누굴까. 아무리 생각해도 짚이는 사람조차 없었다.

"스튜디오에 방문했다가 떠드는 소리를 들은 모양이었고."

그러나 스튜디오라는 말을 들었을 때는, 뭔가 생각이 날 듯했다. 유미는 새침하게 눈을 흘기면서 그녀를 타박했다.

"모델이 직접 목격했다고 하더라고요. 그쪽이 다른 남자랑 만나는걸."

모델이라, 이번에는 확실히 짚이는 구석이 있었다. 세희는 미간을 찌푸리면서 질린다는 표정으로 이마를 짚었다.

"뭔가 오해하신 게 분명해요."

"그 얘기가 거짓말이라는 건가요?"

"그건, 아니지만……."

세희는 하나둘, 복잡한 문제를 정리했다. 어디서부터 오해가 생겼는지 모르겠으나 당장 바로 잡아야 했다. 관계자가 아닌 유미의 귀까지 들어갔다는 건, 회사 내부에도 소문이 퍼졌다는 증거였다.

이전의 직장에서도 이런 소문이 가끔 돌았던 적이 있었다. 소문의 당사자가 된 건 처음이었지만.

"양다리라니 말도 안 되는 소리잖아요. 그 모델이 목격한 사람은 이제…… 저랑 아무 상관 없는 사람이니까."

"그럼, 정말로 남자랑 있던 건 맞아요?"

이번에는 세희도 입을 다물 수밖에 없었다. 이어지는 침묵에 유미가 의아한 표정으로 빤히 쳐다보았다.

"이전 남자 친구?"

한 걸음, 더 가까이 다가가는 유미의 눈빛에 호기심이 일렁였다.

"제가 거기까지 대답해야 하나요?"

"대답해야죠. 연우한테도 피해가 가게 생겼는데."

세희는 한숨을 내쉬면서 가만히 유미의 얼굴을 들여다보았다.

아무리 생각해도, 단순히 친구를 걱정하는 것치고는 너무나 적극적이었다. 역시 다른 의도가 있는 게 분명했다. 오래도록 그를 짝사랑했다거나.

'열애설, 한 명은 진심이었나 봐. 정말로⋯⋯.'

착잡한 마음에 대답을 생각하는 사이, 누군가 문을 두드렸다. 노크 소리에 두 사람의 시선이 모두 같은 방향으로 향했다.

세희는 유미한테 기다리라는 눈빛을 보내고서 문으로 다가갔다. 문을 열어 보자 난감한 표정의 정아가 서 있었다.

"정아 씨?"

"죄송해요, 팀장님. 무슨 일 있으신 건가 해서⋯⋯ 제가 알려 드렸거든요. 저분한테, 팀장님 여기 계신다고."

걱정되어 쫓아왔는지 새파란 낯빛이었다. 세희는 우선 들어오라는 말과 함께 문을 닫았다. 들어온 다음에도 한참 쭈뼛거리던 정아가 조심스레 입을 열었다.

"팀장님, 사실⋯⋯ 오늘 오 대리님한테 들은 이야기가 있었거든요."

갑작스레 튀어나온 선영의 이름에 세희가 눈을 깜빡거렸다. 묻지도 않았는데 먼저 이야기를 들려주는 걸 보면, 정아도 안 좋은 예감을 느낀 모양이었다. 대수롭지 않게 넘긴 이야기가 점점 퍼지고 있다는 예감.

"말도 안 된다고 생각해서 그냥 넘겼는데, 혹시 그거랑 관련된 얘기인지 궁금해서요."

"그 얘기, 자세히 들려주세요. 선영 씨가 저에 관해서 무슨 말을 했나요?"

정아는 차근차근 이야기를 시작했다. 이야기를 듣는 동안, 세희의 표정은 점점 더 냉랭하게 굳어졌다.

아무래도 직접 당사자를 데려와 해결하지 않으면, 헛소문이 계속 와전되며 이어질 듯했다.

"정아 씨."

결국, 세희는 결심을 마치고 정아의 손을 꼭 붙잡았다.

"가서 오 대리 좀 불러 줄래요? 할 말이 있으니, 휴게실로 와 달라고."

"네, 아직 퇴근 안 하셨어요. 제가 직접 데려올게요!"

다행히 정아도 세희의 누명을 벗기고 싶었는지 잽싸게 고개를 끄덕였다.

정아가 문을 박차고 나선 후, 세희는 문을 등지고서 머리칼을 쓸어 넘겼다. 눈이 마주친 유미에게 권유를 건네는 것도 잊지 않았다.

"유미 씨는 잠깐 나가서 기다리셔도……."

"아뇨, 저도 듣고 싶어요. 아까 화장실에서 떠들던 사람이 누군지 확인하고 싶어서."

함께 있겠다며 버티는 유미의 행동이 고집스러웠다. 세희는 어쩔 수 없이 그러라며 손짓했다.

전화 거는 걸 멈춰 버린, 연우의 존재를 까맣게 잊어버린 채.

몇 분 후.

정아는 선영을 데리고서 휴게실로 돌아왔다. 뭐라고 핑계를 둘러댔는지, 휴게실로 들어오는 정아의 얼굴이 딱딱하게 굳었다. 그녀가 정아를 타박할세라 세희가 다급히 입을 열었다.

"선영 씨."

선영은 유미와 세희를 번갈아 바라보더니 인상을 찌푸렸다. 정아는 조용히 문을 닫고서 구석으로 피신했다.

"지금 정아 씨한테 이상한 얘기를 들었는데, 이게 사실인가요?"

"무슨 얘기요?"

"저에 대해서 이상한 소문을 퍼트리고 다녔다면서요."

이내 꿀릴 게 없다고 생각했는지 선영이 당당하게 고개를 들었다.

"헛소문도 아니잖아요."

"……뭐라고요?"

세희는 분노로 머릿속이 차갑게 식는 걸 느꼈다. 어쩜 저렇게 뻔뻔할 수가 있는지, 손이 다 떨릴 지경이었다.

"어디서 무슨 말을 들었는지 모르겠는데, 저는 양다리 걸친 적 없어요."

"제가 다 들었는데요?"

퉁명스레 쏘아붙이는 선영의 눈빛에 적의가 가득했다. 대체 왜 이렇게 미운털이 박혔는지 의문이었다. 자신이 그녀에게 대체 무슨 짓을 했다고.

세희가 기가 막힌다는 얼굴로 쳐다보는 동안, 선영이 주절주절 말을 떠들었다.

"그날 문 팀장님이 다른 남자랑 만나고 있었다고. 그러니까 양다리가 맞죠. 연우 씨랑 그렇고 그런 사이라면서요, 회식 자리에서는."

"이봐요, 말귀 못 알아들어?"

답답한 건 마찬가지였는지, 가만히 지켜보던 유미가 끼어들었다. 예상치 못한 도움에 세희가 두 눈을 크게 떴다.

"그 얘기를 어디서 들었냐니까?"

그러거나 말거나, 유미는 어깨를 움츠린 선영에게 예리한 지적을 이어 갔다.

"스, 스튜디오에서 모델끼리 이야기하던 걸 들었어요."

"모델 누구!"

"몰라요! 제가 일일이 다 어떻게 기억해요? 잠깐 마주쳤는데!"

날카로운 추궁에 못 이겨 선영이 버럭 대답했다. 이때다 싶은 마음에 세희가 질문을 던졌다.

"그럼, 확실하지도 않은 소문을 퍼트린 거예요?"

"뭐가 확실하지 않아요? 내 귀로 똑똑히 들었다니까? 다 출처가 있는데."

점점 불리해지는 분위기를 느꼈는지 선영이 횡설수설하기 시작했다.

제대로 된 증거 하나 없이 우기는 모양새에 유미가 얼굴을 구겼다. 목소리를 들어 보니, 아까 화장실에서 떠들던 것도 이 여자인 모양이었다.

"모델 얼굴도 기억 못 한다면서, 출처는 무슨……."

싸늘한 유미의 중얼거림에 정아까지 못 미더운 시선을 보냈다. 궁지에 몰린 선영이 겨우 기억을 쥐어짜 내고 소리쳤다.

"그, 그래, 잠깐 잊었던 거예요! 기억났어!"

"그게 누군데."

"한재섭. 모델 한재섭 얼굴을 봤어요."

똑똑히 봤다는 걸 증명하듯, 선영이 고집스레 고개를 주억거렸다.

"뭐? 한재섭?"

그렇게 튀어나온 건 유미에게도 익숙한 이름이었다.

'아, 역시나…….'

유미는 팔짝 뛰면서 고함을 쳤고, 세희는 뒤편에서 얼굴을 감싸 쥐었다.

"한재섭 씨는……."

세희는 할 말을 찾아 잠시 느리게 숨을 골랐다. 듣는 귀가 많아 일일이 설명해 줄 필요가 있나 싶었지만, 오해가 더 퍼지기 전에 막아야 했다.

그렇지 않으면 자신뿐만 아니라 연우도 피해를 받을 터였다. 그것만큼은 반드시 막을 필요가 있었다. 연우에게 피해를 준다니 상상조차 하기 싫었다.

그는 자신이 어떻게든 도움이 필요했을 때, 유일하게 손을 내밀어 준 남자였으니까.

"그래요, 그날 우연히 마주쳤어요."

"거봐요!"

선영이 당당한 얼굴로 소리치며 팔짱을 꼈다.

못마땅한 대답에 유미가 설명을 요구하는 눈길로 세희를 돌아보았다. 불꽃이 활활 타오르는 듯 뜨거운 시선이었다.

'전부 다 밝힐 필요는 없어. 오선영의 입만 다물게 하면 돼.'

괜히 재섭이 몰래 자신을 쫓아온 얘기까지 하게 된다면, 다른 데 이목이 쏠릴 위험이 있었다. 세희는 복잡하게 얽힌 문제를 천천히 풀어내고자 단호하게 대답했다.

"하지만 한재섭 씨가 봤다는 사람, 저랑 아무 사이 아니에요."

"제가 들은 내용으로는 그게 아니던데요?"

선영이 잔뜩 비꼬는 목소리로 말허리를 뚝 끊었다. 저를 흘깃거리는 선영의 눈빛에 세희가 작게 웃었다. 떼쓰는 아이를 다룰 때나 지을 법한 웃음에 선영의 얼굴이 와락 일그러졌다.

"오선영 씨가 직접 본 일도 아닌데, 그렇게까지 단언할 수 있어요?"

그러나 거세게 항의하기도 전, 세희에게서 냉정한 목소리가 흘러나왔다.

"뭐, 뭐라고요?"

"사실이 아니면, 헛소문을 퍼트린 책임을 어떻게 지려고요?"

언제 웃었냐는 듯, 세희의 얼굴에는 웃음기가 하나도 없었다. 그저 사무적이고 딱딱한 태도였다.

상대할 가치도 없다는 듯한 태도에 선영이 하, 헛웃음을 내뱉었다. 그러나 초조함을 감추려고 애쓰는 기색이 떨리는 눈빛에서 드러났다.

"책임? 그냥 소문 얘기한 정도로 무슨 책임을 물어요?"

선영은 뻔뻔하기 짝이 없는 반응을 보이며 입술을 비틀었다. 흥미진진해지는 분위기 속에서 두 사람의 이야기를 경청하던 유미가 발끈하며 나섰다.

"책임이 왜 없어? 이 일에 연우가 얽혔잖아!"

유미가 목소리를 높이며 나서자 선영이 눈을 크게 떴다. 거기까지는 생각하지 못했는지 난처함으로 물든 얼굴이었다.

"그럼, 그 남자랑 아무 사이도 아니라고요?"

쯧, 낮게 혀를 찬 유미가 세희의 곁으로 뚜벅뚜벅 다가갔다. 진혁과 어떤 관계인지 묻는 어투였다. 세희는 가까워진 유미를 향해 고개도 돌리지 않고서 입을 열었다.

"네."

"거, 거짓말!"

선영이 버럭 소리치면서 주먹을 쥐었다.

'이것까지는 제대로 들은 게 아니라서, 그냥 비밀로 해 주려고 했는데…… 이러다가 괜히 나만 이상한 사람 되겠어.'

겨우 여유를 찾아 올라가는 입꼬리가 호선을 그렸다. 선영이 몰래 들었던 내용을 떠올리면서 다급하게 쏘아붙였다.

"그 사람. 문 팀장님하고 파혼했던 사람이라면서요?"

동시에 세희의 얼굴이 돌처럼 굳어졌다. 부릅뜬 눈과 꾹 다문 입술에 조마조마해하며 상황을 지켜보던 정아까지 세희를 살펴보았다.

"파혼? 갑자기 무슨 소리야, 저게."

유미의 투덜거림이 무거워진 분위기에 맞지 않게 산뜻하게 울려 퍼졌다.

하지만 선영이 선을 넘은 것은 분명했다. 얼음장처럼 차갑게 가라앉은 세희의 목소리가 그 증거였다.

"오선영 씨."

차분하지만, 분노가 서린 게 분명한 음성이었다. 선영은 당황해하며 미간을 찌푸렸다.

"그 사람이 어떤 사람이든, 분명히 얘기했어요. 나는 그 사람과 아무 사이도 아니라고."

"아무 사이도 아닌데, 파혼까지 했으면서 왜 만나요?"

"나한테 그걸 지적할 권리. 선영 씨한테 있나요?"

냉정하고 이성적인 물음이었다. 선영은 윽, 하고 이를 악물었다.

"중요한 건 소문의 내용이죠. 내가 '양다리'를 걸쳤다면서요."

세희는 또박또박 지적하면서 선영의 앞으로 다가갔다. 조금만 더 가까워지면 닿을 거리에 주눅이 든 선영의 눈꺼풀이 떨렸다.

"그 남자도, 연우 씨도. 저랑 아무 사이 아니에요. 이걸 내 입으로 직접 설명해 줘야 한다니…… 어이가 없네요."

진혁과 아무런 사이도 아니라고 할 때는 별 타격이 없었다. 그렇지만 연우의 이름을 말하자 확연히 달랐다. 그와 아무 사이도 아니라는 걸 설명할 때는 가슴 한구석이 쓰리고 불편했다.

'둘이 특별한 관계가 된다면. 우리도 어떤 식으로든 다시 만날 수밖에 없어. 그러니까 잘 생각해.'

'생각이라니. 뭘⋯⋯.'

'차연우와 특별한 관계가 되는 건. 너한테도 별로 좋은 생각이 아니야.'

진혁의 말도 떠올라서 더욱 기분이 가라앉았다. 결국, 연우와 진혁이 형제이며 가족이라는 사실을 다시 한번 깨닫게 되어서.

"이 얘기가 만약 널리 퍼져서 쓸데없는 추문이라도 돌면, 그 책임을 어떻게 감당할 건가요?"

"무, 무슨⋯⋯."

"아까 배유미 씨가 꺼낸 말, 똑바로 못 들었어요?"

갑자기 지목당한 유미가 깜짝 놀라서 세희를 돌아보았다. 그렇지만 곧 세희가 왜 그렇게 말했는지, 의도를 파악할 수 있었다.

"저는 일반인이라서 큰 피해가 없다지만, 연우 씨는 유명한 연예인인데⋯⋯ 연우 씨가 고소하게 되면, 그걸 막아 낼 수야 있고요?"

"그래, 당신. 루비노 에이전시가 고소하면 막을 자신 있어?"

그제야 유미가 제법이네 싶은 표정으로 맞장구를 쳤다.

선영은 소스라치게 놀라며 유미와 세희의 얼굴만 번갈아

응시했다. 상황이 어떻게 돌아가는지 말끔하게 이해하지 못했다는 표정이었다.

"증거도 없고, 관계자도 아니고…… 한재섭 씨가 설령 그런 얘기를 했다고 쳐도, 직접 들은 게 아니라 우연히 들었다면서요."

선영의 얼굴에서 점점 핏기가 가시더니 귀신처럼 창백해졌다. 흐리멍덩해지는 그녀의 눈을 무감하게 바라보며 세희가 속삭였다.

"나중에 한재섭 씨가 자기는 모르는 일이라고, 발뺌하면서 입 다물면……."

웃음기 하나 없는 얼굴로 쏘아붙이는 세희의 태도가 얼음처럼 차가웠다.

"그 책임을 다 누가 뒤집어쓰겠어요?"

"그, 그건."

"그리고 여론의 관심이 선영 씨 개인에게만 쏠릴 것 같나요?"

아직 할 말이 끝나지 않았는지, 세희가 손을 살짝 들어 선영의 대답을 막았다. 선영은 마른침만 꿀꺽 삼키며 가만히 이야기를 들을 수밖에 없었다.

"당신은 새로 런칭하는 픽시 브랜드 소속 직원이잖아요. 이게 밝혀지면, 당연히 한 실장님께도 피해가 가겠죠."

세희가 회의실 벽에 달린 시계를 가리켰다. 벽시계에 픽시의 로고가 큼지막하게 박혀 있었다.

"한 실장님과 개인적으로 친한 연예인들에게 공개적으로

광고하는 꼴 아닌가요? 스튜디오의 보안 상태가 엉망이니까 각자 조심하라고. 안 그러면 언제 직원이 몰래 듣고서 퍼트릴지도 모른다고.”

갑작스럽게 튀어나온 한샛별 실장의 존재에 선영이 헉, 소리를 냈다. 차마 거기까지는 생각하지 못했다는 표정이었다.

“그래, 나도 동감.”

유미가 또다시 적당한 맞장구를 흘리면서 웃었다. 왠지 즐거워 보이는 목소리에 세희가 그녀를 살짝 곁눈질했다. 자신에게 이 문제를 따지러 온 건지, 도와주러 온 건지 조금 헷갈렸다.

‘아냐, 아까도 말했잖아. 연우 씨가 피해를 볼까 봐 걱정해서 온 거겠지.’

세희는 빠르게 판단을 마치고 덜덜 떨기 바쁜 선영을 보았다. 방금까지도 열띤 목소리로 자신을 몰아붙이던 그녀가 이번에는 궁지에 몰려 있었다.

“설마 그 정도도 생각 못 하고, 일을 벌인 건 아니죠?”

세희의 질문이 조금씩 커지던 선영의 불안감에 쐐기를 박았다. 창백해지다 못해 누렇게 뜬 선영의 얼굴이 불쌍할 지경이었다.

입술만 달싹이면서 아무 말도 하지 못하는 그 모습에 세희가 나직이 한숨을 쉬었다.

‘거기까지 생각 못 하고 저지른 일이겠지. 사회 초년생도 안 할 실수를 하다니.’

참담할 따름이었다. 그나마 제게 찾아와 따지는 정도로 그쳐서 다행이었다.

유미가 우연히 엿듣고 자신을 찾아오지 않았더라면 더 늦게 알아차렸을 수도 있었다. 그랬다면 어땠을지 생각만 해도 아찔했다.

"이 얘기, 알고 있는 사람 더 있어요?"

확인차 던진 질문에 선영이 재빠르게 고개를 가로저었다. 드디어 문제의 심각성을 파악했는지 어쩔 줄 모르겠다는 눈빛이었다.

"회, 회사에서만 떠들었어요! 아무도 모를 거예요. 정말이에요!"

"어디서 누가 들었을 줄 알고 모른다고 확신해요?"

필사적으로 빠져나가려는 선영의 앞을 유미가 가로막았다. 싸늘하게 비웃는 유미의 모습에 선영이 말라붙은 입술을 잘근거렸다.

"봐, 실제로 내가 들었잖아요."

"그, 그건…… 그러니까……."

이제 선영은 얼굴이 하얗게 질린 것도 모자라 눈시울까지 붉게 물든 채였다.

'설마 울음이라도 터트리는 건 아니겠지?'

유미가 질색하는 얼굴로 선영을 노려보다가 휙 고개를 돌렸다. 대치하는 두 사람의 분위기를 살피던 세희가 담담히 말했다.

"아직 늦지 않았어요."

설마 용서해 주려나 싶었는지, 선영이 발개진 눈시울로 고개를 들었다. 하지만 그녀가 마주한 건 용서가 아닌, 빠른 대처를 요구하는 명령이었다.

"이 헛소문을 알려 준 사람들한테 직접 찾아가서 전하세요. 전부 다 선영 씨가 지어낸 얘기라고. 앞으로 절대 이 일에 대해서 입도 벙긋하지 말고요."

자존심은 구겨지겠으나 이보다 더 최선의 방법이 없었다. 선영은 손등으로 눈가를 마구 비벼 닦으며 고개를 떨구었다.

"죄송……."

"저한테 사과하지 마세요. 어차피 진심으로 건네는 말도 아니잖아요."

세희는 차갑게 선을 그으며 이마를 짚었다. 이 정도만 지적해도 꼬리를 내릴 사람이 애초에 왜 이런 일을 꾸몄을까.

이해하기도 싫고, 이해할 이유도 없는 문제였다. 그녀는 조금 더 냉정하고 철저하게 굴기로 마음먹었다.

"이번 일로 선영 씨가 회사의 평판을 어떤 식으로 인지하고 있는지 잘 알았네요."

"티, 팀장님?"

"그런 부분은 인사 평가 때 참고하도록 할게요."

인사 평가라는 말에 선영이 다급하게 다가섰다. 뭔가 더 변명할 기회를 달라는 눈치였다.

그러나 세희는 그녀를 무시하고, 구석에서 눈치를 보던 정아에게 다가갔다.

"정아 씨는 이만 돌아가도 괜찮아요."

어느새 상냥한 얼굴로 돌아온 세희의 모습에 정아가 작게 안도했다.

"팀장님, 하지만……."

"괜찮아요. 너무 늦었으니까 얼른 퇴근해요."

세희는 정아의 등을 토닥이면서 문가를 눈짓했다. 얼른 이 문제를 정리한 다음, 돌아가고 싶었다.

"꺅!"

나가려고 문고리를 잡은 순간, 벌컥 열리는 문에 떠밀린 정아가 크게 휘청거렸다.

정아의 비명에 사람들이 모두 문을 쳐다보고서 굳어졌다. 거친 숨을 몰아쉬는 남자가 땀에 젖은 머리칼을 넘기며 서 있었으니까.

"하아, 하……."

짙게 일렁이는 갈색 눈을 본 순간, 세희가 입술을 달싹였다.

"연우 씨?"

연우가 대답 없이 뚜벅뚜벅 다가오더니 세희의 앞에서 걸음을 멈추었다. 놀라서 올려다보는 세희의 시야에 창백해진 연우의 낯이 가득 들어찼다.

연우가 떨리는 손으로 조심스럽게 세희의 어깨를 붙잡았다. 그는 이리저리 세희의 상태를 살피고, 무사한 걸 확인하고서 짧게 비틀거렸다.

"연우 씨!"

"연우야, 왜 그래!"

세희가 화들짝 놀라서 소리쳤다. 지켜보던 유미도 놀라서 한걸음에 달려왔다.

두 사람이 함께 손을 뻗었으나 연우가 붙잡은 건, 세희의 손이었다. 그는 걱정스레 내밀어진 세희의 손을 꽉 붙들고서 고개를 들었다.

"전화가 갑자기 끊어져서, 무슨 일이라도 생긴 줄 알고……."

뜨거운 시선으로 세희를 응시하던 연우가 갈라진 음성으로 중얼거렸다. 맞닿은 연우의 손이 세차게 떨리고 있었다. 불안정하게 흔들리는 목소리도 평소의 그답지 않았다. 희게 질린 얼굴이 여유를 잃었고, 턱 끝으로는 땀방울이 후드득 떨어졌다.

"이상하게 불안해서…… 무작정 왔어요, 미안해."

연우는 세희의 손을 놓치기라도 할세라 간절히 부여잡고서 말을 이었다. 모든 행동이 연우답지 않았다. 그래서 더 눈을 뗄 수 없었다.

"나 괜찮아요. 아무 일 없었어요."

세희는 애써 미소 지으며 걱정할 일이 없었다는 점을 강조했다.

"그럼, 전화는 왜……."

그만 진정하라며 연우를 토닥이려는 찰나, 유미가 대뜸 그의 소매를 붙잡으며 중얼거렸다.

"내가 끊었어. 아까 그 전화."

"배유미?"

그제야 유미의 존재를 알아차린 연우가 눈을 크게 떴다.

유미가 땀을 닦으라는 듯 핸드백을 뒤적여 손수건을 건넸지만, 그는 받지 않았다.

"네가 왜 여기 있어? 전화를 끊었다는 건, 무슨 소리야."

"연우 씨! 그건…… 그 일은 제가 설명할게요."

세희가 다급하게 끼어들었다. 이번 일은 연우에게 완전히 비밀로 할 계획이었다.

괜한 걱정을 끼치기 싫어서 말하지 않았던 일인데, 이런 식으로 알게 하기는 싫었다.

"너 알고 있었어? 문 팀장한테 이상한 소문 붙은 거."

하지만 초조한 세희의 낯을 발견한 유미가 비스듬히 고개를 기울이며 속삭였다.

"소문?"

연우가 의아한 표정으로 되물었다. 당연히 아무것도 모른다는 표정이었다. 유미는 어이없다는 말투로 질문의 표적을 세희로 바꾸었다.

"연우한테는 안 알려 줬나 봐요?"

그 눈빛을 마주한 순간, 세희는 알 수 있었다. 유미가 연우의 앞에서 이 일을 어디까지 밝힐 생각인지.

"잠깐만요, 유미 씨!"

그만 멈추라는 뜻으로 재빠르게 손을 뻗었으나 유미에게 닿지 못했다.

"한재섭이야."

득달같이 튀어나온 이름에 연우가 미간을 찌푸렸다. 그렇지 않아도 지난 일로 거슬리던 사람의 이름이었으니까.

"한재섭이 문세희 씨가 다른 남자랑 만나는 걸 봤다고, 스튜디오에서 떠들고 다녔어."

귀에 또렷하게 박힌 얘기들이 머릿속을 부유했다. 저게 대체 무슨 소리지, 연우는 멍하니 세희를 돌아보았다.

세희는 그대로 굳어서 아무 말도 하지 못했다. 그 행동이 모든 걸 설명해 주었다. 유미의 말이 진실이라는 걸.

"저 여자가 그 얘기를 여기서 또 퍼트리던 걸, 내 귀로 직접 들었거든."

유미가 멀찍이서 떨고 있는 선영을 곁눈질하며 웃었다.

"너랑 그 남자 사이에서 양다리를 걸쳤다길래 따지러 온 거고, 방금 확인했어."

"뭘 확인했는데."

"양다리는 아니지만, 그 남자를 만난 건 사실이라고."

유미가 더 언급할 가치조차 없다는 듯 눈을 흘겼다. 조용한 분위기 속에서 연우의 고저 없는 음성이 뒤따랐다.

"그 남자?"

"문세희 씨랑 파혼했다는 남자. 누군지는 모르겠네."

파혼이라는 단어를 듣는 순간, 연우의 표정이 변했다. 세희는 서서히 얼어붙는 그의 얼굴에 당황하여 입을 뗐다.

"연우 씨, 그게…….."

어서 설명해야 했다. 그가 생각하는, 그런 일이 아니었다고. 미리 말하지 못했던 이유도 설명하면 분명 이해해 주리라고 믿었다.

세희가 다급하게 말을 쏟아 내기 직전, 연우가 오른손을 들었다. 기다리라는 손짓에 놀란 세희가 입을 다물었고, 연우는 유미를 직시했다.

"배유미, 이만 돌아가."

상황이 어떻게 돌아가는지 끝까지 지켜보려던 유미의 눈이 좁혀졌다. 그녀가 의아하다는 얼굴로 콧등을 찡그리며 물었다.

"뭐? 왜? 나도 같이 들어 볼⋯⋯."

"나가, 얼른."

냉정하고 단호한 어조가 유미의 호기심을 막아섰다. 연우에게서 처음 들어 보는 목소리였다.

유미는 입술을 굳게 다물었다. 어쩔 수 없이 더 반박하지 못하고 물러날 수밖에 없었다.

연우가 괜한 일에 휘말리는 건 막았으니 목적은 달성한 셈이었다.

"나중에 설명해 줘."

어느새 평온한 얼굴로 돌아간 유미가 태연히 돌아서며 말했다. 연우는 대답하지 않았고, 유미의 눈초리에 나머지 사람도 자리를 떴다.

모두가 휴게실에서 나간 후에야 연우가 문을 잠그고 세희에게 다가갔다.

"남들이 들으면 괜히 와전될 수 있으니까. 다 내보낸 거예요."

차분한 목소리였으나 말투는 딱딱했다. 그의 다정한 배려가 고마우면서도 어색함은 떨칠 수가 없었다. 오해로 생겨 버린 감정의 골짜기가 불편하고 답답했다.

"저 말이 다 사실이에요?"

길어지던 정적을 연우의 질문이 깨트렸다. 세희는 입 안이 절로 바싹바싹 마르는 걸 느꼈다.

"아니지? 배유미가 뭘 잘못 안 거잖아. 그렇죠?"

이미 답을 알고 있으면서도 애써 부정하는 연우의 태도 때문일까. 어떠한 변명도, 설명도 쉽게 꺼낼 수가 없었다.

세희가 상처받은 연우의 눈빛을 보며 볼 안쪽을 잘근 씹었다.

"차진혁도, 한재섭도…… 만났다는 말, 나한테는 없었잖아."

"……."

"그럴 만한 때라고 해 봤자, 내가 파리로 떠났을 때밖에 없는데."

연우는 두서없이 말을 내뱉으며 머리칼을 쓸어 넘겼다. 떨리는 손끝이 그의 복잡한 마음속 고뇌를 드러냈다.

세희 역시 어디서부터 설명하면 좋을지 몰라 답답한 건 마찬가지였다.

"나한테는 아무 일 없다고, 잘 지낸다고 말했잖아요. 응?"

거짓말을 한 이유를 모르니까 답답하고 서운할 따름이었다. 연우는 어지러운 마음을 어떻게든 가라앉히려고 노력했지만, 목소리의 떨림까지 막을 수는 없었다.

"왜 나한테 거짓말했어요?"

거짓말이라는 단어에 세희의 눈빛이 강하게 흔들렸다. 저

단어만큼은 반드시 짚고 넘어가야 했다. 연우를 속이고자 이번 일을 숨긴 게 아니었으니까.

거짓을 말한 것과 비밀을 숨긴 건 분명히 다른 일이라고, 세희는 생각했다.

"거짓말하려던 게 아니에요! 나는 그냥, 연우 씨가 걱정할까 봐……."

"걱정할까 봐 숨겼다고요?"

연우가 혼란스러운 얼굴로 되묻다가 목소리를 높였다.

"당연히 걱정하죠. 걱정하는 게 어때서?"

연우가 세희의 얼굴을 빤히 응시했다.

이런 중요한 일을 털어놓지도 못할 만큼 자신이 의지할 수 없는 존재였는지. 그동안 우리가 남들보다 가까워진 게 아니었던 건지.

묻고 싶은 말이 많았다. 세희의 진짜 마음을 알고 싶었다.

"혼자서 아무것도 모르다가, 나중에 다른 사람을 통해 깨닫는 게 더 끔찍해요. 모르겠어요?"

화가 난 게 아니었다. 그저 약간의 서운함과 혼란스러움을 느꼈을 뿐이었다.

자신과 세희의 거리가 순간 아득하게 멀리 느껴져서. 그간의 대화와 교감으로 가까워졌던 거리감이 의미가 없어져서.

"하지만…… 누구한테 말한다고 해결될 일도 아니잖아요."

공허한 연우의 물음에 세희가 떨리는 목소리로 답했다. 그녀는 정말로 문제가 뭔지 모르겠다는 표정이었다.

세희는 연우에게 절대 피해를 줄 리 없는, 가장 안전한 방법을 택했다고 믿었으니까.

"주변 사람한테 걱정 끼칠 바에야 그냥, 혼자서 없던 일로 생각하는 게 더 좋잖아요⋯⋯."

그렇지 않냐고 물어보듯, 새카만 눈동자가 동의를 구하며 간절하게 빛났다. 언제나 순수하고 아름답다고만 여겼던 눈빛이었지만, 지금은 아니었다.

"괜히 내 일로 신경 쓰게 하는 건⋯⋯."

연우는 세희의 그 배려가 실로 잔인하다고 여겼다. 그 누구도 쉽게 마음의 선을 넘어올 수 없도록, 미리 차단하는 잔인함.

"민폐잖아요, 연우 씨한테."

연우는 말문이 막혀 대답 대신, 집요한 시선으로 세희의 얼굴을 살폈다. 그녀가 진심이라는 걸 깨달은 후에도 충격은 걷히지 않았다.

세희는 정말로 그렇게 생각하는 걸까. 누군가 그녀를 걱정하게 하는 건, 곧 민폐를 끼치는 일이라고.

"민폐 아니에요, 세희 씨."

그렇다면 너무 슬프고 가엾은 일이었다.

"아니야, 민폐."

다정하게 건넨 말에도 세희의 표정은 변화가 없었다.

이해할 수 없다는 듯 동공만이 살며시 흔들릴 뿐이었다.

　　　　✸　　　✸　　　✸

　집으로 돌아가는 길이 오늘따라 유독 더 멀게 느껴졌다.

　터덜터덜 걸어가는 세희의 어깨도 힘없이 흔들렸다. 길을 밝히는 가로등 불빛 아래서 그녀는 수차례 한숨을 내쉬었다.

　"하……."

　휴게실에서 떠나기 전, 연우가 마지막으로 던진 질문이 생각났다.

　*'만약 내가 비슷한 일을 겪고도 숨겼다면…… 세희 씨는 아무렇지 않았을 것 같아요?'*

　그 질문에 쉽게 대답하지 못한 이유가 뭐였을까. 만약 연우도 같은 상황을 겪었더라면, 반드시 그렇게 해야 한다고 생각했는데.

　특별하지도 않은 자신 때문에 그가 손해 볼 필요는 없다고, 그렇게 대답했어야 했다.

　*'화나게 해서…… 미안해요.'*

　그러나 제 입에서는 바보 같은 말만 튀어 나갔다.

　*'화 안 났어요. 그게 아니라, 서운한 거예요.'*

　기어 들어가는 목소리로 겨우 꺼낸 말 앞에서조차 연우는 차분하고 다정했다.

　*'세희 씨한테…… 내가 그 정도로 의지가 안 되는 사람인가 싶어서.'*

그건 아니었다. 절대 아니라고 대답하고 싶었다.

하지만 상처받은 연우의 눈을 본 순간, 입이 떨어지지 않았다. 지금은 그 어떤 사과조차 그에게 닿지 않으리라는 걸 알았다.

깊게 생각하지 않고 건네는 사과가 오히려 그에게 상처가 될 거라는 점도. 그래서 세희는 답하지 못한 채 그를 보낼 수밖에 없었다.

막심한 후회가 밀려왔으나 이미 그를 붙잡기엔 늦은 시간이었다.

"지금 연락하는 건 오히려…… 별로겠지."

세희는 머뭇거리면서 핸드폰만 만지작거렸다. 그녀는 타인에게 고민을 털어놓는 일이 원체 익숙지 않았다. 어릴 적부터 모든 일을 혼자 해결하면서 살다 보니 자연스레 몸에 밴 습관이었다.

고쳐야 한다고 생각한 적도, 고칠 필요성을 느낀 적도 없었다. 제게 혼자 끙끙 앓지 않아도 된다며 말해 준 사람이 아무도 없었으니까.

부모도 없이 친척과 왕래도 끊긴 처지에 의지할 사람이라곤, 거울에 비친 자기 자신뿐이었으므로.

친구들 사이에서도 유난히 큰 키를 자랑했던 열 살.

그날은 연우가 달리기 시합에서 일등을 한 날이었다.

연우는 학교 선생님에게 받은 상장과 메달을 식탁에 올려 두고서 거실을 둘러보았다. 텅 빈 거실을 보니, 엄마의 빈자리가 그날따라 유독 크게 다가왔다.

설렘과 그리움을 이기지 못한 연우가 고사리 같은 손으로 전화기 버튼을 눌렀다.

'응, 연우야.'

모친은 금방 전화를 받았고, 연우는 활짝 웃으며 소리쳤다.

'엄마, 언제 와?'

'지금 가는 중이야. 냉장고에 보리차랑 백설기 있으니까 먼저 먹어.'

'아냐! 기다릴게. 엄마랑 같이 먹을래.'

'배 안 고파? 얼른 먹지 않고, 왜.'

다정하던 엄마의 목소리는 바로 어제 들은 것처럼 선명했다. 얼른 자랑하고 싶은 마음에 연우의 심장이 빠르게 뛰었다. 충동은 그를 부추겨 끝내 꼭꼭 숨기려 했던 비밀을 밝히게 했다.

'엄마! 나 사실, 오늘…… 일등 했어.'

'일등이라니?'

'달리기 시합했는데, 내가 제일 빨랐어! 선생님이 상장이랑 메달도 주셨어.'

'어머, 정말? 우리 연우 대단하네!'

놀라서 들뜬 모친의 목소리에 연우도 덩달아 신이 났다. 항상 저를 돌보느라 바쁘던 모친에게 조금이나마 기쁨을 주었다는 사실에 가슴이 뿌듯했다.

'응! 엄마한테 제일 먼저 자랑하려고 아무한테도 메달 안 보여 줬어. 얼른 와서 봐, 엄마.'

'엄마가 케이크라도 사 가야겠다. 우리 연우가 일등을 했는데. 맛있는 거 먹어야지.'

'아무것도 안 사도 돼. 그냥 빨리 와!'

'알았어. 연우야. 엄마 빨리 갈게. 금방 갈…….'

즐거운 대화 소리를 가른 건, 귀를 찢을 듯한 소음이었다. 연우는 통증마저 느낄 정도로 강한 소음에 놀라 전화기를 떨어트렸다.

'어, 엄마?'

바닥에서 빙글빙글 회전하던 전화기가 발끝에 닿아 멈출 때까지. 뚝, 끊어진 전화기 너머에서는 어떤 소리도 들리지 않았다.

연우는 덜덜 떨리는 손으로 전화기를 들다가 그대로 굳어졌다. 평소라면 엄마가 실수로 끊었나 싶었을 터였다.

하지만 그날따라 싸한 예감이 목덜미를 스쳤다. 그래서 다시 전화를 걸지 못했다. 그저 의자에 앉아서 하염없이 기다렸다. 엄마가 올 때까지 먹지도, 마시지도 않고서. 해가 완전히 떨어져서 캄캄한 어둠이 방을 가득 채울 때까지도.

어린 날의 연우는 그저 무릎을 끌어안고 훌쩍이기만 했다. 자꾸만 끔찍한 상상이 밀려올 때마다 무기력하게 홀로 맞서면서…….

"!"

허억, 연우는 급하게 숨을 들이마시며 눈을 떴다.

어두운 천장이 아직 한밤중이라는 걸 알려 주었다. 땀으로 흥건해진 온몸이 물에 젖은 솜처럼 무거웠다. 두근거리는 맥박도 여전히 가슴을 북처럼 두드렸다.

"하…… 젠장."

연우는 떨리는 손으로 머리칼을 움켜쥐었다. 시간이 많이 지났는데도, 여전히 떠올릴 때마다 괴로운 기억이었다. 몸을 일으켜 앉고서 마른세수를 하는 손이 바들바들 떨렸다.

"하아……."

과거의 기억에서 여태 벗어나지 못한 자신이 한심했다.

'아마도 낮의 일 때문에 악몽을 꾼 거겠지.'

세희와 통화가 끊어지고서, 미친 듯이 불안했던 이유. 순간적으로 모친의 마지막이 떠올라 불안감이 높아진 탓이었다.

'너 뭐야? 왜 여기서 울고 있어?'

이럴 때면, 모친의 장례식에서 우연히 마주쳤던 소녀를 떠올리곤 했다.

그 아이가 건네주던 알록달록한 사탕의 달콤한 맛과 향기가 괴로운 기억을 덮어 주었다. 더는 혼자서 힘들어하지 말라고 다독이듯이.

"……세희 씨는 괜찮을까."

자꾸만 세희의 마지막 표정이 눈앞에 아른거렸다.

떠나가는 저를 안타깝게 바라보면서도, 차마 용기를 내지 못하던 그 모습이.

"연우 씨, 수고했어요!"

"감사합니다."

연우는 손에 든 가방을 내려놓으며 고개를 꾸벅 숙였다. 청바지에 흰 티셔츠만 걸쳤는데도 완벽한 모습이었다.

평소보다 피곤한 모습이 오히려 날카롭고 퇴폐적인 분위기를 자아냈다.

"오늘 연우, 진짜 멋있다."

"그러게. 실연이라도 당한 주인공 같아……."

스태프들은 눈도 떼지 못하고 촬영하는 그의 모습을 구경했다.

반면, 연우는 촬영하는 동안 멍하니 허공만 응시하기 일쑤였다. 그런 행동이 신비감을 부여해서 더 멋있게 찍혔다는 건 몰랐겠지만.

"수고하셨습니다."

찍힌 사진을 확인하는 작업까지 마친 후.

연우는 정중하게 인사를 건네면서 스튜디오를 빠져나왔다. 복도로 향하는 그의 걸음이 무겁게 흔들렸다.

"……."

연우는 오늘따라 유난히 기분이 가라앉은 채였다.

간밤에 악몽으로 잠을 설친 탓도 있지만, 더 큰 이유가 있었다. 세희에게 연락 한 통 오지 않았다는 사실 때문이었다.

'생각할 시간이 필요한 걸까, 아니면……'

차라리 이대로 연을 끊을 생각인 걸까.

어느 쪽이든 초조하긴 매한가지였고, 마음은 점점 더 답답해졌다. 이럴 바에야 먼저 찾아가서 대화를 시도하는 게 나을까 싶은 생각도 들었다.

물론 세희가 자신을 만나 주겠노라고 허락할 때의 이야기겠지만…….

"연우야!"

터덜터덜 걸어가는 그의 뒤쪽에서 산뜻한 목소리가 들려왔다.

뒤를 돌아보니 핑크빛 카디건에 미니스커트 차림의 유미가 서 있었다. 연우가 가만히 지켜만 보자, 유미가 싱긋 웃으며 발랄하게 달려왔다.

"무슨 생각 해? 몇 번이나 불렀는데 듣지도 못하고."

아무 일도 없었다는 듯 천진난만한 물음이었다.

반면, 연우는 이제 유미를 보기만 해도 세희가 생각나서 미간을 찌푸렸다.

"그냥…… 다른 생각."

슬쩍 시선을 피하는 연우의 안색이 더욱 어두워졌다. 그의 기분을 정확히 파악한 유미가 날카롭게 물었다.

"그 여자 생각?"

연우가 걸음을 멈추며 느리게 그녀를 돌아보았다.

"배유미. 선 지켜."

얼음처럼 싸늘한 표정을 마주한 유미가 흠칫하며 굳어졌

다. 이런 식으로 선을 그어 버리는 행동을 마주할 때마다 속이 울렁거리기 일쑤였다.

옛날에는 짝사랑에 보답받지 못한 슬픔 때문이었다면, 지금은 달랐다. 지금은 질투라는 명확한 감정이 향할 수 있는 상대가 존재했으니까.

"선? 우리한테 선이 어디 있어?"

"모른 척하지 말고."

단호한 일갈이었다. 더는 거리를 좁히지 말라는 듯한. 연우를 절실하게 바라보던 유미의 눈빛이 살짝 흔들렸다.

"이런 식으로 친구 한 명, 또 잃기 싫어. ……내 마음 알잖아."

연우 역시 담담하게 그녀를 내려다보며 속삭였다. 이번에는 애매하게 회피할 수도 없는 물음이었다.

유미도 그의 말이 뭘 뜻하는지 알기에 조용히 아랫입술만 깨물었다.

그동안 연우의 곁에서 유일하게 친구라는 이름으로 머물 수 있었던 이유.

'그래, 잘 알아. 지긋지긋할 정도로…… 알고 있어.'

그건 딱 하나였다. 연우가 정말 그녀에게 좋은 감정이 있어서도, 그녀가 연우에게 특별한 사람이기 때문도 아니었다.

그저 유미가 연우에게 고백하지 않고서 곁을 지켰기 때문이었다. 연우는 아무리 가까워진 상대여도 고백을 받으면, 곧장 남처럼 거리를 두기 시작했으니까.

"촬영 잘해."

서둘러 떠나려는 연우의 모습에 유미가 허겁지겁 입을 열었다.

"……엄마!"

다급하게 소리친 단어에 연우가 미간을 찌푸렸다. 유미는 애써 미소 지으며 그의 팔을 붙잡았다.

"엄마가 너…… 보고 싶다고 하셨어. 지난번에 보내 준 선물, 고맙다고."

필사적인 모습에 연우가 무표정한 얼굴로 손을 빼냈다.

"회사 대표 차원에서 소속 모델들에게 돌린 선물이니, 특별히 어머님께만 보내 드린 선물도 아니었잖아. 따로 답례하실 필요 없어."

"하지만 오랜만에 같이 식사라도 하면 좋잖아. 엄마 건강해진 이후로 만난 적 없으니까……."

"네가 그만큼 더 잘해 드리면 돼."

자존심을 내던지고 꺼낸 얘기 앞에서도 연우는 한없이 냉정했다. 다만, 예전의 기억을 떠올렸는지 안도하는 미소를 머금었다.

"건강해지신 건 정말 다행이야. 너도 고생 많았으니까."

진심으로 축하해 주는 눈웃음이 오늘따라 유독 아름다웠다. 유미는 경외하듯 그의 얼굴을 바라보며 마른침을 삼켰다.

처음 연우에게 반했던 순간이 떠올랐다. 저 눈웃음을 보고서 홀린 듯 이끌렸던 그때의 감정을.

"연우야, 나는……."

유미는 힘겹게 달싹이던 입술을 그대로 다물었다. 고백하는 순간, 앞으로 연우의 곁을 맴돌 자격조차 잃어버릴 게 뻔했다.

연우에게 고백하고 거절당해서 떠나갔던, 수많은 여자 중 한 명이 되기 싫었다. 그 이유만으로 그동안 얼마나 필사적으로 자신의 감정을 숨기며 버텼던가.

'문세희, 그 여자가 대체 너한테 어떤 존재라고…….'

하지만 얌전히 기다리다가 이 사랑마저 빼앗기게 된다면? 자신이 과연 그 현실을 버틸 수나 있을까?

갈등에 휩싸인 유미의 입술이 파르르 떨렸다.

"나는, 너를……!"

어떻게든 말을 내뱉으려던 찰나.

"너 아직도 그 소리냐?"

별안간 복도 모퉁이에서 누군가의 목소리가 들려왔다. 갑작스러운 소음에 유미와 연우가 같은 방향으로 고개를 돌렸다.

"그 여자 양다리인 게 확실하다니까? 이거 연우 선배한테 알려 줘야 하는 거 아냐?"

"말도 안 되는 소리 좀 그만해. 선배님이 참 좋아하시겠다, 그딴 헛소문 전해 드리면."

"아, 헛소문 아니라니까! 내가 분명히 봤다고!"

두 사람의 대화가 텅 빈 복도를 시끄럽게 울렸다.

목소리의 주인을 짐작한 연우의 이마에 핏대가 섰다. 힘껏 그러쥔 주먹에도 푸른 핏줄이 돋았다.

"나 협박한 그 새끼, 차강 그룹 후계자 맞아. 피오레 코스메틱 부사장이라고!"

"그게 왜?"

"잘하면 둘 다 보내 버릴 수 있는 건수지, 이게."

킬킬대는 남자의 목소리가 천박하기 이를 데 없었다. 그를 만류하던 남자가 한심하다는 듯 혀를 찼다.

"쓸데없는 짓 해서 신상 털리지 말고 가만히 있어, 좀. 너 요즘 기자 붙은 거 알지? 더럽게 놀다가 걸려서 괜히 망신당하지 마라."

"아이 씨, 기자 하나 따돌리는 게 어렵냐. 차라리 그 기자 붙잡아서 아예 정보 넘겨줄까? 어때?"

은밀하게 속삭이는 목소리에 치졸한 열등감이 넘실거렸다.

"타이틀도 생각했어. 꽃뱀 하나 잘못 만나서 인생 종 친 재벌가 자제랑 톱스타 모델."

그나마 이성을 지탱하던 인내심이 뚝 끊어졌다. 연우가 일그러진 얼굴로 복도 모퉁이를 노려보며 오른발을 내디뎠다.

"잠깐, 연우야?"

당황한 유미가 소매를 붙잡았지만, 연우는 소리 없이 그 팔을 뿌리쳤다. 모퉁이를 향해 달려가는 발소리가 고요하면서도 섬뜩했다.

"분명 두 사람 저울에 매달고 간 보는 거겠지."

마침내 모퉁이 너머로 헛소문의 근원이 나타났다.

"참 나, 얼굴만 반반한 게 뭐 자랑이라고…… 억!"

더는 참을 수 없었다. 연우는 한재섭의 얼굴에 그대로 주먹을 꽂으면서 덤벼들었다.

"서, 선배!"

재섭의 옆에서 나란히 걷던 석현이 재빨리 끼어들었다. 하지만 연우는 이미 재섭의 멱살을 단단히 잡은 채 주먹을 뻗고 있었다.

"큭, 뭐야!"

둔탁한 소리와 함께 재섭의 고개가 돌아갔다. 비명을 지르는 재섭의 얼굴을 마주하고도 타격은 멈추지 않았다.

연우는 두 눈을 부릅뜬 채 조용히 주먹만 휘둘렀다. 섬찟할 정도로 서늘한 표정 앞에서 기가 꺾인 재섭이 몸을 움츠렸다.

재섭의 입술이 터져 피가 날 때쯤, 유미가 연우의 팔을 뜯어내듯 붙잡았다.

"그만, 그 정도만 하라니까! 서연우!"

그제야 연우가 움찔하며 손을 놓았다. 끊어졌던 퓨즈가 돌아오듯 눈앞이 환하게 갰다. 엉망이 된 몰골로 주저앉은 재섭의 모습이 보였다.

"하아, 하……."

연우는 낮게 거친 숨을 몰아쉬면서 시선을 떨구었다. 피가 묻은 손등을 보자 천천히 이성이 돌아왔다.

마구 때리다가 실수로 재킷 지퍼에 스쳤는지, 손등이 찢어져 피가 흘렀다.

"미쳤어, 다짜고짜 왜 주먹질이야! 나한테 왜 이래요!"

재섭은 흥분으로 얼굴이 새빨개진 채 소리쳤다. 연우의 날카로운 시선이 그를 꿰뚫었다.

재섭은 필사적으로 머리를 굴리다가, 방금까지 석현과 나누던 대화를 복기했다. 그러자 연우가 왜 이렇게 화를 내는지 짚이는 구석이 있었다.

"아, 혹시 들었어요? 그 여자 얘기?"

세희를 뜻하는 말에 연우의 미간이 와락 구겨졌다.

"그럼 자세한 걸 물어봐야지, 왜 폭력 행사야? 그 여자가 다른 남자 만나고 다닌 게 내 잘못이에요?"

재섭은 벌떡 일어나더니 마구잡이로 외치기 시작했다.

"입 다물어."

"뭐 얼마나 대단한 여자길래, 번호도 안 알려 주나 했는데. 아주 쉬운 여자더라고. 선배가 속은 거야!"

연우의 눈치를 살피던 석현이 흠칫하며 재섭의 등을 때렸다. 그만 말하라는 뜻이었지만, 재섭은 눈치도 없이 나불대는 걸 멈추지 않았다.

"괜히 애먼 데 화풀이야! 따질 거면 그 꽃뱀한테 따져야…… 힉!"

결국, 꽃뱀이라는 단어에 연우가 참지 못하고 한 발자국을 내디뎠다. 쉴새 없이 투덜거리던 재섭이 반사적으로 얼굴을 감쌌다.

'이 정도로 겁먹을 거면, 애초에 나서질 말든가.'

기겁해서 벌벌 떠는 재섭의 모습에 유미가 쯧쯧 혀를 찼다. 재섭을 노려보는 연우의 다물린 턱 아래로 핏대가 섰다.

"연우 선배, 죄송합니다. 이놈 제가 데려갈게요. 정신을 못 차려서……."

간신히 분노를 가라앉히는 그 모습에 지켜보던 석현이 쭈뼛쭈뼛 다가왔다.

"야, 내가 틀린 말이라도 했냐? 놓으라니까!"

석현이 팔을 잡아당기자 다시금 재섭이 목소리를 높였다. 그러면서도 주먹질의 위력을 느꼈는지, 덤벼들 기색은 없었다.

한심하다는 듯한 유미의 눈초리를 받으며 석현은 재빨리 재섭을 데리고 사라졌다.

'보는 사람, 없겠지?'

유미는 황급히 주변을 살폈다. 근처에 머물던 스태프들은 진작 사라진 지 오래였다.

설령 봤다고 한들, 연우의 평판이 워낙 좋은 만큼 소문이 퍼지지는 않을 터였다.

"가자, 빨리."

혹시 더 지켜보는 눈이 있을까 걱정하던 유미가 서둘러 연우의 등을 떠밀었다.

터덜터덜 걸음을 옮기던 끝에 복도 끝 대기실이 모습을 드러냈다.

연우가 들어가는 모습을 확인한 유미가 다급히 문을 잠갔다. 다행히 대기실은 텅 비어 있었다.

드디어 찾아온 적막에 연우가 멍하니 소파에 주저앉았다.

가까이 다가오던 유미가 멈칫하며 휴지를 뽑아 건넸다.

"닦아."

"……."

"손등에서 피 나잖아, 얼른."

연우는 건네받은 휴지로 손등의 핏자국을 닦아 냈다.

정작 이 주먹에 얻어맞아 피를 흘린 건 한재섭이었는데, 유미는 그쪽을 전혀 걱정하지 않았다.

오히려 저 자그마한 상처조차 연우에게 거슬리는 흉터로 남을까 봐 신경 쓰였다.

'좀 더 빨리 말렸어야 했어. 이야기를 끝까지 듣는 게 아니라.'

연우는 여전히 정신이 없어 보였다. 그 얼굴이 어둡게 가라앉아 있었다. 평소의 그였다면, 절대 충동적으로 그런 일을 저지르지 않았을 것이었다.

유미는 대기실을 이리저리 초조하게 맴돌다가 떨리는 목소리로 외쳤다.

"차연우, 너 요즘 이상해. 알아?"

대체 뭐가 이상하다는 걸까. 연우는 무미건조한 얼굴로 휴지를 구겼다.

"밖에서 그 이름으로 부르지 말랬지."

돌아온 건 냉정한 대답이었다. 유미의 눈동자가 서늘하게 일렁였다.

"누가 들으면……."

"그 여자도 알아?"

연우가 세희 일로 크게 혼란스러워한다는 게 느껴졌다. 그러자 더욱 강하게 질투가 끓어올랐다. 연우가 누군가의 일로 저토록 흔들리는 건 처음이었으므로.

"너 서연우가 아니라 차연우인 거…… 문세희도 알아?"

유미가 애써 목소리의 떨림을 죽이며 물었다. 제발 이 이야기만큼은 자기와 연우만의 비밀이기를 원했다.

모델로 데뷔한 직후, 모친의 병간호로 한창 힘들어했을 때. 저를 위로하고자 연우가 넌지시 공유한 비밀이었으니까.

"그래."

담담하게 돌아온 대답에 유미의 가슴이 쿵 내려앉았다. 흔들리는 그녀의 눈빛에도 연우는 무뚝뚝하게 속삭였다.

"세희 씨도 알아."

"하……."

"그러니까 괜히 괴롭히지 마."

그만큼 소중한 사람이라는 뜻으로 들리는 말이었다. 유미는 연우가 덧붙인 경고에 조용히 이를 악물었다.

일전에 마주쳤던 세희에게 그렇게나 특별한 매력이 있었던가. 아무리 생각해 봐도 연우가 이토록 흔들리는 이유가 뭔지 알 수 없었다.

"그 여자는 다른 남자랑 파혼했다잖아."

"무슨 상관인데, 그게."

유미의 시선을 회피하는 연우의 눈이 좁혀졌다. 그녀는 본능적으로 불편한 공기를 감지하며 인상을 찌푸렸다. 찾아온 정적 앞에서 연우가 짧게 말을 이었다.

"파혼했으면 이제 남이야."

"아직도 남이 아니니까 만났겠지."

유미가 소리 없이 코웃음을 치며 중얼거렸다.

"배유니!"

연우의 외침에 노기가 실렸다. 세희와 관련된 일을 언급하는 것 자체가 못마땅한 눈치였다. 싸늘하게 올려다보는 연우의 모습에 유미가 앙칼지게 반박했다.

"남이라는 걸 어떻게 확신하는데?"

단도직입적인 물음에 처음으로 연우의 눈빛이 흔들렸다. 유미는 그가 무엇을 걱정하는지 단번에 알아차리고서 정밀하게 파고들었다.

"사랑하는 부부도 감당하기 힘든 사정이 생기면, 얼마든지 이혼할 수 있어. 파혼도 비슷하겠지."

말을 이어 가던 그녀의 머릿속에 부모의 얼굴이 떠올랐다. 유미가 어릴 적, 부친은 빚을 감당하지 못하고 이혼을 택했다.

부친이 잠적한 후 혼자서 무리하게 유미를 돌보던 모친에게는 병이 생겼다. 그래서 유미는 일찍 데뷔하고 미친 듯이 돈을 벌기 시작했다. 빚을 갚고 모친이 완쾌하면, 다시 예전처럼 돌아갈 수 있다는 희망에.

"아무리 사랑해도 이별할 수 있다는 거. 그런 사람들이 실제로 많다는 것도."

하지만 기나긴 서로의 부재 탓에 부모는 다시 이전의 삶으로 돌아가지 못했다. 이러한 사정은 연우도 잘 알고 있는 이야기였다. 그 당시, 유미가 얼마나 힘들고 괴로워했는지 가장 가까이에서 지켜보았으니까.

"너도 알잖아. 부부도 그러는데, 연인은 얼마나 쉽겠어."

어떻게 모를까. 연우도 너무나 잘 알고 있는 이야기였다. 차강태 회장을 사랑했으나 결혼하지 못하고 숨어 살았던 모친이 떠올랐다. 연우의 부모도 유미의 부모와 크게 다르지 않았다.

"문세희 씨한테 직접 물어봐. 아직도 그 남자를 사랑하는 건 아닌지."

"……."

"나도 궁금하네. 과연 뭔 생각인지, 그 여자가."

유미는 대답을 듣지 않고서 등을 돌렸다. 또각또각 걸어가는 구두 소리만이 정적을 갈랐다.

연우는 유미를 붙잡지 않았고, 그대로 문이 열렸다가 닫혔다. 복도로 나와 닫힌 문을 응시하던 유미가 조용히 생각에 잠겼다.

'문세희와 파혼했다는 사람, 피오레 코스메틱의 부사장이라고 했었나…… 정확히 어떤 남자인 거지?'

세희와 파혼했다는 남자에 대한 궁금증이 커져만 갔다.

—2권에서 계속

**나랑 해요, 도련님 1**

초판 1쇄 인쇄 2022년 1월 14일
초판 1쇄 발행 2022년 1월 26일

지은이 ㅣ 린혜
펴낸이 ㅣ 신현호
편집장 ㅣ 예숙영
편집 ㅣ 최은지
편집디자인 ㅣ 한방울
영업 ㅣ 김민원
물류 ㅣ 이순우 박찬수

펴낸곳 ㈜디앤씨미디어
출판등록 2002년 5월 1일 제117-90-51792호
주소 서울시 구로구 디지털로 26길 111 JnK디지털타워 503호
대표전화 (02)333-2513 팩스 (02)333-2514
전자우편 dncbooks@dncmedia.co.kr
디앤씨북스 블로그 http://blog.naver.com/dncbooks

ISBN 979-11-264-5934-6 04810
ISBN 979-11-264-5933-9 (SET)